WITHDRAWN
The Catholic
Theological Union
LIBRARY
Chicago, Ill.

PARABOLAIRE

SOURCES CHRÉTIENNES

N° 378

GALAND DE REIGNY

PARABOLAIRE

INTRODUCTION, TEXTE CRITIQUE, TRADUCTION, NOTES ET INDEX

Par

Colette FRIEDLANDER
moniale cistercienne

Jean LECLERCQ
moine de Clervaux

Gaetano RACITI
moine d'Orval

Ouvrage publié avec le concours du Centre National de la Recherche Scientifique

LES ÉDITIONS DU CERF, 29, BD DE LATOUR-MAUBOURG, PARIS
1992

La publication de cet ouvrage a été préparée avec le concours
de l'Institut des « Sources Chrétiennes »
(U.R.A. 993 du Centre National de la Recherche Scientifique)

NIHIL OBSTAT
Clervaux, 18.12.1991
Fr. L. FABY
Prieur de Saint-Maurice

NIHIL OBSTAT
Orval, 26.01.1992
Fr. E. DION
Abbé de N.-D. d'Orval

NIHIL OBSTAT
Laval, 30.01.1992
M. N. LEBRUN
Abbesse de La Coudre

IMPRIMATUR
Lyon, 16.03.1992
J. ALBERTI, p.s.s.
Cens. dep.
Card. A. Decourtray

ISBN : 2-204-04602-7
ISSN : 0750-1978

AVANT-PROPOS

Cette édition résulte d'une collaboration entre Colette Friedlander, moniale cistercienne, Jean Leclercq, moine de Clervaux, et Gaetano Raciti, moine d'Orval. La répartition des tâches a été la suivante. Au Père Jean Leclercq est dû le chapitre premier de l'introduction ; au Père Gaetano Raciti, le chapitre second de l'introduction et l'établissement du texte ; à sœur Colette Friedlander, la traduction, les notes et les index.

SC

ABRÉVIATIONS ET SIGLES

Œuvres de saint Bernard

Les sigles employés sont, à une exception près *(SCC)*, ceux du *Thesaurus sancti Bernardi Claraevallensis,* Turnhout 1987, p. XXIV.

AdvA	*S. in adventu Domini*
AndV	*S. in vigilia s. Andreae*
Apo	*Apologia ad Guillelmum abbatem*
Assp	*S. in assumptione beatae Mariae Virginis*
Circ	*S. in circumcisione Domini*
Dil	*Liber de diligendo Deo*
Div	*S. de diversis*
Ep	*Epistolae*
Hum	*Liber de gradibus humilitatis et superbiae*
Miss	*Homiliae super Missus est (in laudibus Virginis Matris)*
Nat	*S. in nativitate Domini*
NatV	*S. in vigilia nativitatis Domini*
Par	*Parabolae*
SCC	*S. super Cantica Canticorum*
Sent	*Sententiae*

Divers

An. S.O.C.	*Analecta Sacri Ordinis Cisterciensis,* Rome.
BA	*Bibliothèque Augustinienne,* Paris.
DSp	Dictionnaire de Spiritualité, Paris.

CCL	*Corpus Christianorum, Series Latina,* Turnhout.
CCM	*Corpus Christianorum, Continuatio Mediaevalis,* Turnhout.
Coll. Cist.	*Collectanea Cisterciensia,* Scourmont.
CSEL	*Corpus Scriptorum Ecclesiasticorum Latinorum,* Vienne.
DACL	Dictionnaire d'Archéologie Chrétienne et de Liturgie, Paris.
DHGE	Dictionnaire d'Histoire et de Géographie Ecclésiastique, Paris.
RB	*Règle de saint Benoît,* éd. A. de Vogüé, *SC* 181-182, Paris 1972.
RBen	*Revue Bénédictine,* Maredsous.
REAug	*Revue des Études Augustiniennes,* Paris.
TLL	*Thesaurus Linguae Latinae,* Munich.
SBO	*Sancti Bernardi Opera,* éd. L. Leclercq, H.-M. Rochais et C.H. Talbot, t. 1-8, Rome 1957-1977.
SC	*Sources Chrétiennes,* Paris.

Traductions citées en note

BERNARD DE CLAIRVAUX, *Sermons pour l'année,* trad. P.-Y. Émery, Turnhout - Taizé 1990 (sermons pour l'année liturgique).

ID., *Les combats de Dieu,* trad. H. Rochais, Paris 1981 (sentences et paraboles).

INTRODUCTION

CHAPITRE PREMIER

L'AUTEUR ET L'ŒUVRE

Galand de Reigny n'est pas un illustre écrivain. Par le niveau de sa pensée et les genres littéraires, mineurs, qu'il a adoptés, il appartient plutôt — et il en est conscient — à ce que l'on pourrait appeler la classe moyenne des spirituels du XIIe siècle. Au sommet se situent ceux qu'on a pu nommer « les quatre évangélistes de Cîteaux [1] » : S. Bernard, Guillaume de Saint-Thierry, Guerric d'Igny, Aelred de Rievaulx. A la base, il y a tous ceux qui, parfois lettrés, n'ont guère écrit ou pas du tout [2], et les illettrés qui entendaient traduire ou résumer les ouvrages célèbres. Un Galand de Reigny trouve place dans une zone intermédiaire. Non pas qu'il ait cherché à conserver l'anonymat, comme l'auteur de l'*Imitation de Jésus-Christ* — qui y a réussi — ou un Jean de Fécamp, qui y parvint jusqu'à une époque récente [3]. Galand, lui, ne visait que

1. L'expression est de A. LE BAIL, *L'Ordre de Cîteaux. « La Trappe »*, Paris 1926, p. 125. Elle a été reprise par B. PENNINGTON dans *The Last of the Fathers*, Still River Mass. 1983, p. 49.

2. Ainsi un historien a-t-il écrit du plus éminent des abbés de Cluny, S. Hugues : « Il était très lettré, bien qu'il n'ait rien écrit » (J.-M. PIGNOT, *Histoire de l'Ordre de Cluny*, Autun - Paris 1868, t. 1, p. 247).

3. C'est ce que j'ai rappelé sous le titre « A la découverte d'un inconnu illustre », dans *Fécamp au temps des Ducs Normands*, Fécamp 1988. Dans les notes qui suivront celle-ci, les références non précédées d'un nom d'auteur sont celles de publications où j'ai traité de sujets qui ne peuvent être que mentionnés ici.

le public ordinaire des moines, et c'est en cela qu'il est intéressant et mérite d'être édité : il nous laisse entrevoir, non seulement sa propre personnalité, mais celle de beaucoup des « soldats inconnus » de la vie claustrale au Moyen Âge.

Après avoir rappelé le peu qu'on sait de sa biographie, il y aura lieu de situer dans une tradition l'ouvrage présenté ici, puis d'en dégager le message.

I. L'HOMME ET SON ŒUVRE

Galand ne nous est connu que de nom. Quelques allusions contenues dans ses ouvrages — un *Parabolaire* et un *Petit livre de proverbes* — permettent, non pas de raconter sa vie, mais de situer son activité d'écrivain dans l'histoire de ses deux monastères successifs [1]. Il fit d'abord partie d'un groupe d'ermites fondé en 1104, au diocèse d'Autun, par deux prêtres dont l'un s'appelait Gérard. Ils s'étaient établis en un endroit dont le nom de Fontesme, ou Fontemoy, indique qu'il était humide : *Fons humidus* [2] ; il était en effet entouré de marécages. Des donations et quelques vocations lui étaient échues. Quant il mourut, à une date qui demeure incertaine, Gérard eut pour successeur un second abbé, Julien. Ce dernier signe une charte en 1123 : il devait alors être en charge depuis peu de temps, et c'est lui qui requit Galand de se mettre à écrire. Il décéda en 1128.

1. Sur tout ceci, *Gallia christiana* XII, Paris 1770, p. 459 ; J. MABILLON, *Annales O.S.B.*. V, LXXXI, Lucques 1740, p. 438 ; L. JANAUSCHEK, *Originum cisterciensium Tomus I*, Vienne 1877, p. 15. De brèves notices bio-bibliographiques ont été données par M. STANDAERT, art. « Galland de Reigny », *DSp* 6, 1967, c. 74-75, et par A. DIMIER, art. « Galland de Rigny ou Reigny », *DHGE* 19, 1981, c. 814. Pour l'histoire de l'abbaye de Reigny, voir M. TERRE, *L'abbaye de Reigny*, Semur-en-Auxois 1954.

2. L. JANAUSCHEK, *ibid.*, p. 15, n° XXXI.

Le nouvel ordre monastique récemment fondé à Cîteaux et surtout l'abbaye de Clairvaux jouissaient alors d'une renommée croissante. La communauté de Fontemoy, comme d'autres, demanda à faire partie de cette institution et, souhaitant s'affilier à Clairvaux, pria S. Bernard de l'aider en lui envoyant quelques moines et un abbé. S. Bernard désigna pour cette fonction l'un de ses premiers compagnons — dont plusieurs devinrent bientôt abbés eux aussi —, Étienne de Torcy [1]. Ce dernier comprit que le site était malsain et décida, comme on devait le faire à Clairvaux [2] et en d'autres maisons cisterciennes [3], de transférer le monastère sur la terre de Reigny, au diocèse d'Auxerre ; le comte de Nevers l'avait acquise en 1130 et venait de la donner aux religieux. Ce transfert eut lieu en 1134.

Dans la préface de son *Parabolaire,* Galand déclare avoir écrit sur l'ordre de Julien, mais se désigne déjà comme moine de Reigny, ce qu'il ne put faire qu'à partir de 1134 [4]. Il avait donc mis plusieurs années à achever son œuvre. Dans une lettre finale, qu'il y ajoute, il

1. J. MARILIER, « La vocation », dans *Bernard de Clairvaux,* Paris 1953, p. 36. Dans le manuscrit Paris, BN, *lat. 15135,* fol. 88v, Étienne de Fontemoy est nommé après Bernard et avec Galeran d'Ourscamp parmi ceux qui adressent au pape Innocent II la *Lettre* 158 de S. BERNARD, qui est de la fin août 1133 et se rapporte à l'assassinat de Thomas, prieur de Saint-Victor de Paris. Cf. H.-B. DE WARREN, dans *Bernard de Clairvaux,* Paris 1953, p. 318-322, et F. GASTALDELLI, *Opere di S. Bernardo,* VI, 1, Rome-Milan 1986, p. 684-687.

2. Sur le déplacement de Clairvaux, R. FOSSIER, « L'essor économique de Clairvaux », dans *Bernard de Clairvaux,* p. 101-102, et l'analyse que j'ai donnée du texte de la *Vita prima Bernardi* qui en parle, sous le titre « Conventual Chapter and Council of the Abbot in Early Cîteaux », *Cistercian Studies* 23, 1987, p. 22-24.

3. A. DIMIER, « A propos des emplacements malsains », *Cîteaux in de Nederlanden* 6, 1955, p. 89-97.

4. Sous le titre « Les Paraboles de Galland de Rigny », dans *Analecta monastica* I (*Studia Anselmiana* 20), Rome 1948, p. 167-175, j'avais présenté le *Parabolaire.*

remercie S. Bernard de ce qu'il a fait pour « greffer » Reigny sur l'arbre solidement planté qu'est Clairvaux, opération jamais facile : « On doit craindre que les vieilles branches de reste ne poussent et ne prolifèrent au point d'étouffer les surgeons nouvellement greffés... [1] » Doit-on voir là une allusion à une sorte de « conflit de générations » qui se serait développé entre les premiers moines de Fontemoy et ceux qui étaient venus se joindre à eux ?

Plus tard, toujours sous l'abbatiat d'Étienne, Galand reprend la plume pour rédiger un *Petit livre de proverbes* [2]. Cette fois encore, dans une lettre dédicatoire et dans une postface, il soumet son œuvre à S. Bernard. Nous savons par une lettre de celui-ci que, vers la fin de sa vie, il était attentif à ce que la doctrine chrétienne fût correctement exposée dans les écrits qu'on lui soumettait [3]. Sans doute lut-il l'ouvrage de Galand. Aucun indice ne permet d'avancer à quelle date le *Proverbiaire* fut achevé. Tout au plus peut-on dire qu'on ne saurait en reculer la composition au-delà de l'année 1153, durant laquelle mourut Bernard à qui l'ouvrage avait été adressé.

Enfin Galand est également l'auteur d'une compilation conservée dans le manuscrit Douai *532* [4]. Elle est anonyme, mais le prologue reproduit certaines phrases du *Parabolaire*. Le dessein de l'œuvre et le style de ce

1. Ce texte, déjà cité dans « Les paraboles de Galland de Rigny », *loc. cit.*, p. 168, n. 5, a été traduit et commenté par A. Dimier, « S. Bernard et ses abbayes-filles », *An. S.O.C.* 25, 1969, p. 265-266.

2. Ce texte a été publié en latin par J. Châtillon, avec une traduction française de M. Dumontier : « *Gallandi Regniacensis Libellus Proverbiorum :* Le recueil de proverbes glosés du cistercien Galland de Rigny », *Revue du Moyen Âge Latin* 9, 1953, p. 5-152.

3. *Ep.* 450 (*SBO* 8, p. 420). F. Gastaldelli, *Opere di S. Bernardo*, VI, 2, Rome-Milan 1987, p. 614-615, a souligné l'intérêt de ce texte.

4. Ouvrage caractérisé dans *Études sur saint Bernard et le texte de ses écrits* (*An. S.O.C.* 9^{1-2}, 1953), p. 15-16.

prologue sont semblables à ceux des deux autres ouvrages de Galand. Mais celui-ci présente la particularité de n'être pas, comme ces derniers, original : Galand y rassemble des écrits dont certains sont rares et très intéressants. Toute une série d'entre eux est précédée d'une rubrique attribuant à « Dom Bernard » des textes dont l'authenticité est ainsi garantie. Le témoignage de Galand est d'autant plus précieux qu'il est plus prudent ; en tête d'un fragment, il a marqué : « Cette sentence, on ne sait de qui elle est. »

Il n'est pas dénué d'esprit critique. Si nous ne connaissons pas d'événements ayant marqué son existence — sans doute parce que celle-ci n'en comporte point —, du moins devinons-nous certains traits dominants de son caractère : son admiration inconditionnée pour S. Bernard et sa jovialité, que chaque page de son *Parabolaire* attestera. En revanche, le ton du *Petit livre de proverbes* n'est pas exempt de pessimisme et même d'amertume ; œuvre d'un cinquantenaire qui a perdu bien des illusions et n'a pas encore atteint à la sérénité de la vieillesse, serait-on tenté de dire. Cela invite à voir dans le *Parabolaire* une œuvre de jeunesse et à placer nettement plus tard la composition du recueil de proverbes glosés.

II. UNE LITTÉRATURE MONASTIQUE POPULAIRE

Il existait une littérature monastique dont on peut dire qu'elle est savante : celle des traités, souvent difficiles, des théologiens. Une autre était de caractère pastoral : elle revêtait la forme de sermons. Mais une autre encore ne devait-elle pas s'adresser à ce qu'il y avait de « populaire » parmi les habitants des cloîtres ? Bien peu d'entre eux, d'entre elles, pouvaient saisir toute la doctrine des grands ouvrages, en apprécier tous les raffinements littéraires. Si, aujourd'hui encore, on ne cesse de scruter les écrits majeurs d'un Guillaume de Saint-Thierry ou d'un S. Bernard, d'y découvrir des richesses qui étaient demeurées insoupçonnées, de les commenter afin d'en faire apprécier le contenu, d'y admirer des artifices de style, on peut penser que tout cela échappait, du moins en partie, aux religieux moyens, souvent peu instruits, du XIIe siècle. Tels chefs-d'œuvre d'alors furent rédigés à la requête de lecteurs exigeants : ainsi les *Sermons sur le Cantique des cantiques* furent-ils demandés à S. Bernard par un chartreux de Portes [1].

Aussi les maîtres consentirent-ils à s'exprimer également en des genres plus humbles. S. Bernard a ainsi laissé des *Sentences* et des *Paraboles* qui parurent si éloignées de son style habituel qu'on les considéra longtemps comme indignes de lui. Leur authenticité a maintenant été confirmée.

Sentences et paraboles : tels sont les deux genres littéraires que cultive Galand de Reigny. Il ne manque pas de talent et sans doute son abbé, Julien, l'ayant remarqué, lui demanda-t-il d'en faire profiter ses frères. Lui-même s'est justifié de se limiter à cette sorte d'écrits en arguant avec humilité de son incapacité à faire autre chose. Mais peut-être lui-même et son supérieur, ainsi que S. Bernard et d'autres, avaient-ils compris qu'il fallait également nourrir la foi, la ferveur, l'imagination de la foule anonyme — *turba magna* — des moines et des moniales. Il existait deux façons principales de s'acquitter de cette tâche : ou bien parler en phrases simples et courtes comme des proverbes, faciles à mémoriser, quitte à les commenter par des gloses du même genre, ou encore inventer des historiettes plus ou moins divertissantes et dont on dégagerait ensuite la signification, la « moralité ».

1. Sur ce point, des textes sont cités dans *Recueil d'études sur saint Bernard*, t. 1, Rome 1962, p. 194-196.

En composant son *Petit livre de proverbes,* Galand se conformait à l'un des procédés de la littérature de sagesse de tous les temps. Dans l'Ancien Testament, il avait été illustré par le livre qui a pour titre *Les proverbes de Salomon.* Jésus aussi avait souvent utilisé cette forme d'expression. Elle fait d'ailleurs partie du trésor de toutes les cultures : que l'on pense aux Koans du bouddhisme zen [1] ou aux « adages, devinettes et métaphores » des anciens couvents pré-colombiens du Mexique [2]. Dans le premier monachisme chrétien ce sont les Apophtegmes, avec la part de « calembours » qu'ils comportaient [3], puis les divers recueils de *Sentences* d'Évagre, dont la tradition monastique postérieure eut connaissance [4]. On a pu parler d'« Apophtegmes de S. Bernard [5] » à propos de ses *Sentences,* dont certaines se présentent comme des énigmes [6]. Il s'agissait, dans tous les cas, de stimuler l'attention et d'inviter à la réflexion. Dès le haut Moyen Âge, on avait connu, sous le nom de « divertissements de moines »

1. « Koan (en japonais) : demandes ou réponses énigmatiques propres à la méditation du zen », écrit J. Lopez Gay, *La mistica del Budismo. Los monjes no cristianos del Oriente,* Madrid 1974, p. 278.

2. Une collection de textes de ce genre a été éditée par A. Lopez Austin, *La educacion de los antiquos Nahuas,* t. 2, Mexico 1985, p. 119-133.

3. P. Miguel, « Les calembours du désert », *Coll. Cist.* 45, 1983, p. 149-154 ; P. Gribaudi, *Bons mots et facéties des Pères du désert,* Paris 1987.

4. Sur les Sentences d'Évagre et leur influence : Préface à E. Bamberger, *Praktikos. Chapters on Prayer, Evagrius Ponticus,* Spencer 1970, p. VII-XXII. Divers recueils de « sentences » sont rassemblés dans le volume intitulé *Philocalie des Pères neptiques* 7, *Thalassius l'Africain, et al.,* Bellefontaine 1986.

5. B. Ward, « Apophtegmata Bernardi : Some Aspects of St. Bernard of Clairvaux », dans *The Influence of St. Bernard,* Fairacres - Oxford 1976, p. 133-143. Il s'agit là de *dicta (sayings)* rapportés par des hagiographes.

6. Des exemples sont cités dans « Introduction à quelques études sur S. Bernard », *Coll. Cist.* 40, 1978, p. 147-149.

(*Ioca monachorum*), bien des séries de devinettes éducatives [1]. Ainsi, par ses *Proverbes,* Galand s'insère-t-il dans une tradition ininterrompue.

De même avec ses *Paraboles,* dont il a plusieurs fois indiqué et justifié le caractère. Le titre même qui les désignait était ancien. Il venait de deux mots grecs, *para* et *ballo,* dont la conjonction signifie littéralement « lancer au-delà », c'est-à-dire suggérer : dire une chose pour faire penser à une autre [2]. C'est l'alliance de ces termes qui est à l'origine de *parola* en italien, *parole* en français, *palabra* en espagnol et portugais. Une parabole est essentiellement une « comparaison » ou, comme le dit un des plus fréquents équivalents latins, une *similitudo :* une ressemblance. Le terme de *parabola* est abondamment attesté dans la littérature latine, à cause des paraboles que contient l'Écriture Sainte et en particulier le texte des Évangiles, mais aussi en raison d'un usage plus vaste qui en était fait en dehors de la Bible et de ses commentaires [3]. Aujourd'hui psycho-linguistes et ethnologues, plus ou

1. Voir J. Dubois, « Comment les moines... », dans *Le Moyen Âge et la Bible* (éd. P. Riché et G. Lobrichon), Paris 1984, p. 264-270. Les « énigmes » ou « devinettes » ont constitué l'un des procédés pédagogiques de la Grèce et de la Rome antiques ; de même aux époques mérovingiennes et carolingiennes, à travers tout le Moyen Âge et jusqu'au XVIIe siècle au moins, comme l'a montré A. Taylor, *The Literary Riddle before 1600,* Berkeley - Los Angeles 1948. Bibliographie sur les *aenigmata* dans l'Introduction aux *Collectiones aenigmatum merovingicae aetatis* (éd. F. Glorie), *CCL* 133, p. 163. Dans la tradition le mot *aenigma* fut employé avec le sens non seulement d'« énigme » ou « devinette », mais aussi de « figure », « symbole », « image », « allégorie ». Des textes sont cités dans *Mittellateinisches Wörterbuch,* t. 1, Munich 1967, p. 298-299.

2. Sur le mot et ses dérivés, nombreux témoignages dans l'art. *« Parabola », TLL* 10^1, c. 286-291.

3. Sur le concept de « parabole » et d'autres, comme « énigme » ou « problème », qui en sont proches, dans l'Écriture : A. Sarra, *Sapienza e contemplazione di Maria secondo Luca 2, 19.51,* Rome 1982, p. 114-119.

moins marqués par les développements récents du structuralisme, étudient la parabole et la fable comme moyens de transmettre un message dont le contenu transcende ce qui peut en être exprimé en catégories claires. P. Dronke a montré l'influence de la fable dans la tradition littéraire [1]. R. Haughton s'est livrée à une recherche de typologie mettant en œuvre la psychologie, la philosophie, la religion, dans un ouvrage dont le titre est révélateur : *Histoires venues de l'éternité : le monde des contes de fées et la recherche spirituelle* [2]. Plusieurs des thèmes qu'elle analyse — le fils aimé d'un père, la princesse royale, la quête du bien-aimé — sont de ceux qu'on retrouve dans les paraboles de l'Ancien et du Nouveau Testament et dans celles de S. Bernard. Le sous-titre d'une revue intitulée *Parabola* en indique l'orientation : *Le mythe et la recherche d'une signification.* Une section spéciale y est consacrée aux « Épicycles : histoires, textes, fables et paraboles [3] ». En effet, dans la Bible déjà, une partie du livre des *Proverbes* portait le titre de *Paraboles de Salomon* (*Prov.* 10, 1). Tout le monde connaissait les paraboles évangéliques. Le mot et la notion de parabole appartenaient à la tradition classique gréco-latine aussi bien qu'à celle de l'antiquité

1. P. DRONKE, *Fabula, Explorations into the use of Myth in Medieval Platonism,* Leiden - Cologne 1974 ; *Fabula docet. Illustrierte Fabelbücher aus sechs Jahrhunderten. Ausstellung aus Beständen der Herzog August Bibliothek Wolfenbüttel und der Sammlung Dr. Ulrich von Kritter,* Wolfenbüttel 1983. Galand emploie parfois le vocabulaire de la « fable », ainsi quand il écrit : *narremus et nos fabulam* (*Par.* 21, 1).

2. R. HAUGHTON, *Tales from Eternity. The World of Fairytales and the Spiritual Search,* New York 1973.

3. *Parabola. Myth and the Quest for Meaning* 1, 1976, p. 75 (« Epicycles : Stories, Texts, Parables »).

chrétienne [1]. Le genre était d'ailleurs semblable à celui de beaucoup de brefs écrits qu'on appelait Fables, Récits (*Narrationes*), Exemples, Contes, Apologues, Histoires, Similitudes : il s'agissait presque toujours de « sketches » assez brefs, de « short stories » à la fois amusantes et édifiantes, de caractère pragmatique, populaire, où se reflétaient les soucis humains de tout le monde et bien des traits de la vie quotidienne [2].

III. PROCÉDÉS ET THÈMES DU GENRE PARABOLIQUE

Le genre parabolique utilise surtout deux procédés. Le premier consiste à personnifier des réalités non humaines — vices, vertus ou autres — comme dans les *Fables* de Phèdre, dans certains ouvrages d'Ovide, dans les *Psychomachies* de Prudence et de ses imitateurs. Dans la tradition chrétienne, le psaume où il est dit : « Miséricorde et Vérité allèrent au-devant l'une de l'autre, Justice et Paix se sont embrassées » se prêtait admirablement à ce que l'on fît de ces réalités des attributs de Dieu : c'est de là que vient la parabole des « Quatre filles de Dieu [3] ».

1. Indications bibliographiques dans C. DELCORNO, « L'*exemplum* nella predicazione volgare di Giordano da Pisa », *Memorie dell'Istituto Veneto di scienze... Classe di scienze morali...*, 1972, vol. XXXVI, fasc. 1, Venise 1973, p. 15.

2. Sur ce genre littéraire, son caractère, ses désignations, la bibliographie qui s'y rapporte, cf. F.C. TUBACH, *Index exemplorum. A Handbook of Medieval Religious Tales,* Helsinki 1969, p. 518-529.

3. M. FUMAGALLI, *Le quattro sorelle, il re e il servo. Studio sull'allegoria medievale del Ps. 84, 11,* Milan 1981. Un autre exemple de mise en scène, avec personnification et dramatisation, est offert par l'*Ordo virtutum* de la moniale sainte Hildegarde de Bingen († 1179) : une psychomachie s'y combine avec un dialogue entre l'âme d'une part, et d'autre part les patriarches, les prophètes, les attributs de Dieu, le diable : HILDEGARD VON BINGEN, *Lieder,* Salzburg 1969, p. 300-314 ; *Ordo virtutum* (A. E. Davidson éd.), Kalamazoo 1985. Quant à l'allégorie des Filles de Dieu que contient le *De languore animae amantis* qui fut

A cette personnification s'ajoute la dramatisation : entre ces réalités transformées ainsi fictivement en autant de personnages, on se plaît à instaurer un débat : de là ces Conflits, ces Dialogues, ces Altercations, qui fourniront leur thème, et souvent leur titre, à des poèmes en forme de controverse [1] : conflits des vertus et des vices chez Ambroise Autpert [2] et dans les textes qui dérivent du sien [3], longs dialogues chez d'autres. Ce sont précisément des « débats » de ce genre qui occupent la plus grande partie des *Paraboles* de S. Bernard, mais aussi de celles de Galand de Reigny.

Dans les littératures de toutes les cultures, on n'a jamais cessé de « parler en paraboles [4] ». Mais Jésus-

parfois attribué au cistercien Guerric d'Igny, elle inspira les textes et les illustrations de plusieurs « drames » du même genre (« Un jalon dans l'histoire du Vander Dochtere van Syon », dans *Pascua medievalia. Studies voor Prof. Dr. J.M. De Smet* [éd. R. Lievens, *et al.*], Leuven 1983, p. 351-356).

1. M. MANITIUS, *Geschichte des Lateinischen Literatur des Mittelalters*, t. 3, Munich 1931, p. 953-963 ; H. WALTHER, *Das Streitgedicht in der lateinischen Literatur des Mittelalters*, Hildesheim 1984.

2. AMBROISE AUTPERT, *Conflictus vitiorum et virtutum*, *PL* 40, 1002-1104.

3. Textes indiqués dans « La prière au sujet des vices et des vertus », dans *Analecta monastica* II (*Studia Anselmiana* 31), Rome 1953, p. 2-17.

4. Des exemples seront surtout empruntés au Moyen Âge. Mais le procédé n'a pas cessé avec lui. Par exemple, à l'aube de la Renaissance, exactement en 1463, NICOLAS DE CUES publie son *De ludo globi* (*Opera*, Bâle 1565, p. 208-237) et son *De venatione sapientiae* (*ibid.*, p. 307-316). Plus près de notre temps, on peut citer P. CLAUDEL, *Figures et paraboles*, Paris 1939. Dans *La Sagesse ou la parabole du festin*, Paris 1939, sont mises en scène la Sagesse divine et ses trois « servantes », Foi, Espérance et Charité, en conflit avec Vanité, Violence, Luxure. Dans l'Antiquité, au IIe siècle, APULÉE, dès la première ligne de ses *Métamorphoses*, les désignait comme des *variae fabulae* (éd. P.S. Robertson, Paris 1940, p. 2). Tandis que la parabole procède généralement par analogie, la fable dégage plutôt la leçon d'une action fictive. Sur les origines de ce genre littéraire dans l'antique Asie : F. DE LABRIOLLE, art. *« Fable »*, *Encyclopaedia universalis*, t. 6, Paris 1968, p. 876-878.

Christ y avait excellé ; les « dimensions existentielles » et la « fonction cognitive » de ses paraboles continuent de faire l'admiration de ceux qui les analysent de près [1]. De même un livre biblique tout entier, le *Cantique des cantiques,* était considéré comme une vaste parabole et avait occasionné toute une « exégèse parabolique [2] ». D'autres passages de l'Ancien Testament donnaient également lieu à de semblables interprétations [3]. Dans la patristique, le *Pasteur d'Hermas* avait contenu des paraboles [4]. Plus tard, un texte très lu comme la *Vie de Barlaam et de Josaphat* en avait comporté, les désignant comme parabole [5], similitude [6], narration [7], histoire [8]. Au Moyen Âge, les différentes traditions religieuses y avaient eu recours : c'est le cas du judaïsme avec Rashi, l'illustre rabbin qui, à Troyes, commentait la Torah au temps de la jeunesse de S. Bernard [9]. Des arabes, en Espagne et ailleurs, pratiquaient ce genre, qui devait rester en honneur jusque

1. D.O. VIA, Jr., *The Parables. Their Literary and Existential Dimensions,* Philadelphia 1987 ; M.S. KJÄRGAARD, *Metaphor and Parable. A Systematic Analysis of the Specific Structure and Cognitive Function of the Synoptic Similes and Parables qua Metaphors,* Copenhague 1986 ; *Parole, figure et parabole* (Travaux du Colloque de l'Arbresle [13-15 juin 1986]), dans *Séméiotique et Bible,* n° 45-48, Lyon 1987.

2. J. BONSIRVEN, *Exégèse rabbinique et exégèse paulinienne,* Paris 1939, p. 216-229.

3. T. POLK, « Paradigms, Parables and *Mesalim :* on Reading the *Masal* in Scripture », *The Catholic Biblical Quarterly* 45, 1983, p. 564-583 (avec bibliographie).

4. HERMAS, *Le Pasteur,* éd. R. Joly, *SC* 53 bis, Paris 1968, Index p. 388, au mot grec *Parabolê.* La partie la plus longue du *Pasteur* (50-114), p. 210-365, consiste en *Parabolai,* dont le titre est traduit, dans l'édition qui vient d'être citée, par le mot « Similitudes ».

5. Ch. 13 (*PG* 96, 978 A).

6. Ch. 14 (*ibid.* 982 B).

7. Ch. 14 et 20 (*ibid.* 999 A. 1039 A)

8. Ch. 29 (*ibid.* 1133 B) ; autres exemples : ch. 18 (1022 C), et *passim.*

9. S. KLEINMANN, « Rashi's Parables and Proverbs », dans *Rashi and the Christian Scholars* (éd. H. Hailperin), Pittsburgh 1963.

dans les temps modernes [1]. Pierre d'Alphonse, juif baptisé en 1106, puis devenu médecin du roi de Castille Alphonse Ier, écrit quelques années plus tard un traité sur *La formation des clercs* dans lequel il utilise — ainsi qu'il s'en explique dans son introduction — des fables, des proverbes et des « dits » des sages arabes ; son texte devait jouir d'une vaste diffusion, puisque l'on en connaît une soixantaine de manuscrits datant du XIIe au XVIe siècle et répartis dans toute l'Europe ; deux traductions françaises en furent faites à la fin du XIIe siècle ou au début du XIIIe, et il se répandit aussi en d'autres langues [2]. Or on y trouve des thèmes qui reviendront chez S. Bernard, comme celui du chemin et du gué [3], qui rappelle la comparaison développée par l'abbé de Clairvaux dans un sermon adressé aux abbés venus au chapitre général par différentes voies [4]. Mais ce sont surtout ses « exemples » en forme de paraboles qui présentent des similitudes étonnantes avec les paraboles de S. Bernard, et ceci dès leur début : « Un roi avait un conteur (*fabulatorem*) qui, chaque nuit, avait coutume de lui conter cinq fables... [5] » « Il arriva qu'un homme eut

1. S. VAN RIET, « Fable et sagesse antique. D'Ibn al-Muqaffa' à Jean de la Fontaine », dans *Images of Man in Ancient and Medieval Thought. Studia G. Verbeke... dicata* (éd. F. Bossier, *et al.*), Louvain 1976, p. 249-256.

2. A. HILKA et W. SÖDERJELM, *Die Disciplina clericalis des Petrus Alphonsi, das älteste Novellenbuch des Mittelalters,* Heidelberg 1911, édition précédée d'une introduction où sont rassemblées les données de la tradition manuscrite. Sur Pierre d'Alphonse, pages suggestives d'E. VILANOVA, *Historia de la teologia española,* t. 1, Madrid 1983, p. 439-440, avec bibliographie p. 446.

3. *Exemplum* 18 (éd. Hilka et Söderjelm, p. 28) : *De semita, De vado...*

4. *Sermo ad abbates. Quemadmodum Noe. Daniel et Iob suo quique modo mare transeant : navi, ponte, vado* (*SBO* 5, p. 288-293).

5. *Ex.* 17 (éd. Hilka et Söderjelm, p. 17) : *Rex quidam habuit suum fabulatorem...*

un fils... [1] » « On raconte qu'un riche se rendant en ville... [2] » « Histoire de deux bourgeois et d'un homme de la campagne... [3] » Les « fables royales » sont les plus nombreuses et font beaucoup penser à six des huit paraboles de S. Bernard qui mettent en scène des rois et leur conseil, avec des dialogues ayant la même forme qu'en celles de Pierre d'Alphonse : « Un roi avait un sage conseiller... Il lui dit... Celui-ci répondit... [4] » Bernard aurait-il connu cet ouvrage, rédigé quelques années avant que lui-même ne commençât d'écrire ? Il en existe actuellement un exemplaire à la Bibliothèque de Troyes [5], où est passée la plus grande partie des manuscrits de Clairvaux, mais celui-ci est du XIIIe siècle, donc tardif par rapport à Bernard, et il ne se trouva à Clairvaux qu'à partir du XVIIIe siècle [6]. Il n'est cependant nullement exclu que Bernard ait eu le traité de Pierre d'Alphonse entre les mains et s'en soit inspiré.

Déjà, dans les générations immédiatement précédentes, le genre parabolique s'était réintroduit dans la littérature monastique latine. Un moine du Mont-Cassin, Alfano, mort en 1085, dans un *Sermo ad clerum in laudem Vincentii martyris,* raconte que, au moment de lutter pour la foi, le héros de son récit demande des armes. Des Sœurs (*Sorores*) sont là qui lui en fournissent ; elles ont nom Foi, Espérance, Charité, Prudence, Loi, etc. Une autre, Crainte, lui donne des éperons (*calcaria*). D'un côté se tient *Amor,* et de l'autre *Timor*. Sobriété harnache le cheval, Patience le selle. Et une bataille rangée, à la romaine, commence alors : la *prima acies* se

1. *Ibid.*, p. 24 : *Contigit quod homo habuit filium...*
2. *Ibid.*, p. 26 : *Dictum fuit de quodam divite in civitatem eunte...*
3. *Ibid.*, p. 29 : *De duobus burgensibus et rustico...*
4. *Ibid.*, p. 45 : *Rex quidam sapientem habuit consiliarium... Cui... Ad haec... ;* p. 38 : *Rex quidam... De duobus fratribus regis...*
5. Ms. *509*.
6. Je dois cette information à M.A. Vernet, que je remercie.

met en marche, et ainsi de suite ; il y a lutte entre l'athlète du Christ d'une part, et d'autre part le tyran, dont l'armée est celle de Mars[1]. Une semblable imagerie militaire se retrouve chez Bernard à propos de la symbolique des chars du Pharaon, ou de la conquête de la bien-aimée, ou de bien d'autres thèmes[2].

Bientôt, dans son enseignement à ses moines du Bec, S. Anselme de Cantorbéry († 1109) fera, lui aussi, grand usage de ce que son secrétaire Eadmer a appelé les *Similitudes*, dont il constitua un recueil[3]. Or certaines d'entre elles sont tellement semblables à celles de S. Bernard que plus tard, dans des manuscrits, on les a mêlées aux siennes, et que l'une de celles de l'abbé de Clairvaux a pu être attribuée à l'abbé du Bec[4]. Car au

1. A. LENTINI et F. AVAGLIANO, *I Carmi di Alfano I arcivescovo di Salerno*, Mont-Cassin 1975, p. 211-212, vers 65-92.

2. Sur l'imaginaire de type guerrier : textes rassemblés sous le titre SAINT BERNARD DE CLAIRVAUX, *Les combats de Dieu. Préface de Dom J. Leclercq, Textes chosis et présentés par H. Rochais*, Paris 1981. Sur l'imaginaire inspiré du langage de l'amour : *L'amour vu par les moines au XIIe siècle*, Paris 1983.

3. *De similitudinibus* (*PL* 159, 605-708). Traduction française : *Entretiens spirituels (De similitudinibus) de Saint Anselme*, Lille-Paris 1924. S. Anselme n'utilise pas seulement le genre parabolique dans ses *Similitudes*, mais aussi dans ses traités, comme je l'ai montré sous les titres «Due aspetti dello stesso Anselmo : lo scrittore dotto e lo scrittore " popolare " », dans *Anselmo d'Aosta figura europea* (éd. I. Biffi et C. Marabelli), Milan 1989, p.145-148, et « Faith Seeking Understanding Through Images », dans *Faith Seeking Understanding. Learning and the Catholic Tradition* (éd. G. C. Berthold), Saint Anselm College Press N.H. 1991, p. 5-12.

4. Éd. : R.W. SOUTHERN et F.S. SCHMITT, *Memorials of St. Anselm*, Oxford 1969, p. 323-328. Il s'agit de la *Parabole du moine marchand*, que j'avais publiée pour la première fois dans *Études sur saint Bernard et le texte de ses écrits* (*An. S.O.C.* 9^{1-2}, 1953), p. 143-147 ; 150-151. Elle figure maintenant dans *SBO* 6^2, p. 295-303. Entre temps, sa tradition manuscrite permit à H. ROCHAIS de montrer qu'elle avait largement circulé : « Enquête sur les Sermons divers et les Sentences de saint Bernard », *An. S.O.C.* 18, 1982, p. 49-51.

sujet de ce dernier aussi on peut se demander combien de ses moines pouvaient lire et comprendre ses traités dogmatiques, à propos desquels, aujourd'hui encore, s'affrontent des interprétations diverses, mais également subtiles.

De même, dans ses *Sentences* et en ses *Paraboles,* S. Bernard, qui savait faire preuve d'une étonnante capacité spéculative, avait eu la condescendance de se mettre à la portée des auditoires de moines ordinaires [1]. Et après lui, en partie sous son influence, ce genre de littérature ne cessa de se développer. On le retrouve dans les nombreuses versions du « Conflit des filles de Dieu [2] », dans le *Polycraticus* de Jean de Salisbury [3], dans les *Fables* d'Odon de Chériton [4], dans un *Commentaire du Cantique des cantiques* attribué parfois à Hélinand de Froidmont [5], chez Alain de Lille [6]. De cette sorte d'écrits sortiront à la fois la « nouvelle » et le drame religieux [1].

1. Ces textes occupent la plus grande partie du vol. VI, 2, des *Sancti Bernardi Opera,* Rome 1972. L'intérêt que présentent les *Paraboles* de S. Bernard apparaît dans le fait que chacune d'elles a fait l'objet d'une présentation et d'une traduction de la part de M. CASEY, dans la revue *Cistercian Studies* 17-21, 1983-1986. Leur intérêt avait déjà été perçu par A. ALTISENT, « Parabolas y alegorias de S. Bernardo sobre la vida monastica », dans *Monastica* I, Abadia de Montserrat 1960, p. 117-133.

2. « Nouveau témoin du Conflit des filles de Dieu », *RBén* 58, 1948, p. 110-124.

3. JEAN DE SALISBURY introduit dans son *Polycraticus* une comparaison entre le corps physique et le corps social (V, 2 : éd. C.C.I. Webb, Oxford 1901, I, p. 539-540 et *PL* 199, 540-541), qui rappelle celle que S. BERNARD, dans une de ses *Sentences* (III, 118 : *SBO* 6^2, p. 213-215) a établie entre l'organisme humain et l'Église.

4. Éd. : L. HERVIEUX, *Les fabulistes latins. Eudes de Chériton,* Paris 1896.

5. « Pétulance et spiritualité dans le Commentaire d'Hélinand de Froidmont sur le Cantique des cantiques », dans *Archives d'Histoire Doctrinale et Littéraire du Moyen Âge* 31, 1964 (Paris 1965), p. 37-59.

6. *Liber parabolarum* (*PL* 210, 581-594). Pour le XIIIe siècle, les « similitudes » de sainte Gertrude ont été étudiées par M. JEREMY,

Bien des recherches restent à entreprendre en ce domaine de la littérature pastorale « non savante ». Il subsiste des inédits qui font appel à l'imaginaire réel ou mythique. Par exemple, dans un manuscrit de Troyes du XIIIe siècle une longue exhortation à la lutte intérieure commence comme ceci : « *C'est un combat que la vie de l'homme sur la terre* (*Job* 7, 1). On lit qu'aux éléphants que l'on mène à la guerre, on montre de la couleur rouge, ou du sang, pour que, sous l'influence de cette couleur, ils soient plus animés au combat. Si donc une bête brute reçoit d'une telle couleur un supplément d'audace, combien plus un fidèle, un soldat du Christ, doit-il trouver de pugnacité dans le souvenir de la passion du Christ... [2]»

Dans la tradition cistercienne fera surtout fortune l'imagerie de l'âme enamourée qui languit parce qu'elle ne trouve point l'époux parfait qu'elle désire, jusqu'à ce qu'elle s'unisse au Crucifié qui la guérit. Cette parabole traversera les siècles et sera illustrée dans bien des incunables, avant de l'être, au temps de la Dévotion moderne, par des images pieuses sur lesquelles peuvent méditer ceux et celles qui ne peuvent lire les traités des auteurs mystiques [3].

Dans les sermons adressés aux laïcs par les Prêcheurs du XIIIe siècle et des siècles suivants, à la grande époque de la théologie spéculative, on s'efforce de transmettre

« ' Similitudes ' in the Writings of St Gertrude of Helfta », *Medieval Studies* 19, 1957, p. 48-54.

1. Cf. S. BATTAGLIA, *La coscienza letteraria del medio evo,* Naples 1965, p. 467 : Dall'esempio alla novella.

2. Ms. Troyes *1720,* f. 68 v-70.

3. « Un jalon dans l'histoire du Vander Dochtere van Syon », dans *Pascua Medievalia. Studies voor Prof. Dr. J.M. de Smet* (éd. R. Lievens, *et al.*), Leuven 1983, p. 351-356.

aux fidèles les enseignements qu'on reçoit à l'École[1]. Aussi recommande-t-on de faire usage de paraboles, de ces similitudes qu'avaient aimées un S. Anselme et les moines de son temps. Un maître anglais formé à Paris, Guillaume de Montibus, en composera un recueil, intitulé *Similitudinaire*[2]. Ainsi la continuité était-elle maintenue entre la tradition du monachisme et celle de la pastorale destinée au peuple. C'est dans cette évolution homogène que prend place un Galand de Reigny.

IV. LA CONTRIBUTION DE GALAND

Or cette fortune dont n'a cessé de jouir le genre parabolique montre qu'il y eut, à toutes les époques et, au Moyen Âge, dans le monachisme comme ailleurs, un public non seulement préparé à cette sorte de littérature, mais qui en éprouvait le besoin. Chacun de ces écrits s'adresse à un milieu dans lequel tous, auteurs et lecteurs, ont en commun un ensemble de connaissances. Le lecteur a une part active dans l'interprétation de la parabole, même quand le narrateur l'y aide, comme cela avait été le cas dans les Évangiles et comme on le voit chez Galand. On le suppose familier avec des données descriptives — éléments de l'allégorie — qu'il reconnaîtra et à partir desquelles il passera aisément du niveau des faits à celui des idées ou des réalités symbolisées. Ce genre est donc instructif quant à l'histoire des auteurs, mais aussi du public recevant cette forme d'exposition. Ces

1. D.L. D'AVRAY, *The Preaching of the Friars. Sermons diffused from Paris before 1300,* Oxford 1925.

2. *Ibid.,* p. 234. L.-J. BATAILLON, « Similitudes et exempla dans les sermons du XIIIe siècle », dans *The Bible in the Medieval World. Essays in Memory of Beryl Smalley* (K. Walsh et D. Wood éd.), New York - Oxford 1985, p. 191-206.

textes sont faits pour être lus non par des philologues qui leur restent extérieurs et qui les jugent, mais par des « lecteurs réels » qui apprécient ce procédé et en tirent profit [1]. Ils requièrent un dialogue soutenu entre l'auteur, qui suggère, et le lecteur, qui acquiesce. Galand se met à la place de celui-ci, lui mâche, pour ainsi dire, la besogne qui consiste à saisir l'enseignement qu'il veut communiquer.

Il en appelle à l'imagination plus qu'à la raison. Il ne démontre pas, il évoque, puis il explique la réalité suggérée. Il fait voir des images et dégage les idées auxquelles elles font penser : comme dans les bandes dessinées, il y a les croquis et les légendes. Le mérite de Galand est d'avoir introduit, dans ce genre, une grande variété : il sort des thèmes traditionnels, comme ceux de la psychomachie, pour renouveler le champ imaginaire, l'étendre à des aspects de la vie quotidienne dans différents milieux — ceux des paysans, des commerçants, des châtelains. De plus, il enrichit ce répertoire de charmantes comparaisons empruntées au symbolisme de l'alimentation et de l'art culinaire. Ceci, certes, ne manquait ni dans la tradition [2], ni dans S. Bernard [3]. Mais Galand s'y complaît à un degré exceptionnel.

1. Ces idées ont été développées par W. TIMMERMANS, *Studien zur allegorischen Bildlichkeit in den Parabolae Bernhards von Clairvaux*, Francfort-sur-le-Main - Berne 1982, dont j'ai donné un compte rendu développé dans *Mittellateinisches Jahrbuch* 20, 1985, p. 291-294. Dans ce volume, p. 271-292, ample bibliographie sur tout ce qui concerne les paraboles et leur « réception » par le public auquel elles s'adressent.

2. Pour la tradition inspirée de la Bible : J.E. LATHAM, art. « Food », *The Encyclopaedia of Religions* (éd. M. Éliade), New York - Londres 1987, t. 5, p. 387-393.

3. Pour S. Bernard : *Témoins de la spiritualité occidentale*, Paris 1965, p. 275-280 ; « San Bernardo, cuciniere di Dio », dans *Bernardo cistercense*, Spolète 1992, p. 333-344. Pour la tradition spirituelle en général : C. W. BYNUM, *Holy Feast and Holy Fast. The Religious Significance of Food to Medieval Women*, Berkeley 1987.

Par tous ces traits, il se distingue de ses modèles. A l'intérieur du genre parabolique, par lequel l'abbé de Clairvaux avait su divertir ses moines, il introduit, en quelque sorte, une autre espèce, en distinguant presque toujours, d'une part, le récit fictif, puis l'interprétation morale qui s'en dégage, enfin des gloses qui accompagnent l'un et l'autre. Ses textes « à trois étages », pourrait-on dire, exigent un type de lecture original. Dans S. Bernard, les *Paraboles* sont des œuvres mineures, qui reçoivent des ouvrages plus développés leur commentaire doctrinal. Galand, lui, explique aussitôt la signification de chacune d'elles. Il y a ainsi variété à l'intérieur d'un même moyen d'expression.

Galand s'est également conformé à une tradition en utilisant le genre littéraire des « gloses ». Cette pratique est attestée, au temps du monachisme antique, par les « scholies » ou gloses dont Évagre le Pontique avait accompagné les *Proverbes*[1]. Elle fut ensuite représentée à toutes les époques du Moyen Âge latin[2]. Chez Galand on trouve parfois des perles parmi ces courtes formules.

V. RÉALISME ET JOIE

Faut-il introduire plus longuement à ce texte simple, et qui se passe de commentaire ? Il a paru préférable d'en laisser la découverte au lecteur averti de ce qu'il peut en attendre : peu de hautes envolées doctrinales, mais un reflet sincère, honnête, des problèmes quotidiens

1. ÉVAGRE LE PONTIQUE, *Scholies aux Proverbes* (éd. P. Géhin), *SC* 340, Paris 1987 ; sur le genre littéraire, p. 13-25.

2. Des références sont données dans M. MANITIUS, *Geschichte der lateinischen Literatur des Mittelalters,* t. 1, Munich 1921, p. 740, au mot *Glossen ;* t. 2, Munich 1923, p. 843 ; t. 3, Munich 1936, p. 1111.

des moines ordinaires du Moyen Âge. Il est possible que plus d'un chrétien d'autres époques y reconnaisse les siens.

Quelques aspects de cet enseignement ont déjà fait l'objet de recherches éclairantes [1] ; d'autres pourront encore être étudiés. Les sources ont été doctement identifiées, des textes parallèles ont été signalés. La traduction est précise à souhait.

Le problème de la dépendance de Galand par rapport à S. Bernard demeure ouvert, et la solution est rendue difficile par l'imprécision de la chronologie relative et au *Parabolaire* et aux écrits de l'abbé de Clairvaux avec lesquels des rapprochements peuvent être suggérés ; car il s'agit le plus souvent de ces *Sermons divers,* de ces *Sentences* et de ces *Paraboles* qui constituent la partie la moins « littéraire » de l'œuvre de S. Bernard, sa prédication quotidienne, dont des résumés semblent avoir, très tôt, circulé en de nombreux manuscrits [2]. Ce que le maître a chanté en un style sublime au sujet de la « communion de charité » qui fait participer tous les fidèles aux dons

1. C. FRIEDLANDER, « Galland de Reigny et la vie commune », *Coll. Cist.* 39, 1977, p. 94-111 ; « Galland de Reigny et la simplicité », *ibid.* 41, 1979, p. 29-51 ; R. NEWHAUSER, « The Text of Galand of Reigny's " De Colloquio vitiorum " from his " Parabolarium " », *Mittellateinisches Jahrbuch* 17, 1982, p. 108-119 ; G. BREDERO, *De geschriften van Gallan van Reigny. Werkelijkheid of fictie ?* (mémoire de licence en histoire médiévale présenté à Utrecht en 1985).

2. Jadis, dans *Analecta Monastica* I (*Studia Anselmiana* 20), Rome 1948, p. 168, j'avais suggéré que la lettre 450 de S. Bernard était peut-être adressée à Galand. Récemment, la date de cette épitre a pu être fixée : décembre 1152, d'après F. GASTALDELLI, *Opere di S. Bernardo*, VI, 2, *Lettere,* Rome-Milan 1987, p. 615, où de bonnes raisons sont invoquées en faveur de l'hypothèse selon laquelle le destinataire de la lettre 450 serait plutôt Pierre Lombard.

de tous les autres [1], le disciple l'énonce dans un langage humble et familier, mais avec une égale ferveur [2].

« La raison tient qu'il ne peut rien exister de plus grand que Dieu [3] » : ces mots et aussi cet appel à la raison n'évoquent-ils pas les formules de S. Anselme essayant de parler de Dieu, formules dont le sens exact ne cesse d'être scruté ? [4] Chez Anselme comme chez Galand un problème émerge souvent : celui de ce que S. Augustin avait déjà appelé le « libre arbitre », et auquel S. Bernard a consacré tout un traité. Même dans ses *Similitudes,* l'abbé du Bec n'avait pu s'empêcher de l'aborder, et non sans une certaine subtilité. Rien de tel dans nos *Paraboles :* le mystère n'est pas levé, mais les termes en sont énoncés de façon imagée, et acceptable à qui n'est pas métaphysicien.

De même, Galand excelle à mettre à la portée de tous la signification de cette « épectase » grâce à laquelle, plus on désire Dieu et plus il se donne, plus il se donne et plus il fait grandir le désir que l'on a de lui [5] : ni mots

1. *Apo* 8-9 (*SBO* 3, p. 88-89) ; *SCC* 12, 10-11 (*SBO* 1, p. 66-67).

2. *Par.* 13, 3-7. Quant à ce que Galand écrit, en plusieurs endroits, de la curiosité, cela ne concerne que l'un des aspects d'une réalité dont S. Bernard avait envisagé toute la complexité : « " Curiositas " et le retour à Dieu chez S. Bernard », dans *Bivium. Hommage à Manuel Cecilio Diaz y Diaz,* Madrid 1983, p. 133-141 ; R. BYRNE, « Care. Curiosity and the Contemplative life », dans *Living Prayer* 20, n° 5 (Sept.-Oct. 1987), p. 6-15 ; R. NEWHAUSER, « The sin of Curiosity and the Cistercians », dans *Erudition at God's Service* (*Studies in Medieval Cistercian History* 11, éd. J.R. Sommerfeldt), Kalamazoo 1987, p. 71-93.

3. *Par.* 19, 2.

4. M. CORBIN, « Cela dont plus grand ne puisse être pensé », dans *Anselm Studies* I. *An Occasional Journal* (3e Congrès, Cantorbéry 1979), Londres 1983, p. 59-84 ; « Cela qui est plus grand qu'on ne puisse penser », *Lettre de Ligugé,* 1981/1982, p. 19-33.

5. *Par.* 13, 4. Sur l'épectase d'après S. Grégoire de Nysse : J. DANIÉLOU, *Platonisme et théologie mystique. Essai sur la doctrine spirituelle de saint Grégoire de Nysse,* Paris 1944, p. 309-326. Les nuances de ce mot ont été évoquées par J. FONTAINE et C. KANNENGIESSER

rares, ni pensées subtiles, mais d'aimables propos. Car notre auteur tient beaucoup à rester, comme il le dit, « divertissant », pacifiant et encourageant. Ceci apparaît dès l'élémentaire christologie par laquelle tout débute, et dont le dernier mot est « joie [1] ». Dieu nous veut libres, et notre « joie », notre « plaisir », c'est de répondre à son « désir » en participant à sa joie. « Ne retarde pas ma joie », nous supplie le Seigneur [2]. Un peu plus loin, il sera présenté sous une image non seulement féminine, mais maternelle. Ce titre charmant de « matrone » attribué à la « Souveraine Sagesse, c'est-à-dire le Christ [3] », est accordé à la tendresse dont on aimait alors faire preuve envers Jésus [4]. Quant à la très belle page de la Parabole 31, 8, en laquelle Galand décrit le « livre de la Croix » comme contenant toute vérité, elle est digne de figurer parmi les témoins du thème traditionnel selon lequel le Christ est « le livre » par excellence, le « Livre de vie [5] ».

dans l'Introduction au volume qu'ils ont édité sous le titre *Epektasis. Mélanges patristiques offerts au Cardinal Jean Daniélou*, Paris 1972, p. V. Au XIIe siècle, une doctrine semblable à celle de Galand de Reigny se trouve chez Pierre de Celle : *La spiritualité de Pierre de Celle (1115-1183)*, Paris 1946, p. 76-77.

1. *Par.* 1, 2.
2. *Par.* 1, 4.
3. *Par.* 11 A, glose A.
4. Aux textes rassemblés par C.W. Bynum dans un chapitre du livre intitulé *Jesus as Mother. Studies in the Spirituality of the High Middle Ages*, Berkeley - Londres 1982, p. 110-169, on peut en ajouter d'autres : « Neue Perspectiven in den monastischen Theologie : das Weibliche und die eheliche Liebe », dans *Renovatio et Reformatio. Wider das Bild vom « finsteren » Mittelalter. Festschrift für Ludwig Hödl* (éd. M. Geswing et G. Ruppert), Münster 1985, p. 14-22 ; B. Fischer, « Jesus unsere Mutter », *Geist und Leben*, 1985, p. 147-156.
5. « Lectio divina : Jésus livre et Jésus lecteur » dans *Coll. Cist.* 48, 1986, p. 207-215 ; « Pour l'histoire de la symbolique du Livre de vie », dans *Mélanges René Laurentin*, Paris 1990, p. 595-602.

Enfin, pourquoi Galand a-t-il plus d'une fois insisté sur l'amusement qu'il entend provoquer chez ses frères ? Il n'a point dissimulé cette visée. On a beaucoup écrit, de nos jours, sur la *lectio divina* : son importance, le temps qu'on lui accordait, la manière — méthodique ou non — dont on la pratiquait. Tout cela était destiné à meubler le « loisir » monastique. Mais dans la tradition spirituelle, cet *otium* était constamment allé de pair avec un certain *taedium* [1], une tentation de morosité causée par la monotonie de l'observance et par le fait que la lecture prolongée n'était point faite pour tous. En particulier, dans les milieux claustraux, l'activité de ceux qui ont des occasions de sortir ou de traiter d'intéressantes affaires a, plus d'une fois, constitué une tentation d'envie pour ceux qui ne voyagent pas ou ne s'adonnent qu'à des tâches mineures [2]. Aussi la parabole où Galand nous fait assister à ce conflit a-t-elle mérité d'être copiée dans un florilège moral, et ceci sous le patronage honorable de S. Bernard [3]. Ce n'était là qu'une des formes de cette « acédie » aussi vieille que le monachisme, et sans doute

1. « *Otium monasticum* as a Context for Artistic Creativity », dans *Monasticism and the Arts* (éd. T.G. Verdon), Syracuse University Press 1984, p. 63-80.

2. *Otia monastica. Études sur le vocabulaire de la contemplation au Moyen Âge* (*Studia Anselmiana* 51), Rome 1963, p. 164-169 (« Galland de Reigny et la tentation de sortir ») ; p. 169-174 (« Matthieu de Rievaulx et la tentation d'apostolat »). Le même problème est attesté dans un texte d'un autre cistercien : « Le ' Soliloquium ' d'Adam de Perseigne » (éd. J. Bouvet), *Coll. Cist* 50, 1988, p. 113-171.

3. *Abbas Bernardus de monachis claustralibus et obedientialibus :* Paris, BN, *lat. 3218,* XIVe s., f. 210-221 v, signalé, mais non restitué à Galand de Reigny, dans *Bibliothèque nationale. Catalogue général des manuscrits latins,* t. 4, Paris 1958, p. 365, et déjà dans B. HAURÉAU, *Notices et extraits de quelques manuscrits de la Bibliothèque Nationale,* t. 1, Paris 1890, p. 205.

que l'ascèse, et que l'on n'a pas fini d'étudier[1]. Des philosophes, aujourd'hui, en scrutent la psychologie et en dégagent la valeur[2]. Galand, lui, se contente de constater qu'elle existe : elle peut être une occasion de chute dans la tristesse. Mais si on la surmonte, elle devient source d'une joie tranquille. Nos *Paraboles,* ces allègres menus propos, n'ont d'autre but que d'y aider.

J. Leclercq

1. La plus récente publication, avec bibliographie, est celle de C. FLÜELER, « Acedia und Melancholie im Spätmittelalter », *Freiburger Zeitschrift für Philosophe und Theologie* 34, 1987, p. 379-398. Voir aussi R. JEHL, *Melancholie und Acedia : Ein Beitrag zu Anthropologie und Ethik Bonaventuras* (*Veröffentlichungen des Grabmann-Instituts zur Erforschung der mittelalterlichen Theologie und Philosophie,* n.s. 32), Paderborn 1984 ; L.C. BRACELAND, « Acedia in the Writings of Gilbert of Hoyland », dans *Heaven on Earth* (*Studies in Medieval Cistercian History* 9), Kalamazoo 1983, p. 114-127 ; G. BUNGE, *Akedia. La doctrine spirituelle d'Évagre le Pontique sur l'acedia,* Turnhout 1991.

2. A. DE LA GARANDERIE, *La valeur de l'ennui,* Paris 1969.

CHAPITRE II

MANUSCRITS ET ÉDITIONS

I. MANUSCRITS

Le texte complet du *Parabolarium* de Galand a été transmis par deux manuscrits seulement. Ils proviennent de deux monastères cisterciens situés dans une même aire géo-culturelle flamande et appartenant l'un et l'autre à la filiation de Clairvaux.

D BRUGES, Stadsbibliotheek, *297,* seconde moitié du XIIe siècle, prov. des Dunes, 167 folios, 191 × 133 mm, 18 lignes à pleine page [1].

Ce ms contient exclusivement le *Parabolaire,* anonyme (le nom de Galand est même omis dans la salutation de l'épître dédicatoire à S. Bernard) et sans titre. Une main du XVIIe siècle, identifiable comme étant celle de Charles de Visch, bibliothécaire des Dunes, a noté en tête de l'ouvrage : *Ad Bernardum Abbatem opus egregium incerti Auctoris et Tituli.* La copie a été effectuée dans une belle écriture à gros caractères, avec très peu d'abréviations. La cédille est utilisée de façon irrégulière pour indiquer les diphtongues *ae/oe.* Le scribe semble avoir mis un certain temps à maîtriser le système d'abréviations de

1. Cf. A. DE POORTER, *Catalogue des manuscrits de la bibliothèque publique de la ville de Bruges,* Gembloux-Paris 1934, p. 337-338.

l'exemplaire qu'il utilisait. De fait, le premier tiers de son travail, et surtout le début, présente de multiples bévues causées par une lecture erronée de l'antigraphe. Mais l'ensemble du texte a été revu et corrigé attentivement par un autre copiste contemporain, qui a parfois opéré par conjecture.

C SAINT-OMER, Bibliothèque municipale, *138,* fin du XIIe siècle, prov. de Clairmarais, f. 158v-187v, in-fol., sur deux colonnes de 41 lignes [1].

Le ms s'ouvre par la vie de S. Bernard en cinq livres, accompagnée de deux sermons commémoratifs de Geoffroy d'Auxerre (f. 1-53). Viennent ensuite divers traités et opuscules de S. Bernard (f. 53-140v). L'ouvrage de Galand est immédiatement précédé par une compilation de sermons divers de S. Bernard et de chapitres des *Miscellanea* d'Hugues de Saint-Victor, sous forme de commentaire de versets psalmiques (f. 140v-158v). Le scribe auquel est due la première partie du ms a copié le *Parabolarium* avec soin, d'une écriture élégante et claire. Sans être constant, l'usage de la cédille pour préciser les diphtongues *ae/oe* est très fréquent d'un bout à l'autre du texte. Le nom de l'auteur est indiqué dans la rubrique qui précède la lettre à S. Bernard, ainsi qu'au début du recueil, où il est également fait mention du titre de l'ouvrage. Le f. 186, gravement endommagé par l'humidité, n'est plus que partiellement lisible. Du f. 187, il ne subsiste qu'un petit coin (18 lignes au bas de la première colonne et, au verso, les 14 dernières lignes de l'épître de conclusion).

1. Cf. *Catalogue général des manuscrits des bibliothèques publiques des départements,* t. 3, Paris 1861, p. 76-77. Pour une description détaillée du contenu, voir H. ROCHAIS, *Bibliographie générale de l'Ordre cistercien, Section hors série, Saint Bernard,* fasc. 13-15 (*La Documentation Cistercienne* 21), Rochefort 1982, n° 4589.

Des extraits relativement brefs du *Parabolarium* ont été identifiés dans les manuscrits suivants :

H LONDON, British Library, *Harley 1294,* XIIIe siècle, f. 88-92, sur deux colonnes de 39 lignes [1].

Après le *Liber Pastoralis* de S. Grégoire (f. 1-39) et des extraits du traité *Verbum abbreviatum* de Pierre le Chantre (f. 41-87), nous rencontrons, anonymes, les paraboles XVI (f. 88-89[v]) et XVIII (f. 89[v]-92) de Galand.

P PHILADELPHIA, University of Pennsylvania Library, *Lat. 55,* seconde moitié du XIIIe siècle, prov. germanique, f. 59[v]-61, 163 × 120 mm, sur deux colonnes de 48 lignes [2].

Ce manuscrit, qui comporte 72 folios, est un recueil factice de deux codex de contenu catéchétique et homilétique, écrits par diverses mains. Dans le second, à la suite de gloses scripturaires, de sentences et de la parabole II de S. Bernard (f. 59[r-v]), est transcrite la parabole XVI de Galand.

S PARIS, Bibliothèque Nationale, *lat. 3218,* XIVe siècle, prov. de Saint-Amand-en-Pévèle (monastère bénédictin au diocèse de Tournai), f. 210-211[v], 225 × 155 mm, longues lignes [3].

Sous le nom de Bernard, la parabole V de Galand est copiée au début de la cinquième et dernière section de ce recueil factice, qui s'achève par le *De medicina animae* (f. 211[v]-224) de Hugues de Fouilloy et le *Speculum monachorum* (f. 224[v]-226[v]) d'Arnoul de Bohéries.

1. Voir la description fournie par R. NEWHAUSER, « The Text of Galand of Reigny's " De Colloquio Vitiorum " from his " Parabolarium " », *Mittellateinisches Jahrbuch* 17, 1982, p. 111.

2. *Ibid.,* p. 110-111.

3. Cf. *Catalogue général des manuscrits latins,* t. 4, Paris 1958, p. 365-366.

II. ÉDITIONS

Le *Parabolarium* de Galand n'a connu jusqu'à présent aucune édition complète.

En présentant l'auteur et l'œuvre, Dom Jean Leclercq a publié en 1948 quelques fragments des paraboles XVI, XVIII, XXI, XXV, XXIX, XXX, XXXI ; en appendice il donnait en entier la parabole X avec ses gloses [1]. Quelques années plus tard, la parabole V a trouvé place dans l'appendice du volume que l'illustre bénédictin a consacré au vocabulaire de la contemplation au Moyen Âge [2].

La lettre préliminaire adressée à S. Bernard avait été publiée une première fois en 1886 par G. Hüffer [3]. J. Châtillon l'a rééditée en 1953 en y joignant l'épître finale et leur traduction française par M. Dumontier [4].

Enfin, en 1982, Richard Newhauser a établi une édition critique de l'importante parabole XVI [5].

III. ÉTABLISSEMENT DU TEXTE

Le texte transmis par les ms *C* et *D* est dans l'ensemble de très bonne qualité, malgré la complexité de l'appareil de gloses marginales et interlinéaires. Grâce à ces deux témoins, il est possible d'établir un texte sûr. L'examen

1. J. Leclercq, « Les paraboles de Galland de Rigny », dans *Analecta Monastica* I (*Studia Anselmiana* 20), Rome 1948, p. 167-180.

2. J. Leclercq, « Galland de Rigny et la tentation de sortir », dans *Otia monastica, Etudes sur le vocabulaire de la contemplation au Moyen Âge* (*Studia Anselmiana* 51), Rome 1963, p. 165-169.

3. G. Hueffer, *Der heilige Bernhard von Clairvaux. Eine Darstellung seines Lebens und Wirkens,* t. 1 *Vorstudien,* Münster 1886, p. 216-217.

4. En appendice à l'Introduction à son édition du *Libellus proverbiorum* dans la *Revue du Moyen Âge Latin* 9, 1953, p. 34-40.

5. R. Newhauser, *loc. cit.,* p. 108-119.

des variantes fait ressortir que *C* et *D* comportent chacun un certain nombre de fautes qui leur sont particulières. Aussi est-il certain qu'aucun des deux ne dérive directement de l'autre. En revanche, quelques fautes communes postulent leur dépendance d'un même archétype (α).

La parabole XVI — échantillon représentatif de l'œuvre — avec ses deux témoins supplémentaires, nous permet d'accéder à une compréhension plus articulée et plus affinée de la tradition textuelle du *Parabolarium*. En effet, *H* et *P* sont eux aussi des mss indépendants l'un de l'autre et descendant d'un ancêtre commun. Celui-ci (β), caractérisé par de petites omissions et des interversions, ne se rattache pas à la famille à laquelle appartiennent *C* et *D*. Bien plus, quoique *P* et surtout *H* soient criblés de fautes, quelques-unes de leurs variantes communes attestent nettement que β avait conservé plusieurs leçons authentiques méconnues dans la famille de α. Cette déduction est confirmée par l'apparat critique de la parabole XVIII, où l'on relève que *H* est le seul témoin à avoir transmis quelques mots omis par le couple *CD*, ainsi que d'autres leçons qu'il y a lieu de préférer.

La même figure critique se reproduit à propos de la parabole V. Le ms *S*, qui transmet un texte usé et passablement corrompu, non seulement ne dépend pas de α, mais conserve en trois endroits la rédaction originale, oblitérée en *C* et *D*.

En conclusion, nous pouvons visualiser les relations entre les divers manuscrits au moyen du stemma de la page 43.

Le texte du *Parabolarium* a donc été substantiellement établi sur la base de l'accord des mss *C* et *D*, qui, par la médiation de α, sont censés nous faire rejoindre l'original Ω. Lorsqu'a été décelée une corruption qui se situe au niveau de α, nous avons corrigé par conjecture, dûment signalée dans l'apparat. Quand *C* et *D* présentaient des leçons divergentes, il a fallu évaluer chaque fois le choix à opérer, car aucun des deux mss n'est a priori plus fiable que l'autre.

Pour les paraboles XVI et XVIII, le témoignage de *β* a permis d'améliorer le texte de base offert par la famille de *α*. De même, pour la parabole V, la présence de *S* a constitué un élément de contrôle et d'émendation.

Afin de ne pas alourdir inutilement l'apparat critique, nous n'y avons pas rapporté les nombreuses fautes de *D* lorsque la correction du réviseur rejoignait la leçon de *C*.

Quant à l'orthographe, nous avons suivi les normes et les directives propres à la collection.

En appendice au *Parabolarium,* nous publions le prologue de Galand à sa compilation [1] transmise par l'unique manuscrit : DOUAI, Bibliothèque municipale, *532,* fin du XIIe siècle, prov. d'Anchin, f. 1^{v}-2^{v}, 170 × 100 mm, 32 lignes à pleine page [2].

G. Raciti

stemma

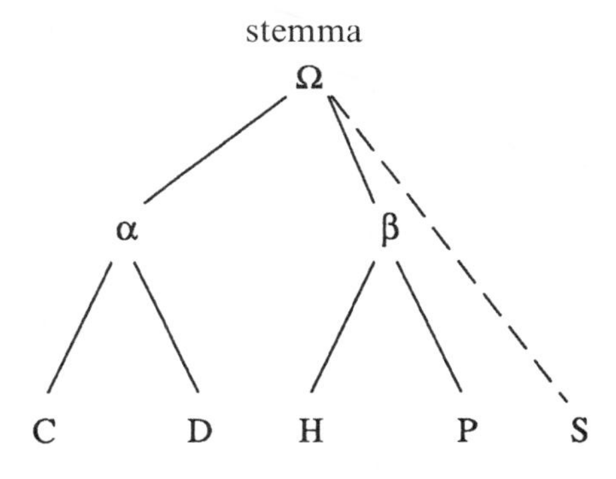

1. Voir ci-dessus, p. 16-17.

2. *Catalogue général des manuscrits des bibliothèques publiques des départements,* t. 6, Paris 1878, p. 317-321.

SIGLES DES MANUSCRITS

C	SAINT-OMER, Bibliothèque municipale, *138,* XIIe s.
D	BRUGES, Stadsbibliotheek, *297,* XIIe s.
H	LONDRES, British Library, *Harley 1294,* XIIIe s.
P	PHILADELPHIE, University of Pennsylvania Library, *Lat. 55,* XIIIe s.
S	PARIS, Bibliothèque Nationale, *Lat. 3218,* XVIe s.

TEXTE ET TRADUCTION

PARABOLARIUM

DOMNI GALANDI REGNIACENSIS

EPISTOLA DOMNI GALANDI REGNIACENSIS AD SANCTUM BERNARDUM CLARAEVALLIS ABBATEM

Dulcissimo patri domno Bernardo, reverentissimo et religiosissimo abbati sanctissimi coenobii in Claris quidem Vallibus corporaliter constructi, sed vere praeclaris et splendidis moribus spiritaliter instructi, frater Galan-
5 dus : devotissimam salutationem humillimamque subiectionem.

1. Suadente mihi quodam amico et consiliario meo, cuius et nomen et officium subsequens libelli huius praefatiuncula prima fronte repraesentat, cum haberem ar-
10 genti aliquantulum, paucos ipse ex eo nummos novus et rudis monetarius formavi. Et quia argenti ipsius paucitate coartabar, nequaquam fortioris cuiuslibet monetae et quae ex puro fieri solet argento modum formamque mihi assumere ausus sum, sed suffecit mihi si vel viliores

Titulum operis indicat ipse Galandus in parabola XXIX A, 2 (*vide infra, p.* 378, *l.* 10-13) : *om. codd. (sed vide rubricam post praefatiunculam in codice C, infra, p.* 54, *apparatus ad l.* 27)

Inscriptionem epistolae om. D || Rigniacensis C^{ac}

4 Galandus *om. D* || 7 meo : monacho *D* || 14 suffecit *scripsi :* -ficit *CD*

PARABOLAIRE

DE DOM GALAND DE REIGNY

LETTRE DE DOM GALAND DE REIGNY A SAINT BERNARD, ABBÉ DE CLAIRVAUX

A mon très doux père Dom Bernard, abbé, vénérable et religieux au plus haut point, d'un très saint « coenobium » — construit quant au matériel en de Claires Vallées, mais instruit quant au spirituel d'un genre de vie illustre et resplendissant —, le frère Galand : salut tout dévoué et très humble soumission [1].

1. A l'invitation d'un ami et conseiller — la préface de ce petit livre indiquera dès la première ligne son nom et sa fonction —, comme j'avais un peu d'argent, j'en ai fait quelques pièces de monnaie, en nouvel apprenti monnayeur que j'étais. Limité par ma petite quantité de métal, je n'ai aucunement osé adopter le calibre et le modèle de la monnaie forte d'argent pur ; il m'a suffi de frapper des pièces de moindre valeur et d'un prix plus

1. Voir J. LECLERCQ, « Éloges de saint Bernard », dans *Études sur saint Bernard et le texte de ses écrits* (*An. S.O.C.* 9^{1-2}, 1953), p. 170-191 ; cf. aussi p. 157-165 ; *PL* 185, 551-570 ; 573-586 ; 619-642. Comparer à la formule d'adresse et de salutation de la lettre finale du *Parabolaire*, p. 443.

15 nummos et qui minoris essent pretii cuderem. Verumtamen, quoniam et in ipsis legitima, iura legesque monetae excessisse timeo, praesertim cum falsorum monetariorum fraus, aliquando detecta et coram iudicibus delata, gravissimae soleat damnationis animadversione multari, ideo
20 denariolos eosdem, antequam in publicum proferantur, examini vestro probandos mittere statui, eo quod industriam vestram huiuscemodi artis non mediocriter peritam esse persenserim, utpote qui iam diversarum denarios monetarum manibus vestris formatos[a] et vidi et tenui et
25 a sapientibus viris laudari audivi. Ex quorum etiam caelatura vel inscriptione fateor me aliquid, dum meam qualemcumque cudo monetam, mihi accepisse. Quod sanctitatem vestram credo non latebit ubi quae ei mittimus numismata intente perspexerit. In quibus sane, et si
30 tornaturae vel compositionis rusticitas merito displiceat, metallum tamen ex quo facta sunt pretium suum non amittit. Sicque forsitan materiae gratia faciet recipi quod figurae deformitate poterat reprobari.

2. Ut vero iam quae dixi breviter dilucidem, nummi a
35 me conditi, sententiolae huius sunt libelli. Quae, quia de virtutibus quidem et divinis rebus agunt, sed simpliciore sermone grossescunt, materiam profecto habent splendidam, sed compositionem deformem.

16 legitima *scripsi :* -time D -timae *C* || 29 nummismata *C* || 33 deforimitate *C*

---

a. Cf. Ps 94, 5

---

1. On a ici un témoignage de la diffusion des premières œuvres de S. Bernard.

2. Il existe en effet des similitudes frappantes entre certaines paraboles de ce recueil et celles de S. Bernard. Comparer les *Par.* 4 et 7 et

bas. Même dans ces conditions, je crains d'avoir violé les ordonnances, lois et règlements monétaires — d'autant plus que la fraude des faux-monnayeurs est passible des plus lourdes peines lorsqu'elle vient à être découverte et portée devant les juges. Aussi ai-je décidé de vous envoyer ces humbles deniers pour examen avant de les mettre en circulation. J'ai remarqué votre manière fort experte en cet art : j'ai en effet pu voir et manier des deniers de monnaies diverses façonnés par vos mains[a] ; j'ai entendu des hommes sages en faire l'éloge[1]. Et j'avoue qu'en frappant ma monnaie, pour ce qu'elle vaut, j'ai emprunté quelque chose de leur ciselure et de leur marque[2]. Ce qui, je crois, n'échappera guère à votre sainteté quand elle aura examiné attentivement les pièces que nous lui envoyons. La rusticité de leur tournure et de leur composition a de quoi déplaire ; le métal dont elles sont faites n'en perd cependant rien de son prix. Ainsi le charme du matériau fera peut-être accueillir ce qu'un aspect difforme inciterait à repousser.

2. Je vais maintenant mettre brièvement au clair ce que je viens de dire. Les pièces fabriquées par moi sont les petites sentences de ce livret. Elles traitent des vertus et des réalités divines, mais leur langage sans apprêt les rend grossières : si le matériau en est resplendissant, la composition en est difforme.

S. BERNARD, *Sent* III, 89 (*SBO* 6^2, p. 136) ; *Par.* 7, 2 et S. BERNARD, *Par* 5 (*SBO* 6^2, p. 285) ; la *Par.* 25 et S. BERNARD, *Par* 6 (*SBO* 6^2, p. 288) ; *Sent* III, 116 et 122 (*SBO* 6^2, p. 210-211 et 230-232). Faut-il attribuer ces contacts uniquement à une influence de S. Bernard sur Galand, comme semble le croire R. NEWHAUSER (« The text of Galand of Reigny's " De Colloquio Vitiorum " from his " Parabolarium " », *Mittellateinisches Jahrbuch* 17, 1982, p. 109) ? L'hypothèse d'emprunts faits par S. Bernard à Galand mérite d'être examinée. Cf. *infra*, p. 75, n. 2 ; p. 356-357, n. 1.

Nam et per argenti paucitatem, ingenii mei designo
40 brevitatem ; et sicut minoris pretii nummi nec toti ex
argento fiunt nec penitus tamen absque eo sunt, ita et
haec dicta nostra nec profundi subtilitate ingenii prae-
nitent nec omnimoda tamen spiritalis eloquii gratia, Deo
miserante, carent. In quibus nimirum si quid forte, quod
45 absit, contra rectae fidei vel bonorum morum regulam
dixi, tunc vere legitima, legem iusque monetae praeterivi.
Sed utrum hoc mihi fortasse in aliquo acciderit, expe-
rientiae vestrae prudentia cito poterit percurso libello
cognoscere cognitumque vel ipsa per se emendare vel
50 mihi emendandum demonstrare, devotis supplicationis
meae precibus humiliter implorata. Quod si et gramma-
ticae metas me hic alicubi transisse repereritis, licet huius
genus transgressionis parvipendendum putem, et hoc
ipsum tamen ut iudicaveritis corrigam. Dictorum vero
55 imposturam seu sententiarum absurditatem, meae indul-
tum iri postulo ignorantiae.

46 legitima *scripsi* : -time *CD* || 51 et D^{pc} *(inter lin.)* : *om. C*

L'argent en petite quantité désigne ma courte intelligence. Les pièces de moindre valeur ne sont pas d'argent pur, mais l'argent n'en est pas totalement absent. Il en va de même de nos dires : sans qu'y brille spécialement une intelligence subtile et profonde, ils ne manquent cependant pas tout à fait, par la miséricorde de Dieu, du charme de l'éloquence spirituelle. Si par hasard — ce qu'à Dieu ne plaise ! — j'y ai dit quelque chose de contraire à la règle de la foi droite ou des bonnes mœurs, alors j'ai vraiment transgressé les ordonnances, la loi et le règlement de la monnaie. Mais, prudent et expérimenté comme vous l'êtes, vous constaterez aussitôt le livret parcouru si cet accident m'est arrivé. Une fois l'erreur reconnue, vous la rectifieriez vous-même ou me l'indiqueriez pour que je la rectifie, comme je vous en implore humblement et vous en supplie par mes dévouées prières. Et si vous trouviez que j'ai également outrepassé les bornes de la grammaire — bien que je pense devoir faire peu de cas de ce genre de transgression — cela aussi je le corrigerais selon votre jugement. Quant à l'imposture de mes dires ou à l'absurdité de mes réflexions, je demande qu'on me les passe, vu mon ignorance.

PRAEFATIUNCULA

1. Praecipiente mihi reverentissimo patre atque abbate meo, domno Iuliano, ego, omnium discipulorum eius minimus, opuscula quaedam in hoc libello conscribere praesumpsi, modum vel formam locutionis ab ipso mihi
5 traditam, prout potui, fere ubique secutus. Siquidem per similitudines aliquas me vel parabolas loqui iussit et ut, figuratis utens locutionibus magis quam nudis, perplurima temptarem loca, eo quod sint quidam qui ea quae parabolice vel tropice dicuntur libentius audiant. Quod
10 quamvis insolitum mihi et inusitatum esset, de oboedientiae tamen plurimum bono confisus, quod monebar aggredi non negavi. In quo si quid utilitatis vel aedificationis Dei dono reperiri poterit, praecipientis meritis ascribendum ; quidquid vero ibi minus caute est dictum, meae
15 fateor stultitiae imputandum.

Praefatiuncula *scripsi ut indicat ipse Galandus in superiori epistola (vide supra, p.* 46, *l.* 8-9) : *om. CD qui textum praebent sine ulla solutione continuitatis*

3 cumscribere D ‖ 7 utens *scripsi :* uti *CD*

---

1. Galand combine ici deux reminiscences de la *RB :* « Le bien de l'obéissance » (71, 1) et « confiant dans le secours de Dieu, il obéira » (68, 5). La *Par.* 30 revient sur ce thème, mais l'allusion à la *RB* y est moins explicite.

2. Comme dans la phrase précédente, Galand unit ici des allusions à deux textes. L'idée générale provient de la *RB :* « Quant on voit quelque bien en soi, l'attribuer à Dieu, non à soi-même ; quant au mal, savoir qu'on en est toujours l'auteur et se l'imputer » (4, 42-43) ; mais

BRÈVE PRÉFACE

1. Sur l'ordre de mon très révérend père et abbé Dom Julien, moi, le moindre de ses disciples, j'ai eu l'audace de rédiger les quelques opuscules qui composent ce petit livre ; j'y ai employé presque partout, autant que je l'ai pu, le mode d'expression et le genre qu'il m'a indiqués. Il m'a enjoint en effet de m'exprimer en comparaisons et en paraboles, et de toucher à de très nombreux sujets, en usant plutôt d'expressions figurées que de termes propres : car d'aucuns entendent plus volontiers ce qu'on dit en paraboles, par métaphore. Tout inhabituel et inusité que cela fût pour moi, je n'ai cependant pas refusé d'entreprendre ce qu'on me demandait, fort confiant dans le bien de l'obéissance [1]. Si Dieu donnait de trouver dans l'ouvrage quelque chose d'utile ou d'édifiant, on devrait l'attribuer aux mérites de celui qui m'a enjoint cet ordre. Il faudrait par contre, je l'avoue, imputer à ma sottise ce que j'ai dit d'imprudent [2].

notre auteur remplace, comme précédemment, ce qui concerne le secours divin par un éloge de l'obéissance, sans doute à partir du récit d'un miracle de S. Benoît rapporté par S. GRÉGOIRE LE GRAND : « Le vénérable Benoît attribue cet exploit non à ses mérites, mais à l'obéissance de Maur. Au contraire, Maur soutient que cela s'est produit uniquement en vertu de l'ordre donné, qu'il n'a aucune part à ce miracle, puisqu'il a agi inconsciemment. Pour arbitrer cet assaut amical d'humilité intervient l'enfant sauvé : “ Moi, quand on m'a tiré de l'eau, je voyais au-dessus de ma tête la peau de bique de l'abbé ; c'était lui qui me tirait des eaux, je le voyais ” » (*Dial.* II, 7, 3 : *SC* 260, p. 159).

2. Nam quod phaleratis non utor sermonibus nec philosophicas sequor facetias, quid mirum, cum vix rem ipsam qualibuscumque verbis aut quantumcumque simplicibus exprimere possim ? Sicut tamen solent quidam,
20 postquam etiam satis optimum vinum biberint, aquae paululum libenter potare, aut post deliciosas pinguesque epulas, herbarum quarumdam seu fructuum esu delectari, vel postquam seria quaedam diu tractaverint, iocosum aliquid quasi pro laboris levamine proferre, ita et tu,
25 lector, ad haec tenuia et minima legenda potes, si vis, aliquando descendere, et sic postea velut recentior ad altas doctorum sententias rimandas redire.

24 levamine : velamine *C* || 27 redire : Explicit epistola. Incipit parabolarium domni Galandi Regniacensis *add. C*

1. Galand use à plusieurs reprises d'expressions critiques à propos de la philosophie, qu'il oppose souvent à la simplicité chrétienne : *Par.* 29-B, 2 ; 31, 8 ; 33, 4 ; *Lib. prov.* 47-B ; 106 ; 111 ; 125-B.

2. Par ailleurs, quoi d'étonnant si je n'use pas d'expressions ornées et me garde d'imiter les enjolivements des philosophes [1], puisque avec des mots aussi simples je n'arrive qu'à grand-peine à exprimer ce que je veux dire ? Cependant, même après avoir bu leur content du meilleur vin, d'aucuns prennent volontiers un peu d'eau ; ou bien, après de gras et délicieux festins, ils ont plaisir à manger des légumes verts ou des fruits [2] ; ou, après avoir longtemps discuté de choses sérieuses, ils échangent des propos divertissants comme pour alléger leur labeur. Et toi aussi, lecteur, tu peux, si le cœur t'en dit, t'abaisser de temps en temps à lire ces légers riens, puis, ainsi rajeuni, te remettre à explorer les pensées profondes des docteurs.

2. La comparaison culinaire est reprise à la *Par.* 30. Ce passage s'inspire visiblement de la préface de S. GRÉGOIRE LE GRAND à ses *Homélies sur Ézéchiel* : « ... considérant qu'au milieu des délices quotidiens les mets plus ordinaires paraissent souvent savoureux, j'ai transmis des riens *(minima)* au lecteur de textes plus forts ; ainsi, de même qu'on prend une nourriture plus grossière comme antidote au dégoût, il pourra retourner plus avidement à des festins *(epulas)* plus raffinés » (*SC* 327, p. 48).

I

DE REPARATIONE HUMANI GENERIS

1. Novimus primos parentes nostros a Deo bene conditos, in paradiso positos atque ibi qualiter oboedirent sive obsequerentur edoctos, sed libero arbitrio suo relictos, ut obsequium eorum eo plus esset acceptum quo
5 spontaneum, quo vero plus esset acceptum eo maiori remuneratione dignum. Sed quia illi — proh dolor ! — maluerunt oboedire et subdi *principi huius mundi*[a] quam suo creatori, ideo idem princeps eos cum omni posteritate sua in ius suae potestatis ac dominationis accepit.
10 Quid faceret Dominus ? Si eos illi vi auferret, violentus et iniustus esset. Posset ei dicere diabolus : « An eos qui se mihi, te spreto, sponte sua tradiderunt, se mihi, te relicto, propria voluntate subdiderunt, mihi tolles ? Scio quidem te posse tollere, quia potens es, sed credo te nolle
15 facere, quia iustus es. » Haec diabolus.

a. Jn 12, 31

1. Tout ce passage est à situer dans un contexte socio-politique où « le droit de " possession " et de libre disposition du maître sur l'esclave, aussi bien que le devoir pour l'esclave d'appartenir totalement au maître » vont de soi. Voir l'Introduction par R. Roques au *Cur Deus homo* de S. Anselme (*SC* 91, p. 119). Dans la société féodale, la qualité d'homme libre « prenait fin là où cessait la faculté de choix, exercée une fois au moins dans la vie. En d'autres termes, toute attache

1

LE RÉTABLISSEMENT DU GENRE HUMAIN

1. Nous le savons : nos premiers parents, créés par Dieu de façon heureuse et placés dans le paradis, y furent parfaitement instruits de la manière dont ils devraient obéir, se soumettre. Ils furent cependant laissés à leur libre arbitre, afin que leur soumission, d'autant plus agréable qu'elle serait spontanée, soit digne d'une récompense d'autant plus grande que la soumission aurait été mieux agréée. Mais — quelle douleur ! — ils préférèrent obéir au *prince de ce monde*[a] et se soumettre à lui plutôt qu'à leur créateur. Aussi ce prince reçut-il le droit d'exercer domination et puissance sur eux et sur toute leur postérité.

Qu'allait faire le Seigneur ? S'il les lui enlevait de force, il se montrerait violent et injuste. Le diable pourrait lui dire : « Tu me prends donc ceux qui t'ont rejeté pour se livrer à moi de leur propre mouvement, qui t'ont abandonné pour se soumettre à moi de leur propre gré ? A la vérité, je sais que tu peux me les prendre, car tu es puissant ; mais je crois qu'étant juste tu ne voudras pas le faire[1]. » Voilà pour le diable.

héréditaire passa pour affectée d'un caractère servile ». Étaient serfs les « descendants dont les ancêtres avaient engagé, avec leur propre personne, leur postérité » (M. Bloch, *La société féodale*, Paris 1939, p. 399).

Justus autem quid fecit ?[b] *Justus et misericors*[c] quid dixit ? « Quia, inquit, iustus sum, non auferam tibi illos ; quia vero misericors sum, non dimittam tibi eos. Sed quos non auferam viribus potentiae meae liberabo inge-
20 nio sapientiae meae. Sed hoc ingenium meum tibi erit absconditum[d], ut ante sentias quam cognoscas. Telum meum sic te vulnerabit, ut nescias quae manus illud torserit. »

2. Bene quidem, Domine, repondisti adversario. Nosti
25 quippe quia *celandum consilium est*[e]. Nobis vero servis tuis[f], obsecro, illud revela ; qui *David servo tuo*[g] *incerta et occulta sapientiae tuae manifestasti*[h], manifesta et nobis. Tu enim dixisti : *Vobis datum est nosse mysterium regni Dei*[i]. Audite iam, fratres, *quid loquatur* nobis *Do-*
30 *minus* Deus, *quoniam loquetur pacem in plebem suam*[j]. « Homo, inquit, fiam, inter publicanos et peccatores conversans, manducans et bibens[k]. Sic parvipendens me diabolus per manus ministrorum suorum occidet, ferre non valens quod me veritatem circumquaque praedicare
35 videbit. Occisus apprehendam eum. Occisus humanitate, confringam eum divinitate. Et conveniens eum, dicam : Quid commisi, quid peccavi, ut me occideres ? Qui olim me iustum dicebas, dignum est ut nunc iustitiae meae censuram sentias. Quem ergo occidisti ? Qui *in principio*[l]
40 mundum solo nutu feci[m]. Qui sicut tunc hunc mundum creavi, ita centum, ita mille, ita et innumeros facere potuissem. Vita ergo mea tanti valet quantum operari

25 quia *conieci :* et *CD* ‖ 27 et [2] *scripsi :* in *CD*

---

b. Ps. 10, 4 ‖ c. II Macc. 1, 24 ; Cf. Ps. 114, 5 ‖ d. Cf. I Cor. 2, 7-8 ; Col. 1, 26 ‖ e. Sir. 37, 7 ; Prov. 25, 2 ‖ f. Cf. Amos 3, 7 ‖ g. Ps. 88,

Qu'a donc fait le Juste[b] ? Qu'a dit *le Juste, le Miséricordieux*[c] ? « Je suis juste, a-t-il dit ; je ne te les enlèverai donc pas ; seulement, puisque je suis miséricordieux, je ne te les abandonnerai pas. Ce n'est pas ma force puissante qui te les arrachera ; c'est ma sagesse ingénieuse qui les délivrera. Mais cette ingénieuse trouvaille te sera cachée[d], de telle sorte que tu en ressentiras les effets avant de la connaître. Mon trait te blessera sans que tu saches quelle main l'a lancé. »

2. Oui, Seigneur, tu as bien répondu à l'adversaire ! Tu savais qu'*il fallait céler* ton *dessein*[e]. Mais révèle-le nous, je t'en prie, à nous tes serviteurs[f] ; toi qui as *manifesté à David ton serviteur*[g] *l'inconnu, les secrets de ta sagesse*[h], manifeste-les nous également. Tu as dit en effet : *A vous il a été donné de connaître le mystère du royaume de Dieu*[i]. Écoutez maintenant, frères, *ce que* nous *dit le Seigneur* Dieu, *car ce qu'il dit, c'est la paix pour son peuple*[j]. « Je me ferai homme, dit-il, frayant avec les publicains et les pécheurs, mangeant et buvant[k]. Ainsi le diable fera-t-il peu de cas de moi et, ne pouvant supporter de me voir prêcher la vérité tout à l'entour, il me tuera par les mains de ses agents. Une fois mis à mort, je me saisirai de lui ; mis à mort selon mon humanité, je le briserai par ma divinité. Je le citerai à comparaître et je lui dirai : 'Quelle faute ai-je commise, en quoi ai-je péché, pour que tu me tues ? Toi qui jadis m'as dit juste, il convient que tu ressentes maintenant la rigueur de ma justice. Qui as-tu donc tué ? Moi, qui *au commencement*[l] ai fait le monde par mon seul vouloir[m] ; et tout comme alors j'ai créé ce monde-ci, j'aurais pu en faire cent, ou mille, ou d'innombrables. Ma vie vaut

4 ; 131, 10 || h. Ps. 50, 8 || i. Mc 4, 11 || j. Ps. 84, 9 || k. Cf. Matth. 11, 19 || l. Gen. 1, 1 || m. Cf. Jn 1, 10

possum. Tu qui talem operarium, tu qui tantum artificem peremisti, dic pro vita mea quid emendabis, dic pro tali 45 damno quid exsolves ?

3. Satisfactio enim emendationis debet illato damno adaequari. Quae opera, quot bona in morte mea extinxisti ! Quidquid *amodo et usque in sempiternum* [n] facturus sum, quantum in te est, periit. Quidquid in terra gignitur 50 et regimen totius mundi, denique quod tu ipse subsistis, opus meum est : quid pro his omnibus rependes ? Si genus humanum reddas, quota portio operis mei haec est. Ergo et hominem perdes, et adhuc reus et obnoxius tanti criminis persistes. Interim hominem tibi tollo ; ce-55 teram vero vindictam, ut patientiam meam vel longanimitatem probes [o], adhuc differo. Nosti quid olim mihi in ipso saeculi initio feceris ; quomodo te contra me extuleris ; te mihi similem, mihi aequalem fore iactaveris [p]. Qui vero illico debuissem te in infernum demergere [q], 60 patientiae meae beneficium tibi exhibui, dum te de *caelo* tantummodo in *terram proieci* [r]. Modo iterum quid mihi fecisti ? Non iam mecum regnare, sed me omnino voluisti exterminare ; nec ut par tibi essem, sed ut penitus non essem. Ecce iterum te tolero ; adhuc te super terram

55 patientiam meam *scripsi :* -tiae meae *CD* || 61 in terram tantummodo *D*

n. Is. 9, 7 ; 59, 21 || o. Cf. Rom. 2, 4 ; Sag. 2, 19 || p. Cf. Is. 14, 14 || q. Cf. Lc 10, 15 || r. Lam. 2, 1 ; Cf. Apoc. 12, 9

1. Curieuse transposition dans l'ordre théologique d'une notion socio-économique : cela aboutit à évaluer Dieu en termes de production. On peut voir un antécédent lointain de cette optique chez S. IRÉNÉE : « Celui qui est supérieur doit en effet se montrer tel par ses œuvres » (*Haer.* II, 30, 2 : *SC* 294, p. 303). La suite montre que c'est bien de l'œuvre créatrice qu'il est question. Voir aussi II, 30, 5 (*ibid.* p. 311) ; III, 12, 11 (*SC* 211, p. 229). Même affirmation chez S. JUSTIN, *I Apol.* 22, 4 (*PG* 6, 362 B-363 A) ; mais elle semble viser plutôt l'enseignement moral du Christ.

donc autant que les œuvres dont je suis capable[1]. Toi qui as fait périr un pareil ouvrier, un si grand artisan, dis-moi comment tu feras réparation pour ma vie ; dis-moi donc comment tu rembourseras un tel dommage !

3. La satisfaction offerte à titre de réparation doit être égale au dommage causé[2]. Quelles œuvres, que de biens n'as-tu pas anéantis par ma mort ! Tout ce que je ferai *à partir de maintenant et jusque dans l'éternité*[n] a péri, pour autant que cela dépend de toi. Tout ce qui naît sur terre, le gouvernement du monde, le fait même que tu subsistes, toi, c'est mon œuvre : que donneras-tu en retour de tout cela ? Tu rendrais le genre humain ? c'est une si faible portion de mon œuvre ! Tu perdras donc l'homme tout en demeurant coupable, tout en devant répondre d'un si grand crime. Pour le moment, je te prends l'homme ; mais afin que tu te rendes compte de ma patience et de ma longanimité[o], je diffère encore la suite du châtiment. Tu sais ce que tu m'as fait jadis, au commencement même du monde, comment tu t'es élevé contre moi : tu t'es vanté que tu me serais semblable, que tu m'égalerais[p] ! Moi qui aurais dû te plonger sur-le-champ en enfer[q], je t'ai fait bénéficier de ma patience, en me contentant de te *précipiter du ciel sur terre*[r]. Maintenant, de nouveau, que m'as-tu fait ? Cette fois-ci, tu n'as pas voulu régner avec moi, mais bien m'exterminer ; non plus faire que je sois ton égal, mais faire que je ne sois plus du tout. Voici que je te tolère encore :

2. C'est l'une des thèses maîtresses du *Cur Deus homo* de S. Anselme : « Il faut que la satisfaction corresponde à la mesure du péché, et l'homme ne peut pas accomplir par lui-même cette satisfaction » (Titre du c. 20 : *SC* 91, p. 317). Ici, cependant, Galand applique cette proposition non au péché de l'homme, mais à celui que le démon a commis en provoquant la mort du Christ, le tout dans le cadre d'une théorie de la Rédemption explicitement rejetée par S. Anselme.

65 degere concedo. Tertiam iniuriam cum mihi feceris, scito quia tunc revera in infernum mitteris. Cum ingressus *hominem peccati, filium perditionis,* per ipsum te extuleris *super omne quod dicitur Deus aut quod colitur*[s], tunc *desiderium pauperum*[t] plene exaudiam, de te et de om-
70 nibus membris tuis tam consummatum iudicium faciens, ut nullus omnino *apponat ultra magnificare se super terram*[u].

4. Sed nunc ad te sermonem, o homo, converto propter quem haec omnia feci, propter quem tanta passus
75 sum, rogans ut non frustra haec fecerim, neque laboris mei fructum, quantum in te est, exinanias. Fructus meus tu es : gaudium meum, delectatio mea, desiderium meum salus tua est. Age ergo ! Ne tardes, quaeso, gaudium meum, ne evacues gloriam meam[v], ne contemnas vocem
80 meam. Quod te oportuerat rogare, vel fac rogatus. Suscipe munus oblatum, quod petere ipse debueras. Usque ad terras propter te veni, et adhuc me fugis ? Sanguine meo te redemi[w], et nondum liber esse vis ? Gloriam meam tibi offero, et adhuc spernis ? Ego ipse hoc tibi promitto,
85 et mihi non credis[x] ? Ego ipse te voco, et non respondes mihi[y] ? Ad caelum te ducere volo, et non venis ? Veni ergo, veni[z] ! Ego ipse te per manum tenebo, te nutantem sustinebo, cadentem relevabo, *nec dimittam donec introducam*[a] *in gaudium Domini Dei tui*[b], qui vivit... »

84 tibi hoc *D*

s. II Thess. 2, 3-4 || t. Ps. 9, 17 || u. Ps. 9, 18 || v. Cf. I Cor. 9, 15 || w. Cf. Apoc. 5, 9 || x. Cf. Jn 8, 46 || y. Cf. Jér. 7, 13 ; Cant. 5, 6 || z. Cf. Cant. 4, 8 || a. Cant. 3, 4 || b. Matth. 25, 21

1. Sur la doctrine du corps mystique du diable à laquelle il est fait allusion ici, voir *infra*, p. 218-219, n. 1.

2. On peut voir ici une réminiscence d'un des premiers écrits connus de S. BERNARD, la *Lettre* 1 à son cousin Robert (ca. 1125) : « contrairement à l'ordre du droit, je suis contraint de rappeler, moi lésé, celui

je t'accorde de continuer à vivre sur terre. Sache qu'à la troisième injure que tu me feras je t'enverrai en enfer pour de bon. Lorsque tu entreras dans *l'homme de péché*, dans *le fils de perdition*, que par lui tu t'élèveras *au-dessus de tout ce qu'on appelle Dieu ou qu'on adore*[s], alors j'exaucerai pleinement *le désir des pauvres*[t] ; je prononcerai sur toi et sur tes membres[1] un jugement si consommé, que plus jamais personne *ne s'exaltera sur terre*[u].'

4. Maintenant je me tourne vers toi, ô homme, et t'adresse mon discours, toi pour qui j'ai fait tout cela, toi pour qui j'ai enduré de si grandes souffrances. Je t'en prie : que ce ne soit pas en vain ! Ne réduis pas à rien — dans la mesure où cela dépend de toi — le fruit de mon labeur. Mon fruit, c'est toi ; ma joie, mon plaisir, mon désir : ton salut. Allons donc ! ne retarde pas ma joie, je t'en conjure, ne réduis pas à néant ma gloire[v], ne méprise pas mes paroles. Ce que tu aurais dû demander, fais-le du moins lorsqu'on te le demande. Reçois le don qu'on t'offre, don que toi-même aurais dû solliciter[2]. Je suis venu jusque sur terre pour toi, et tu me fuis toujours ? Je t'ai racheté par mon sang[w], et tu ne veux pas encore être libre ? Je t'offre ma gloire, et tu la rejettes toujours ? Moi-même, je te promets tout cela : et tu ne me crois pas[x] ? Moi-même je t'appelle : et tu ne me réponds pas[y] ? Je veux te mener au ciel, et tu ne viens pas ? Viens donc, viens[z] ! Je te tiendrai moi-même par la main, je te soutiendrai lorsque tu chancelleras, je te relèverai quand tu tomberas, et *je ne t'abandonnerai pas avant de t'avoir fait entrer*[a] *dans la joie du Seigneur ton Dieu*[b], qui vit... »

qui m'a lésé, moi rejeté, de courir après celui qui m'a dédaigné, moi qui ai subi une offense à offrir satisfaction à celui qui m'a offensé, enfin de prier celui qui devrait me prier » (*SBO* 7, p. 1).

II

DE MISERICORDIBUS

1. De misericordibus scripturi, incipiamus a versiculo psalmi qui dicit : *Misericordia et veritas obviaverunt sibi, iustitia et pax osculatae sunt*[a]. Videtur in hoc versu introducere propheta quasi quattuor personas per quam-
5 dam viam gradientes, quarum duae, id est misericordia et iustitia, hinc illuc tendant, et aliae duae, id est veritas et pax, inde huc venientes obvient istis et accedentes amplectantur illas et osculentur et velut amicas et familiares excipiant, ita tamen ut veritas proprie excipiat et
10 osculetur misericordiam, pax vero iustitiam. *Quae est ista*[b] via per quam tales et tantae personae incedunt, nisi illa *ardua* et *sublimis via quae ducit ad vitam*[c] ?

Per hanc ascendunt simul misericordia et iustitia, duae amicae et irremotae comites, quia quisquis ad Deum
15 recte tendit, misericordiam pariter et iustitiam habet, ne si ei misericordia adsit sine iustitia, iam non misericordia sit, sed fatuitas, dum et bene agentibus et male aequaliter

2 spalmi (-mum D^{ac}) *D* || 15 tendit : tendi (-dis D^{ac}) *D*

a. Ps. 84, 11 || b. Cant. 8, 5 || c. Matth. 7, 14 ; Cf. Jér. 4, 29 ; Mich. 4, 1

2

LES MISÉRICORDIEUX

1. Nous allons parler des miséricordieux ; commençons par ce verset du psaume : *Miséricorde et vérité sont venues l'une au-devant de l'autre, justice et paix se sont embrassées*[a]. Comme si dans ce verset le Prophète mettait en scène quatre personnages en train de s'avancer sur un chemin[1]. Deux d'entre eux — miséricorde et justice — se dirigeraient d'ici vers là-bas ; les deux autres — vérité et paix — arrivant de là-bas vers ici, viendraient au-devant d'elles et, les abordant, les étreindraient, les embrasseraient, les accueilleraient comme des amies et des intimes ; la vérité accueillant et embrassant tout particulièrement la miséricorde, et la paix quant à elle la justice. *Quelle est cette*[b] voie dans laquelle marchent de si grands personnages, sinon la *voie abrupte* et *élevée qui mène à la vie*[c] ?

Par elle montent ensemble miséricorde et justice, deux amies, deux compagnes inséparables. Quiconque en effet se dirige en droite ligne vers Dieu possède à la fois miséricorde et justice : sans justice, sa miséricorde mériterait plutôt le nom de sottise en applaudissant également ceux qui agissent bien et ceux qui agissent mal, et en

1. Dans le premier *Sermon pour l'Annonciation,* S. BERNARD commente ce même verset du Psaume 84, en personnifiant également Miséricorde et Justice, Paix et Vérité (*SBO* 5, p. 13-29).

favet et consentit ; aut si iustitia sine misericordia fuerit, iam non iustitia sit, sed crudelitas, dum in corrigendo
20 modum excedens, frangit vas potius quam erubiginat.
Veritatem quoque et pacem simul iunctas dicimus non solum societate sed et quadam germanitate. Quae geminae sorores et quasi uterinae a superno Patre genitae, ad nos ab ipso simul mittuntur, quia cuicumque Deus veram
25 pacem praebebit [d], eidem et promissionum suarum veritatem adimplebit.

2. Misericordia ergo et iustitia ab imo ad alta conscendunt, quia qui eas vere habent, ad Deum vadunt. Et bene non descendere sed ascendere dicuntur, quia vera
30 et recta misericordia atque iustitia *quae sursum sunt quaerunt, non quae super terram* [e]. Iustitiam nostram Dominus atque misericordiam descendendi viam nescire iubet cum dicit : *Attendite ne iustitiam vestram faciatis coram hominibus* [f] ; et cum rursus de misericordiae loquens
35 operibus ait : *Nesciat sinistra tua quid faciat dextera tua* [g]. Debent ergo hae duae virtutes semper quidem ascendere, sed descendere numquam, quia, ut plenae et perfectae habeantur, constanti nisu et labore assiduo non autem desidia et remissione opus est.
40 Quo contra cum pax eis et veritas occurrunt, non ascendere sed descendere intelliguntur, vel quia, quando misericordibus et iustis, peracta praesentis vitae [h] laboriosa et difficili via [i], pacis aeternae [j] praemium dabitur et

d. Cf. II Chr. 20, 30 || e. Col. 3, 1.2 || f. Matth. 6, 1 || g. Matth. 6, 3 || h. Cf. II Macc. 7, 9 || i. Cf. Sir. 32, 25 || j. Cf. II Thess. 3, 16

1. Même idée chez un ISAAC DE L'ÉTOILE : « Car la justice sans miséricorde est cruelle : elle ne sera pas sauvée » (*Serm.* 3, 11 : *SC* 130, p. 123).

s'accordant aussi bien avec les uns qu'avec les autres ; de même, sans miséricorde sa justice tournerait à la cruauté [1] en dépassant la mesure en matière de correction, de façon à briser le vase plutôt qu'à le débarrasser de sa rouille [2].

Quant à la vérité et à la paix, nous les disons liées par une certaine parenté, et non simplement associées. Sœurs jumelles utérines en quelque sorte, engendrées du Père céleste, elles nous sont envoyées par lui ensemble. Donne-t-il en effet la vraie paix à quelqu'un [d], Dieu accomplira aussi pour lui la vérité de ses promesses.

2. Miséricorde et justice montent donc d'en bas vers les hauteurs, car ceux qui les possèdent vraiment vont à Dieu. Et c'est à juste titre qu'on dit : « elles montent », et non : elles descendent. Vraies et droites, en effet, miséricorde et justice *recherchent les choses d'en haut, non celles de la terre* [e]. Le Seigneur enjoint à notre justice et à notre miséricorde d'ignorer la voie descendante lorsqu'il dit : *Gardez-vous d'accomplir vos actions justes devant les hommes* [f] ; et encore, à propos des œuvres de miséricorde : *Que ta gauche ignore ce que fait ta droite* [g]. Ces deux vertus doivent donc monter toujours et ne jamais descendre. Car pour les posséder en plénitude, à la perfection, il faut un effort constant et un labeur assidu : pas de paresse, pas de relâchement !

Quand paix et vérité accourent au-devant d'elles, on doit comprendre au contraire qu'elles descendent et non qu'elles montent. D'une part, il n'y aura plus lieu de peiner et de gémir [k] mais plutôt de se reposer et de se réjouir, lorsque miséricordieux et justes, après avoir parcouru la voie laborieuse et difficile [i] de la vie présente [h],

2. Voir la *RB* au sujet de l'abbé : « Dans ses réprimandes même (*in ipsa autem correptione*), qu'il agisse prudemment et " sans rien de trop ", de peur qu'en voulant trop gratter la rouille, il ne brise le vase » (64, 12).

divinarum promissionum veritas adimplebitur, iam non
45 laborandum seu gemendum [k], sed potius quiescendum et
laetandum erit ; vel quia ex divinae pietatis condescensione electi omnes salvabuntur.

3. Sed cum in fine veritas pariter et pax tam misericordibus quam iustis occursurae credantur, si quaeras
50 quare supra dictum sit quod veritas proprie et specialiter excipiat et osculetur misericordiam, pax vero iustitiam [l], hanc interim accipe rationem. Quia Dominus dixit : *Beati misericordes, quoniam ipsi misericordiam consequentur* [m], cum hoc eius promissum misericordibus adimpletur, tunc
55 veritas misericordiae occurrere videtur. Cultores autem iustitiae [n], quia multa ab impiis pati solent — secundum illud : *Beati qui persecutionem patiuntur propter iustitiam* [o] —, quando labori eorum *requies aeterna* [p] rependitur, pax iustitiae quasi obviare intelligitur.
60 Sed quid est quod veritas et pax appropinquantibus sibi misericordiae et iustitiae a longe occurrunt, nec donec illae ad se veniant exspectare volunt, nisi quia misericordes et iusti, adhuc etiam in hac vita positi, iam quaedam divinae veritatis et pacis munera suaviter prae-
65 libant, dum et centuplum illud perfectae conversionis vel conversationis in Evangelio eis a Christo promissum [q] accipiunt, et pacatis motibus carnis bellum iam domesticum non sentiunt ? Qui etiam, dum per patientiae exercitium illata a proximis damna despiciunt, a bello quoque
70 exteriori quiescunt. Et quia iam hic per mentis quietem sabbatizant, dum ex hoc sabbato ad illud aeternum

k. Cf. Ps. 6, 7 ; Jér. 45, 3 || l. Cf. Ps. 84, 11 || m. Matth. 5, 1 || n. Cf. Is. 32, 17 || o. Matth. 5, 10 || p. Sir. 30, 17 || q. Cf. Matth. 19, 29

recevront en récompense la paix éternelle[j], et que s'accomplira la vérité des promesses divines. D'autre part, c'est grâce à la bonté condescendante de Dieu que seront sauvés tous les élus.

3. On croit donc qu'à la fin vérité et paix viendront ensemble au-devant des miséricordieux comme des justes. Si maintenant tu demandes pourquoi il est dit plus haut que la vérité accueille et embrasse tout particulièrement, tout spécialement la miséricorde, et la paix, la justice[1], contente-toi pour l'instant de la raison suivante. Le Seigneur a dit : *Bienheureux les miséricordieux, car ils obtiendront miséricorde*[m]. Lorsque cette promesse s'accomplira pour eux, ce sera comme si la vérité accourait au-devant de la miséricorde. Quant aux tenants de la justice[n], ils ont beaucoup à souffrir de la part des impies, selon cette parole : *Bienheureux ceux qui souffrent persécution pour la justice*[o]. Aussi entend-on que la paix vient en quelque sorte au-devant de la justice lorsque le *repos éternel*[p] les dédommage de leur labeur.

Mais voyant approcher miséricorde et justice, pourquoi vérité et paix accourent-elles de loin au-devant d'elles au lieu de les attendre ? sinon parce que dès cette vie miséricordieux et justes reçoivent en don un avant-goût suave de vérité et de paix divines. De fait, ils reçoivent en conversion, en vie parfaite le centuple que le Christ leur promet dans l'Évangile[q], et en même temps, tout mouvement charnel apaisé, ils n'éprouvent plus de guerre intestine. Ils se reposent aussi des guerres extérieures en dédaignant par la patience les torts que leur cause le prochain[l]. Grâce à leur tranquillité d'esprit, ils vivent le sabbat ici et maintenant ; lorsqu'ils sont menés de ce

1. Thème repris par Galand en *Par.* 33, 3.

perducuntur sabbatum, adimpletur in illis quod scriptum est : *Et erit sabbatum ex sabbato* [r].

4. Quocontra, nos miseri, *illic trepidantes timore ubi*
75 *non erat timor* [s], quia variis vitiorum nostrorum incentivis agitamur, ad multimodas huius vitae cupiditates raptati, dum de hoc tali labore ad aeterna tormenta trahimur, non ex sabbato in sabbatum, sed ex dolore in dolorem venimus ; caeci qui non videmus quantum sit castitatis
80 candor turpitudine libidinis pulchrior, quantum simplicitatis puritas tergiversatione simulationis securior, quantum parsimoniae temperantia ventris distensione sanior, quantum paupertatis mediocritas divitiarum sollicitudine quietior, quantum patientiae tranquillitas retributione
85 vindictae suavior, quantum bonae voluntatis securitas conscientia flagitiorum laetior, quantum denique Christi servitus diaboli famulatu melior.

81 tergiversione *C*

r. Is. 66, 23 || s. Ps. 13, 5 ; 52, 6

1. Voir S. Grégoire le Grand : « Et qu'est-ce que le sabbat, sinon un temps de repos au cours duquel il n'est pas permis de faire d'œuvre servile ?... C'est donc un sabbat qui découle du sabbat, car ceux qui mettent fin ici à leurs œuvres perverses se reposeront là-bas dans la récompense céleste » (*Hom. Éz.* I, 6, 18 : *SC* 327, p. 226). Cette interprétation du sabbat remonte à S. Augustin : « Celui dont la conscience est bonne est tranquille ; et la tranquillité est elle-même le sabbat du cœur » (*Enarr. in Ps.* 91, 2 : *CCL* 39, p. 1280) ; cf. G. Folliet, « La Typologie du sabbat chez S. Augustin », *REAug* 2, 1956, p. 447-456. D'autres auteurs cisterciens ont traité du sabbat spirituel, en particulier S. Bernard, *Circ* 3, 10 (*SBO* 4, p. 289) ; *AndV* 2 (*SBO* 5, p. 424) ; Aelred de Rievaulx, *Spec. Car.* III, 1-6 (*CCM* 1, p. 105-108) ; *Serm.* 6 (*CCM* 2 A, p. 54-55) ; Isaac de l'Étoile, *Serm.* 44 (*PL* 194, 1839 D). Voir J. Leclercq, *Otia monastica. Études sur le vocabulaire de la contemplation au Moyen Âge* (*Studia Anselmiana* 51), Rome 1963, p. 50-59 ; 123-125.

2. S. Bernard développe une idée quelque peu analogue dans l'*Apologia*, composée vers 1124-1125 (2 : *SBO* 3, p. 82).

premier sabbat au sabbat éternel[1], ce qui est écrit s'accomplit en eux : *Et le sabbat découlera du sabbat*[r].

4. Quant à nous, malheureux, *tout tremblants de peur là où rien n'est à craindre*[s], emportés vers les multiples convoitises de cette vie où nous poussent les divers aiguillons de nos vices, nous n'allons pas de sabbat en sabbat mais bien plutôt de douleur en douleur, lorsque de ce labeur-ci on nous traîne vers d'éternels tourments[2]. Aveugles que nous sommes ! nous ne voyons pas combien la chasteté dans son innocence dépasse en beauté l'immonde luxure ; combien une simplicité sans mélange est un meilleur gage de sûreté que les détours du faux-semblant[3] ; combien la sobre tempérance est plus saine qu'un ventre gonflé, l'humble condition du pauvre plus paisible que le souci des richesses[4], une tranquillité patiente plus douce qu'une riposte vengeresse[5], le repos d'une volonté bonne plus joyeux que la conscience de ses forfaits : en un mot, combien il vaut mieux servir le Christ qu'être esclave du diable.

3. La simplicité *(simplicitas)* s'oppose à la duplicité ; c'est la droiture, la sincérité, l'absence de détours et de dissimulation. Voir C. FRIEDLANDER, « Galland de Reigny et la simplicité », *Coll. Cist.* 41, 1979, p. 29-51.

4. Thème mis en œuvre dans la *Par.* 33 : « Une vie pauvre vaut mieux qu'une existence de riche ». On peut voir dans tout ce passage un écho de JEAN CASSIEN : « Et de fait, si l'on veut bien comparer la fleur au parfum suave de la virginité et l'infinie délicatesse de la chasteté avec l'affreux et fétide bourbier des voluptés charnelles ; le repos et la sécurité des moines aux périls et disgrâces où sont enveloppés les gens du monde ; la paix de notre pauvreté avec les tristesses dévorantes et les soucis jamais endormis qui consument les riches le jour et la nuit, non sans grand danger pour leur vie : il sera extrêmement facile de reconnaître que le joug du Seigneur est très doux et son fardeau très léger » (*Conl.* 24, 25 : *SC* 64, p. 199).

5. Patience *(patientia)* : c'est la vertu qui donne la force d'endurer les souffrances et surtout, chez Galand, de supporter les torts infligés par autrui. Voir la *Par.* 31, 4 et aussi C. FRIEDLANDER, « Galland de Reigny et la vie commune », *Coll. Cist.* 39, 1977, p. 104-105.

Sed ad haec, o homo, quid respondeas scio : « Amo, inquis, divitias, honores, laudes, delectationes. » Sed quis
90 haec te amare prohibet ? Quis horum appetitum improbat ? Sed vide ne forte hic decipiaris [t]. Nam haec quidem bona sunt si quis bene discernat. Cave ergo ne venenum pro melle sumas, ne falsa pro veris et noxia pro salubribus appetas.

95 **5.** Pigmentum forte facturus vel unguentum pretiosum compositurus, ad nundinas vadis ut quae aromata tali confectioni necessaria sunt emas [u]. Vides ibi duos negotiatores merces suas exponentes, diversas species et multigeneres radices in publicum proferentes. Sed unus ex
100 his seductor [v] est, alter iustus et bonae fidei. Rectus bonas et legitimas species habet : *myrrha* forsitan *et gutta et casia* [w] ei est. Pro his alter habet toxicum, cicutam, helleborum. Qui quanto magis cupit decipere, tanto magis ut ad se venias suadet [x], blandis hortatur verbis, iurat se
105 rem pretiosam iam vili daturum pretio, merces suas ad caelum laudibus effert. Et ut etiam gustu te seducat, ex bonis et dulcibus radicibus in manu sua unam vel duas callide tenens : « Gusta, dicit, carissime ; proba tu ipse, nec mihi sed tibimet crede. » Tu igitur gustu *illectus,*
110 verbis *abstractus* [y], mortem tuam emis, exitium tuum cum labore et sumptu tuo expetis. Nam quisquis inde gustaverit morte morietur [z], nisi antidoti remedio sumpto mor-

96 aromota *D* || 98 multigeneres *scripsi* : multigeneris *C* multi generis *D*

t. Cf. Deut. 11, 16 ; Col. 2, 8 || u. Cf. Mc 16, 1 || v. Cf. II Jn 7 || w. Ps. 44, 9 || x. Cf. Jn 7, 37 || y. Jac. 1, 14 || z. Cf. Gen. 2, 17 ; Job 6, 6

1. Voir S. Augustin : « Nous ne blâmons pas, nous n'accusons pas, quand bien même l'on aimerait cette vie. Mais qu'on aime cette vie de façon à ne pas pécher pour l'amour d'elle. Qu'on aime la vie, mais qu'on choisisse la vie » (*Serm.* 297, 4 : *PL* 38, 1360). Et plus loin : « Que choisissons-nous ? La vie. D'abord, ici, une vie bonne ; après elle,

Mais je sais ce que tu vas me répondre ; ô homme : « J'aime, diras-tu, les richesses, les honneurs, les louanges, les plaisirs [1]. » Mais qui t'interdit de les aimer ? Qui en condamne le désir ? Veille cependant à ne pas te laisser abuser [t] sur ce point. Tout cela est bon, certes, à condition d'avoir du discernement. Garde-toi donc de prendre du poison en guise de miel, de désirer le faux à la place du vrai, des choses nuisibles plutôt que les réalités salutaires.

5. Dois-tu fabriquer une potion ou confectionner un parfum de prix ? tu vas au marché acheter les aromates nécessaires [u] à cette préparation. Tu vois deux commerçants étaler leurs marchandises et présenter au public différentes épices et plusieurs sortes de racines. Mais l'un d'eux est un séducteur [v], l'autre un homme juste et de bonne foi. L'homme droit a de bonnes épices, de la marchandise loyale : *de la myrrhe* peut-être, *de l'aloès, de la cannelle* [w]. Au lieu de cela, on trouve chez l'autre du laudanum, de la ciguë, de l'ellébore. Plus il est avide de t'abuser, et plus il t'engage à venir à lui [x] ; il t'exhorte par des paroles flatteuses, jure qu'il te donnera sur-le-champ et à bas prix une denrée précieuse, porte ses marchandises aux nues à force d'éloges. Et afin de te séduire également par le goût, il dit, en tenant à la main — rusé bonhomme ! — une ou deux bonnes racines de saveur douce : « Goûte donc, très cher, fais toi-même l'essai ; ne te fie pas à moi, mais à toi-même. » Et toi, *charmé* par le goût, *entraîné* [y] par ces paroles, tu achètes ta mort ; tu poursuis ta perte, en peinant et à tes frais. Car quiconque en aura goûté mourra de mort [z], à moins qu'en absorbant un antidote il ne chasse le breuvage

la vie éternelle » (1362). Idée semblable chez S. BERNARD : « Car nos désirs, pour l'essentiel, consistent en trois choses : le bien, l'utile, l'agréable... Le désir de ces trois réalités n'est en rien répréhensible, pourvu que nous les recherchions là où vraiment nous pouvons les trouver » (*NatV* 5, 7 : *SBO* 4, p. 234).

tiferum haustum fortiori medicamine, non sine gravi stomachi angore, depulerit.

115 **6.** Sed ut iam tibi quae obscurius dicta sunt reserem, duo ibi mercatores sunt Christus et hic mundus. Species illae vel radices quas ipsi vendunt, de quibus tu tibi pigmentum vel unguentum compositurus eras, sunt ea quae mihi supra proposuisti : id est divitiae, laudes, 120 honores, delectationes et cetera his similia. Talibus enim hominum mentes unguntur, talibus velut suavissimo poculo satiantur. Sed vide, sicut supra dixi, ut noveris haec caute discernere. Nam si ea a Christo, vero et bono negotiatore, oblato bonorum morum pretio, emeris, vere 125 ex his optimum facies potum qui, salubriter et suaviter haustus, salubrius et sanius de cetero te conservet. Si vero ea ex hoc mundo, subdolo venditore, et te exitialibus blanditiis alliciente, dato perditionis tuae pretio acceperis, in primis quidem quasi dulcedinem aliquam decipiendo 130 praetendent, sed te in posterum ad pessimum finem deducent.

7. Ut ergo haec prudenter distinguas, scito quia bonae sunt divitiae, sed illae de quibus scriptum est : *Divitiae salutis sapientia et scientia* [a]. Bonus est honor, sed ille de 135 quo scriptum est : *Si quis mihi ministraverit, honorificabit eum Pater meus* [b]. Bona est laus, sed illa de qua dictum est : *Ut audiam vocem laudis* [c] tuae, quando scilicet dicetur tibi : *Euge, serve bone* [d], et cetera. Bonae sunt delecta-

115 reserem : referam *D*[pc] || 117 tu *om.* *C* || 123 caute : autem *cancellis del.* *D.*

a. Is. 33, 6 || b. Jn 12, 26 || c. Ps. 25, 7 || d. Matth. 25, 21.23

1. Allusion probable au Bon Pasteur. Pour Galand le Christ est aussi le bon cuisinier (*Par.* 9 C, 2), le bon maître d'hôtel (*ibid.*, 3), le bon charpentier (*Lib. prov.* 68), le bon roi (*ibid.*, 91), le bon archer (*ibid.*, 104), le bon architecte (*ibid.*, 105), le bon maître (*ibid.*, 106), le

mortel par une drogue plus forte, non sans de pénibles crampes d'estomac.

6. Laisse-moi te dévoiler maintenant ce qu'expriment ces termes plutôt obscurs. Ces deux marchands sont le Christ et ce monde. Les épices ou les racines qu'ils vendent, et dont tu allais te confectionner une potion ou un parfum, ce sont les choses que tu m'as présentées plus haut, à savoir richesses, louanges, honneurs, plaisirs et d'autres semblables. Les cœurs des hommes s'en parfument et s'en rassasient comme d'un breuvage très suave. Mais, je te l'ai dit plus haut, veille à savoir discerner avec prudence. Car si, offrant le prix des bonnes mœurs, tu les achètes au Christ — le vrai, le bon commerçant [1] —, tu en feras sans nul doute un breuvage excellent, doux et salutaire à boire, qui te gardera sain et sauf à l'avenir [2]. Les reçois-tu par contre de ce monde — vendeur fourbe qui t'attire à lui par de pernicieuses flatteries — en échange du prix de ta perte ? Au début, elles te feront bien miroiter, pour t'abuser, quelque simili-douceur ; mais c'est pour te mener ensuite à la pire fin qui soit.

7. Pour les distinguer avec prudence, sache donc que les richesses sont bonnes — celles dont il est écrit : *Richesses du salut : sagesse et connaissance* [a]. Bon, l'honneur — celui dont il est écrit : *Si quelqu'un me sert, mon Père l'honorera* [b]. Bonne, la louange — celle dont il est dit : *Que j'entende la voix de ta louange* [c], à savoir quand tu t'entends dire : *Très bien, bon serviteur* [d], etc. Bons, les

bon cultivateur (*ibid.*, 107), le bon vigneron (*ibid.*, 108), le bon artisan (*ibid.*, 116).

2. Il n'est pas impossible que les paragraphes 5 et 6 de la présente parabole de Galand aient inspiré S. BERNARD. En effet, on en rencontre une élaboration théologique beaucoup plus poussée dans son deuxième *Sermon pour la Résurrection* (7-12 : *SBO* 5, p. 98-102).

tiones, sed illae de quibus dicitur : *Delectationes in dex-*
140 *tera tua usque in finem*[e].

Et ut ipsas delectationes quasi speciatim distinguam, gratum est divitibus huius saeculi si *epulentur cotidie splendide*[f], sed gratius est divitibus futuri saeculi si *epulentur et exsultent in conspectu Dei*[g]. Gratum est istis si
145 *induantur purpura et bysso*[h], sed gratius est illis si *induantur iustitiam*[i] et sint *in vestitu deaurato circumdati varietate*[j], id est in caritate cum ceteris bonis operibus. Gratum est istis circensibus ludis interesse, ubi pugilum vel bestiarum duella cernuntur, sed gratius est illis lectio-
150 nibus divinis intendere, ubi *fortis armatus a fortiore se superveniente* victus[k], et *leo* ille *rugiens* qui *circuit quaerens quem devoret*[l] ab agno virginis ovis filio superatus legitur. Gratum est istis bella et seditiones a regibus et principibus per diversas mundi partes factas, ad pascen-
155 das auditorum aures, narrare ; gratius est istis de pugna virtutum contra vitia et fortibus psychomachiae ictibus, id est animae pugna, ad aedificationem fidelium disputare.

8. Ecce nundinae, ecce merces : hinc bonae, inde ma-
160 lae ; hinc bonae radices, inde malae. Vis audire quam malae ? *Radix,* inquit, *omnium malorum cupiditas*[m]. Radix

151 ille *om.* C || 156 sichomachiae *CD*

e. Ps. 15, 11 || f. Lc 16, 19 || g. Ps. 67, 4 || h. Lc 16, 19 || i. Ps. 131, 9 || j. Ps. 44, 10 || k. Lc 11, 21-22 || l. I Pierre 5, 8 || m. I Tim. 6, 10

1. Même allégorie chez AELRED DE RIEVAULX, *Inst. inclus.* 25 (*SC* 76, p. 100-102).

2. Cf. TERTULLIEN : « Veux-tu des pugilats et des luttes ?... Regarde l'impudicité jetée bas par la chasteté, la perfidie frappée par la foi, la sauvagerie anéantie par la miséricorde, l'insolence mise à l'ombre par la modestie : tels sont chez nous les combats où nous sommes couronnés. Veux-tu du sang ? Tu as celui du Christ » (*Spec.* 29, 5 : *SC* 332, p. 314-316).

plaisirs — ceux dont il est dit : *Plaisirs à ta droite jusqu'à la fin*[e].

Distinguons maintenant les plaisirs d'après leurs espèces. Les riches de ce monde trouvent agréable de *festoyer magnifiquement tous les jours*[f], mais pour les riches du monde à venir *festoyer et exulter en présence de Dieu*[g] l'est davantage. Les premiers trouvent agréable de *se vêtir de pourpre et de lin fin*[h], mais il l'est plus encore aux seconds de *se revêtir de justice*[i], de porter *un habit broché d'or et de se draper de broderies chatoyantes*[j] — il s'agit de la charité accompagnée des autres bonnes œuvres[l]. Les premiers trouvent agréable d'assister aux jeux du cirque, où l'on voit des matches de boxe ou des combats de bêtes ; mais il l'est davantage aux seconds de prêter attention aux lectures divines : on y lit comment le *fort armé* a été vaincu *quand est survenu un plus fort que lui*[k], comment l'agneau fils d'une brebis vierge a triomphé du *lion rugissant qui rôde, cherchant qui dévorer*[l 2]. Les premiers trouvent agréable de raconter les guerres et les discordes que rois et princes ont fomentées en diverses régions du monde, pour en repaître les oreilles de leurs auditeurs ; quand aux seconds, il leur est plus agréable d'exposer le combat des vertus contre les vices et les coups vigoureux de la psychomachie[3] — c'est-à-dire du combat de l'âme — pour l'édification des fidèles.

8. Voici donc le marché, voici la marchandise ! Par ici la bonne, par là la mauvaise ! Par ici les bonnes racines, par là les mauvaises ! Veux-tu savoir comme elles sont mauvaises ? *La cupidité,* dit l'Écriture, *est la racine de tous les maux*[m]. Goûte-t-on à la racine-luxure, elle paraît

3. Allusion à l'ouvrage bien connu de Prudence, dont E. MÂLE a montré l'influence sur l'iconographie des vices et des vertus au Moyen Âge (*L'art religieux au 12e siècle*, Paris 1947).

vero luxuriae gustata, in ipso quidem gustu dulcis videtur sed, cum pertransierit, conscientiae ventrem torquet[n]. Radix irae incendit, negligentiae tepefacit, praesumptionis
165 extollit, laetitiae dissolvit, vanae gloriae exinanit, invidiae consumit.

Si quis tamen mali illius institoris dolo seductus, emptis ab eo radicibus noxiis potioneque inde composita atque hausta, semet ipsum invenenaverit, citius ad illius alterius
170 boni mercatoris opem confugiat, acceptisque ab eo bonis radicibus, factum ex eis antidotum hauriat, cuius ope et venenum prius potatum evomat et pristinam sanitatem Deo iuvante recipiat.

Vomitus autem ille fit per peccati confessionem ; pris-
175 tinae vero sanitatis reparatio, per dignam satisfactionem. Vomitus ore emittitur ; *ore* enim *confessio fit ad salutem*[o]. Gravis valde et molestus est vomitus, quia vitiosos mores nostros cum difficultate reicimus. Quod si nosse vis quas et quot herbas vel radices antidotum hoc recipiat, vide
180 ut tot herbis illud conficias quot vitiis abundas et ut herbae ipsae vitiis ipsis contrariae sint, quatenus medicamentum patientiae expellat venenum irae, uis castimoniae fluxum restringat libidinis, virtus humilitatis tumorem premat superbiae, largitatis remedium contractam
185 avaritiae manum sanet. Sic haec virtus hoc vitium et illa illud perimat, praestante Domino nostro.

176 enim *scripsi* : autem *cum Vulg. CD* || 182 vis : ius *CD*[ac]

---

n. Cf. Apoc. 10, 9-10 || o. Rom. 10, 10

certes douce à déguster, mais une fois le goût passé, elle torture le ventre de la conscience [n]. La racine-colère enflamme, la racine-négligence tiédit, la racine-présomption exalte ; la racine-euphorie plonge dans la dissolution ; la racine-vaine gloire néantise, la racine-envie consume.

Si toutefois une personne séduite par la ruse de ce mauvais camelot, lui achète des racines nuisibles, en confectionne une boisson, l'absorbe et s'empoisonne, qu'elle recoure aussitôt à l'aide de cet autre marchand, le bon : après en avoir reçu de bonnes racines, qu'elle en fasse un antidote et le prenne. Elle pourra ainsi vomir le poison qu'elle a bu précédemment et, Dieu aidant, retrouver sa santé première.

Or, ce vomissement se réalise par la confession du péché ; le rétablissement de la santé première s'accomplit grâce à une satisfaction convenable. Le vomissement s'échappe par la bouche ; *c'est par la bouche* en effet *qu'a lieu la confession en vue du salut* [o]. Vomissement pénible et fort désagréable, car nous rejetons difficilement nos habitudes vicieuses. Veux-tu savoir quelles herbes, quelles racines comprend cet antidote ? veille à ce que les herbes dont tu le confectionnes soient au nombre des vices dont tu abondes, et leur soient contraires. Qu'une médication de patience bannisse le venin de la colère, que la puissance de la chasteté restreigne le flux de la luxure, que l'humilité comprime par sa vertu l'enflure de l'orgueil ; que le remède de la libéralité guérisse la main contractée par l'avarice. Et qu'ainsi telle vertu détruise tel vice et telle autre un autre, par un don de notre Seigneur.

III

DE DISCORDANTIBUS

1. Locuturi contra discordantes, ab ipsis Domini verbis incipiamus sic dicentis : *Si offers munus tuum ad altare, et ibi recordatus fueris quia frater tuus habet aliquid adversum te, relinque ibi munus tuum ad altare et vade*
5 *prius reconciliari fratri tuo*[a]. Quod tale est ac si ei qui proximo iniuriam intulit Dominus dicat : « *Offerendo munus tuum* vis, ut video, mihi *reconciliari,* vis pacem mecum facere ; sed ne indigneris, modo non possum, fateor, quod petis facere. Equidem inter me et illum fratrem quem
10 nuper, si meministi, hostiliter laesisti, talem olim, sed forsitan nescis, societatem inivimus, ut si forte cuiquam ex nobis duobus aliquod bellum, ut solet, ingruerit, alter alterum ad dimicandum adiuvans, iunctis simul viribus hostiles impetus pariter suscipiamus. Ideoque nullum sine
15 illo tecum *pacis foedus*[b] possim percutere, ne forte, quod absit, videar societatis, cuius supra memini, fidem violasse. Quin potius quamdiu illi inimicus fueris, mihi quoque similiter inimicaberis. Quoscumque assultus, quaecumque mala illi intuleris, me cum eo pariter latu-

a. Matth. 5, 23-24 || b. Is. 54, 10

3

GENS DE DISCORDE [1]

1. Devant parler en face aux gens de discorde, commençons par les paroles mêmes du Seigneur : *Si tu présentes ton offrande devant l'autel, et que là tu te rappelles que ton frère a quelque chose contre toi, laisse ton offrande là, devant l'autel, et va d'abord te réconcilier avec ton frère* [a]. Comme si le Seigneur disait à quiconque a fait du tort à son prochain : « *En présentant ton offrande,* tu veux *te réconcilier* avec moi, je le vois ; tu veux faire la paix avec moi. Mais — ne t'indigne pas ! — je ne peux, je l'avoue, faire maintenant ce que tu demandes. Moi et ce frère à qui tout récemment, plein d'hostilité, tu as fait du tort — s'il t'en souvient —, nous avons naguère — mais peut-être l'ignores-tu ? — conclu le pacte suivant : si d'aventure quelque attaque devait s'abattre sur l'un de nous, nous unirions nos forces pour affronter ensemble les assauts de l'ennemi, l'un aidant l'autre dans le combat. Aussi ne puis-je pas conclure d'*alliance de paix* [b] avec toi en dehors de lui sans paraître violer le pacte en question : loin de moi ! Bien au contraire : tant que tu seras son ennemi, tu seras également le mien. Sache que je supporterai avec lui, comme lui, toutes les attaques et tous les maux que tu lui

1. Pour l'ensemble de cette parabole, voir *RB* 4, 73 : « Faire la paix avec son contradicteur avant le coucher du soleil (*cum discordante ante solis occasum in pacem redire*). »

20 rum noveris. Nec hoc mihi novum, nec primum nunc id facio. Sic enim cum tribus pueris olim in fornace visus sum [c], cum ceteris Christianis Saulus me persequebatur [d], sic veni Romam cum Petro iterum crucifigi. Quae cum ita sint, nolo te lateat quia, nisi fratrem illum quantocius
25 tibi per dignae satisfactionem emendationis pacificaveris, *indignationis* meae *iram* [e] absque dubio experieris.

2. Et ut iam tecum durius agam, an putas me quibus dolis nitaris non deprehendere ? Ad hoc quippe tendis ut, pervicaces cum illo inimicitias exercens, mihi quoquo
30 pacto reconcilieris, quatenus me tibi iam pacto licentius deinceps illum velut a me relictum impugnes. Proditorem me conaris facere, si illum qui in me confidit, cui opem in adversarios suos laturum me spopondi, facta tecum pace iniusta, tuis exponam insidiis capiendum, tuis tra-
35 dam manibus laniandum.

Iam maiestatis meae dupliciter reus es, qui et me olim in illo impugnans et nunc, ad perditionem faciendam, simplicitatem meam dolis concitans. Et quia, ut David dicit, meum est ut *custodiam veritatem in saeculum* <et>
40 *faciam iudicium iniuriam patientibus* [f], dum ad hoc niteris ut fratri illi praedictae conventionis *veritatem* non *custodiam* neque ipsi a te *iniuriam patienti iudicium faciam,* iam et prophetam meum mecum mendacem cupis efficere [g] et mihi quod meum est auferre. Iam ergo et huius

23 iterum cum Petro *D* || 38 concitans *scripsi :* -citas *CD* || 39 <et> *supplevi : om. CD*

c. Cf. Dan. 3, 92 || d. Cf. Apoc. 9, 5 || e. Ps. 77, 49 || f. Ps. 145, 7 || g. Cf. Sir 36, 18 ; I Jn 5, 10

1. Allusion à la légende du *Quo vadis*, transmise par la passion de saint Pierre du Ps.-Lin (voir *DACL* 14[1], c. 845-846) et reprise par Hégésippe, *Historiae* III, 2 (*CSEL* 66[1], p. 186). Comparer avec l'utilisation qu'en fait S. Bernard dans l'*Ep* 256, 2, adressée en 1150 au pape Eugène III (*SBO* 8, p. 164).

infligeras. Rien de nouveau à cela ; ce n'est pas la première fois que je le fais. C'est ainsi qu'on m'a vu naguère dans la fournaise avec les trois enfants[c], que Saul me persécutait avec la foule des chrétiens[d] ; c'est ainsi que je suis venu à Rome avec Pierre pour y être crucifié de nouveau[1]. Je ne veux pas te le cacher : à moins de te remettre en paix avec ce frère au plus vite en réparant tes torts et en t'amendant comme il convient, tu feras sans nul doute l'expérience de ma *fureur indignée*[e].

2. Et je vais maintenant m'y prendre plus durement avec toi. Penses-tu que je ne devine pas quelles ruses tu trames ? Voici à quoi tu vises : tout en entretenant avec lui une inimitié tenace, tu cherches à te réconcilier d'une façon ou d'une autre avec moi. Car une fois que j'aurai traité avec toi, tu pourras assaillir plus hardiment encore celui que j'aurai abandonné ! Tu tâches de faire de moi un traître : si je concluais avec toi une paix injuste, cet homme qui se confie en moi, à qui j'ai solennellement promis de le secourir contre ses adversaires, je l'exposerais à tomber dans tes pièges ! je le livrerais entre tes mains pour que tu le déchires !

Dès lors, tu es doublement coupable de lèse-majesté. Après t'être attaqué à moi en sa personne, tu lances maintenant tes ruses à l'assaut de ma simplicité[2] en vue de le perdre, lui. De plus, il m'appartient, comme le dit David, de *garder la vérité pour les siècles* et de *faire justice à ceux qui souffrent injure*[f]. Or tes efforts tendent à ceci : que je ne *garde* pas envers ce frère *la vérité* du susdit pacte, et ne lui *fasse* pas *justice alors qu'il souffre injure* de ta part. Tu cherches donc à faire de mon prophète comme de moi un menteur[g], et à m'enlever ce

2. Nonobstant son caractère humoristique, cette attribution de la *simplicitas* à Dieu est pleinement cohérente avec la doctrine de Galand. Voir à ce sujet C. FRIEDLANDER, « Galland de Reigny et la simplicité », *Coll. Cist.* 41, 1979, p. 29-51 (surtout les p. 40-41).

45 reatus sacrilegio quantum constrictus tenearis in promptu est. Merito munus tuum reprobavi, quod reatum tuum non expiat, sed multiplicat. Merito tibi dixi : *Relinque ibi munus tuum ante altare et vade prius reconciliari fratri tuo*[h].

50 **3.** *Prius,* inquam, illi *reconciliare,* quam mihi. Cur hoc ? Quia cum ambos nos impugnes, si illo solo tibi reconciliato, me postea sine illo impugnare volueris, impetus tuos solus repellere sufficiam ; si vero me, absque illo, tibi pacificato, illum aggressus fueris, solus ille tibi 55 resistere non poterit. *Vade* ergo, vade ; *prius reconciliare fratri tuo.* Et ne forte tardes haec agere, ideo dixi : *Relinque ibi munus tuum ante altare,* et non dixi : 'Reporta illud ad domum tuam', ut scias dilationem hic non esse quaerendam, sed nullo alio interposito negotio comminus 60 hoc faciendum.

Sed forte dicis : 'Proximus ille multa in me commisit. Nolo gratis ei indulgere.' Deo gratias ! Nec ego volo ! 'Quid ergo, inquis, praemii pro hac venia accipiam ?' Ad quod ego : 'Scis quia multorum debitorum mihi obnoxius 65 es ; *iniquitates* tuae *multiplicatae sunt super capillos capitis* tui[i]. Quot peccata umquam fecisti, tot debita debes mihi. Accipe stateram ; pone hinc peccata tua, inde illius : incomparabiliter plus ponderabunt tua quam omnia mala quae tibi fecit et stateram trahent usque ad terram. Haec 70 omnia dimitto tibi, si indulseris paucula quae deliquit. Sicque non solum nihil gratis remittis, sed etiam magnum lucrum reportas, dum a me solutus abis. »

64 obnixius *CD*

---

h. Matth. 5, 23-24 || i. Ps. 39, 13

qui me revient. Il est désormais évident combien cette faute sacrilège t'enchaîne ! C'est avec raison que j'ai repoussé ton offrande : loin d'expier ta faute, elle la multiplie. C'est avec raison que je t'ai dit : *Laisse là ton offrande devant l'autel et va d'abord te réconcilier avec ton frère*[h].

3. *Réconcilie-toi* avec lui *d'abord,* dis-je, et ensuite avec moi. Pourquoi cela ? En voici la raison. Tu nous attaques tous les deux, certes ; mais si, une fois réconcilié avec lui, et lui seul, tu veux ensuite t'attaquer à moi en dehors de lui, je suffirai à moi seul à repousser tes assauts. Si au contraire tu l'assailles après avoir conclu avec moi une paix séparée, il ne pourra te résister à lui seul. *Va* donc, va ; *réconcilie-toi d'abord* avec ton frère. Et de peur que d'aventure tu ne tardes à le faire, j'ai dit : *Laisse là ton offrande devant l'autel,* et non : 'Rapporte-la chez toi', pour que tu saches qu'il ne s'agit pas de remettre la chose à plus tard ; tu dois t'en acquitter sur-le-champ, toutes autres affaires cessantes.

Peut-être diras-tu : 'Mon prochain que voici a bien des torts envers moi ; je ne veux pas lui pardonner gratuitement.' — 'Dieu merci ! moi non plus !' — 'Que recevrai-je donc en échange de ce pardon ?' dis-tu. A cela je réponds : 'Tu sais combien tu as de dettes envers moi ; *tes iniquités sont plus nombreuses que les cheveux de ta tête*[i]. Autant tu as commis de péchés, autant tu as de dettes envers moi. Prends une balance ; mets tes péchés d'un côté et les siens de l'autre. Les tiens pèseront incomparablement plus lourd que tout le mal qu'il t'a fait, de quoi faire pencher la balance jusqu'à terre. Je te remets tout cela si tu lui pardonnes les quelques petites fautes qu'il a commises. Ainsi non seulement tu ne remettras rien gratuitement, mais tu remporteras encore un gain considérable puisque tu t'en iras absous par moi.' »

IV

DE LUXURIA ET CASTITATE

1. Luxuria castitati graviter valde inimicatur. Et congregans omnes milites suos, id est ingluviem, ebrietatem, somnolentiam, vanam laetitiam, iocum, risum, otium, negligentiam, verbositatem, securitatem, fraudem
5 et cetera his similia, ut eam debellaret, ait illis : « Velociter arma capientes, latenter et sine strepitu (A) ad domum huius hostis meae tendamus, ut ex improviso venientes eam aggrediamur incautam. »

Verum cum iam domui appropinquarent, illa praesen-
10 tiens festinavit ostium obserare. Sed quia domus eius vetus (B) erat et rimis per quaedam loca hiantibus (C) fatiscebat, lanceis suis per ipsa foramina immissis, eam quamvis huc illucque vitabundam seque per diversa vertentem, tamen tenui licet ictu (D) ac summotenus vul-
15 nerabant.

Videntes vero se nihil amplius efficere posse, ad horam discesserunt. Sed iterum atque iterum reversi eamque ut prius lacessientes, lanceare undique temptabant. Tum castitas secum : « Non potero, ait, sola tot impetus eva-
20 dere. Oportet et me commilitones et coauxiliatores ad

1 castitate *D*^{pc} || 12 fatescebat *D*^{pc} || 18 lascessientes *D*

---

1. Même image chez S. BERNARD : « Le diable les conduit [= les sept vices] comme des aimés *(amatos)* et de solides chevaliers armés

4

LUXURE ET CHASTETÉ

1. La luxure nourrissait envers la chasteté une inimitié des plus violentes. Et de rassembler, pour la réduire, tous ses soldats : gloutonnerie, ivresse, somnolence, joie creuse, badinage, rire, oisiveté, négligence, verbiage, insouciance, fraude, et leurs semblables [1]. Elle leur dit : « Vite, aux armes ! et dirigeons-nous vers sa demeure en cachette et sans bruit (A) : nous arriverons à l'improviste et l'attaquerons tant qu'elle n'est pas sur ses gardes. »

Cependant, comme ils approchaient de sa maison, la chasteté le pressentit et se hâta de verrouiller la porte. Mais sa demeure était vétuste (B), les parois fendues çà et là de lézardes béantes (C) : comme les assaillants fichaient leurs lances dans les trous, elle eut beau chercher à les éviter en courant de-ci, de-là, et en tous sens, ils la blessaient cependant, bien que superficiellement, ne lui portant que des coups légers (D).

Voyant qu'ils ne pourraient rien faire de plus, ils s'en allèrent momentanément. Mais ils revinrent encore et encore à la charge ; la harcelant comme la première fois, ils cherchaient à la percer de toutes parts de leurs lances. La chasteté se dit alors : « Je ne pourrai réussir à moi seule à échapper à tant d'assauts. Afin de pouvoir résis-

(armatos) pour capturer l'âme de l'homme » (*Sent* III, 89 : *SBO* 6^2, p. 136).

repugnandum quaerere. » Hi sunt : abstinentia, sobrietas, serietas, vigilantia, oratio, meditatio, sollicitudo, diligentia et cetera his similia. Talibus illa sociis freta, semet ad resistendum audacter animabat, cum ecce hostes adsunt, 25 domum more solito aggressuri, ignorantes quae militum manus intus armata excubaret. Ad quos illa cum suis prorumpens, tanta virtute invadit, ut omnes vehementer sauciati cursu praecipiti diffugerent.

2. Victa libido ait suis : « Ineamus consilium [a] quid 30 agere debeamus, vel quomodo iniuriam acceptam ulcisci possimus. » Hic fraus, una ex sociis eius, respondens : « Laudo, ait, ut non eam usque ad longum tempus invadamus donec, militibus eius dispersis et paulatim abeuntibus, solitariam et securitate torpentem eam anti- 35 cipemus. Modo interim paucos dies praeterire sinamus, et tunc una ex nobis, id est securitas, eam adeat et simulata pace alloquatur. Deinde aliae atque aliae, prout opportunum nobis videbitur, vicissim subsequantur. »

Securitas igitur missa illuc, pro foribus stans, vocat ut 40 sibi aperiatur. Cui deintus illa respondens : « Nostra es, inquit, an ex adversariis [b] ? » « *Noli,* ait illa, *timere* [c], nihil mali imminet ; immo si scires quid boni tibi apporto, gauderes [d]. » Sic illa, timore deposito, aperit. Haec introgressa : « Secura esto, ait, laetans quod adversatrix tua 45 ita penitus contrita et adnihilata est, ut numquam amplius adversus te audeat vel mutire [e]. Sed, papae ! Quid est hoc quod te tam exhaustam video, tam macram aspicio ? Quid prodest inimicos tuos perisse, si tu tibi

46 papae : heu *add. inter lin.* C

---

a. Cf. Matth. 22, 15 || b. Cf. Jos. 5, 13 || c. Gen. 15, 1 ; 26, 24 || d. Cf. Lc 2, 10 || e. Cf. Jos. 10, 21

ter, il me faut chercher moi aussi des compagnons d'armes, des renforts. » Ce sont abstinence, sobriété, sérieux, vigilance, prière, méditation, sollicitude, attention, et leurs semblables. Forte de tels compagnons, elle s'excitait hardiment à la résistance, quand voici l'ennemi ! il vient attaquer la maison comme d'habitude, sans se douter quelle troupe de soldats en armes monte la garde à l'intérieur. Mais la chasteté se jette sur lui avec ses hommes et l'assaille avec tant de vigueur que ses adversaires, grièvement blessés, s'enfuient à vive allure de tous côtés.

2. Ainsi vaincu, le désir charnel dit aux siens : « Tenons conseil [a]. Que devons-nous faire ? comment venger l'injure que nous avons reçue ? » L'une de ses associées, la fraude, répond alors : « Je conseille de ne pas l'attaquer avant longtemps, jusqu'à ce que, ses soldats dispersés et partis un à un, elle reste seule et engourdie dans l'insouciance : nous pourrons alors la prendre de vitesse. Pour l'instant, laissons passer quelques jours ; puis l'une d'entre nous, l'insouciance, ira la trouver et lui parlera en feignant la paix. Ensuite, les unes après les autres, nous la suivrons à tour de rôle, selon qu'il nous paraîtra opportun. »

On envoie donc l'insouciance. Elle se tient dehors et demande qu'on lui ouvre. La chasteté lui répond de l'intérieur : « Es-tu des nôtres, ou du côté de l'adversaire [b] ? » — « *Ne crains pas* [c], dit l'autre, aucun mal n'est à redouter. Mieux : tu te réjouirais si tu savais quel bien je t'apporte [d] ! » Abandonnant toute crainte, la chasteté lui ouvre. Une fois entrée, l'autre lui dit : « Sois sans inquiétude, réjouis-toi : tu as si complètement brisé et annihilé ton adversaire qu'elle n'osera jamais plus même murmurer contre toi [e]. Mais peste ! Comment se fait-il que je te voie si épuisée, si maigre ? A quoi bon la mort de tes ennemis, si tu es toi-même ta propre ennemie ?

ipsa es inimica ? Nam si de stimulo carnis[f] sollicita es,
50 nisi omnino incredula es, noveris illum defecisse. » Talibus verbis cum satis eam demulsisset, ad horam abiit.

3. In crastinum reversa, secum aliam ex suis adducit
sociis, id est negligentiam. Quae stans et quasi cum dolore
exorsa : « Heu, ait, quare, quaeso, sic te afficis ? Cur
55 tantae meditationi inservis ? An ignoras nimis intentos
insaniam capitis cito incurrere ? Praecipue si inediae vi-
giliam addas, vitiato per inanitatem cerebro, sensus ob-
tunditur. » His et talibus prolatis cum abscessissent, alia
die adducunt secum ingluviem. Quae cum indulgendum
60 corpori et rigorem abstinentiae relaxandum persuasisset,
paravit ei sapidissima quaedam salsamenta et pulmenta-
ria admodum delicata quae adtulerat secum. Quibus ab
ea solito avidius praesumptis, mittunt statim qui iocum
et risum vanamque laetitiam festine advocet. Qui adsis-
65 tentes, cum ludicra quaedam et iocularia verba coram ea
proferrent, coepit mens inde eius, quae septem praeteritis
annis nec semel forsitan riserat, in risu pedetemptim
dissolvi, quod saturis facilius accidere solet. Cum haec
agerentur, ecce verbositas domum ingreditur, cuius ins-
70 tinctu verbis otiosis usque ad noctem protractis, cum
instaret hora qua religiosi sacris vigiliis ac meditationibus

f. Cf. II Cor. 12, 7

1. Galand met en œuvre ici une conception générale au 12e siècle, dont se fait l'écho l'opuscule anonyme *De interiori domo* 53 : « Car la sécurité enfante la négligence, et ramène souvent l'imprudent à ses vices passés » (*PL* 184, 535 B).

2. Texte parallèle chez S. BERNARD : « D'abord donc cet ennemi lui a envoyé Négligence qui l'attaque en ces termes : " Pourquoi t'adonner avec tant d'assiduité à la prière, pourquoi tant t'affliger à veiller ? Relâche-toi un peu de cette soigneuse attention et nous jouirons enfin d'un peu de délectation ". Ce qu'entendant, l'âme acquiesce » (*Sent* III, 89 : *SBO* 6^2, p. 136).

L'aiguillon de la chair[f] te préoccupe-t-il ? à moins d'être parfaitement incrédule, il te faut reconnaître qu'il a bien disparu. » Lorsqu'elle l'eût suffisamment caressée par des paroles de ce genre, elle s'en alla pour un temps.

3. Le lendemain elle est de retour, amenant avec elle une de ses compagnes, la négligence[1]. Cette dernière se présente et, feignant l'affliction : « Hélas ! pourquoi te mettre dans un état pareil, je t'en prie ? Pourquoi tant t'adonner à la méditation ? Tu ne sais donc pas que les gens trop tendus ont vite fait de perdre la tête ? Surtout si tu ajoutes la veille à la sous-alimentation ! Quand le cerveau est gâté par l'inanition, les esprits s'émoussent[2]. » Cela dit, et d'autres choses du même genre, elles s'éloignèrent. Un autre jour, elles amènent avec elle la gloutonnerie[3]. Lorsque celle-ci eût persuadé la chasteté d'être indulgente envers son corps et de relâcher la rigueur de son abstinence, elle lui apprêta des sauces fort savoureuses, des plats tout à fait délicieux qu'elle avait apportés avec elle. Quand la chasteté eût mangé avec une avidité inhabituelle, aussitôt on envoie chercher en hâte le badinage, le rire et la joie creuse. Ils se présentent : à peine ont-ils dit devant elle quelques mots divertissants et drôles, son esprit, qui se trouvait n'avoir pas ri peut-être une seule fois depuis sept ans, commence peu à peu à se laisser aller au rire — chose qui arrive assez facilement aux gens rassasiés. Cela fait, voilà que le verbiage entre dans la maison. Une fois qu'à son instigation elle eût prolongé les paroles oiseuses jusqu'à la nuit, et lorsque approche l'heure où les religieux s'appliquent aux

3. Concernant le rôle attribué à la gloutonnerie, ici et dans la *Par.* 7, 1, voir la remarque de JEAN CASSIEN : « la gourmandise, de soi, serait presque inoffensive, si elle n'introduisait des vices plus graves : la luxure... » (*Conl.* 5, 26 : *SC* 42, p. 216).

solent intendere, ecce somnolentia pulsat ad ostium. Quae ingressa, cum duos digitos oculis eius blande imposuisset, altera quoque manu caput illius paululum depressisset,
75 continuo in somnum resolvi fecit, adeo ut prius lucesceret quam illa evigilaret.

4. Cui evigilanti negligentia accedens : « Quia, inquit, hora praeteriit, matutinum officium citius percurrendum est. » Quo negligenter percurso, gastrimargia quas accu-
80 rate paraverat escas offerens : « Quoniam, ait, hodie calor nimius instabit, et nocivus aer his diebus timeri solet, qui ieiunis praecipue nocet, gusta, sodes, paululum. Dona Dei reicienda non sunt. Quis melius debet uti creaturis Dei quam servus Dei ? » His illa acquiescens, coepit
85 prandere. Interea illa edenti adsistens non cessabat potiora quaeque frusta proponere et manui comedentis admovere et ad vescendum hortari, donec ventre adimpleto nihil amplius posset accipere.

Nec mora, vinolentia apertum inveniens ostium adest.
90 Et quemdam insolitum ardorem faucibus eius occulte ingerens : « Quoniam, inquit, modo accidit ut multum comederes, opus est ut etiam plus solito bibas, quia secundum modum comestionis debet esse et modus potationis. »

95 Ideo sic castitatem a vitiis sibi invicem succedentibus circumveniri et paulatim in deteriora inflecti describimus, quia constat diabolum hoc deceptionis ordine multos prostrasse religiosos. Unde et cuique summopere cavendum est ne similiter corruat.

100 **5.** Quid plura ? His ita ab ea male praesumptis, sed peius in consuetudinem versis, mittitur clam qui luxuriae

79 castrimargia *CD* || 82 ieiunis : -niis *C*

veilles sacrées et à la méditation, voici que la somnolence frappe à la porte. Aussitôt entrée, elle lui pose doucement deux doigts sur les paupières, fait pencher un peu sa tête de l'autre main, et l'amène incontinent à sombrer dans le sommeil, si bien qu'il fait jour avant qu'elle ne s'éveille.

4. Au réveil, la négligence l'aborde : « L'heure est passée, dit-elle ; il faut donc parcourir au plus vite l'office du matin. » Quand elle l'a parcouru avec négligence, la voracité présente des aliments préparés avec soin : « Il va faire très chaud aujourd'hui, dit-elle, et on craint ces jours-ci un mauvais air particulièrement dangereux pour ceux qui jeûnent. Goûte donc, s'il te plaît, un tout petit peu ! Il ne faut pas refuser les dons de Dieu. Qui pourra faire un meilleur usage des créatures de Dieu qu'un serviteur de Dieu ? » La chasteté acquiesce et se met à déjeuner. L'autre, pendant ce temps, se tient près d'elle tandis qu'elle mange et ne cesse de lui présenter des morceaux toujours meilleurs, de les glisser sous la main de sa convive et de l'exhorter à se nourrir, jusqu'à ce que, le ventre plein, elle ne puisse plus rien prendre.

Trouvant la porte ouverte, l'ivrognerie se présente sans tarder. Et, insinuant subrepticement dans son gosier un feu inaccoutumé : « Puisqu'il t'est arrivé de beaucoup manger, tu dois aussi boire plus que d'habitude ; la mesure du boire doit être proportionnée à celle du manger. »

(Si nous décrivons la chasteté circonvenue ainsi, infléchie peu à peu vers le pire par des vices se succédant les uns aux autres, c'est que le diable a terrassé bien des religieux au moyen de ces tromperies en chaîne : c'est un fait avéré. Aussi chacun doit-il mettre tous ses soins à se garder d'une ruine semblable.)

5. Que dire de plus ? Une fois qu'elle a eu le tort de se permettre tout cela et que, pis encore, elle s'en est fait une habitude, on envoie en cachette l'annoncer à la

nuntiet ut, congregata satellitum manu, invadat castitatem utpote securam et inertia dissolutam et a cunctis militibus suis derelictam. Facto igitur repentino 105 congressu, heu castitas in domo sua invaditur, lancea transfoditur, ad terram prosternitur sanguineque suo undique obvoluta [g] (E) ultimo adhuc spiritu (F) palpitante relinquitur.

Post aliquot dies filia regis (G) haud longe ab ipsa 110 domo cum pedissequis suis et puellis transibat (H). Ex quibus una auscultans, nomine misericordia : « Audio, inquit, vocem nescio cuius in illa domuncula graviter plangentis. » Et conversa ad dominam suam : « Rogo, ait, videamus qui sit. » Veniunt, cognoscunt quae sit, 115 exclamant *prae dolore* [h]. Tum domina quasdam ex puellis vocans, praecepit spei ut eam de terra levet, confessioni ut a sanguinis infusione lavet (I), paenitentiae ut plagam ab omni tabo et putredine purget, consolationi ut unguentum infundat, satisfactioni ut ligaminibus vulnus 120 astringat. Et discessura duas ex ipsis ibi reliquit, id est formidinem et sollicitudinem (K), iniungens eis ut numquam eam dimittant donec sanitati denuo restituant. Quae sana facta : « Numquam, ait, laeta ero, nisi me de illa adversaria mea vindicavero. »

125 **6.** Igitur explorans ubinam haec esset, didicit eam in domo cuiusdam iuvenis latitare. Ad quem accedens (L) :

116 de *om.* C

g. Cf. Éz. 16, 6 || h. Is. 65, 14

1. Ce rebondissement du récit a pour arrière-fond la parabole du Bon Samaritain dans l'interprétation allégorique transmise par ORIGÈNE, qui la dit déjà traditionnelle (Cf. *Hom. Lc* 34, 3 : *SC* 87, p. 402, et la n. 1). L'adaptation qu'en fait S. BERNARD est assez semblable, mais transposée dans le registre dogmatique : « Et moi, en entendant passer le fils du grand roi sous les murs de la prison, je me suis mis à gémir en élevant le ton et en m'écriant d'une voix plus plaintive : " Fils de Dieu, aie pitié de moi ! " Lui alors, comme un être de grande bienveil-

luxure pour qu'elle rassemble sa troupe de satellites et se jette sur une chasteté insouciante, affaiblie par l'inaction et abandonnée de tous ses soldats. Une attaque surprise, et las ! la chasteté est assaillie dans sa maison, transpercée d'une lance, renversée à terre, abandonnée toute couverte de sang[g] (E) et palpitant encore d'un reste de souffle (F).

Quelques jours plus tard, la fille du roi (G) passait non loin de sa demeure avec ses suivantes et ses demoiselles d'honneur (H). L'une d'elles, nommée miséricorde, tend l'oreille : « J'entends, dit-elle, dans cette maisonnette, une voix inconnue qui pleure amèrement. » Et se tournant vers sa dame : « Je vous en prie, allons voir de qui il s'agit. » Elles y vont, elles voient qui est là, elles poussent des exclamations *de douleur*[h]. Alors la dame, appelant quelques-unes de ses demoiselles, prescrit à l'espérance de relever la chasteté de terre, à la confession de laver le sang répandu (I), à la pénitence de nettoyer de la plaie pus et gangrène, à la consolation d'y verser de l'onguent, à la satisfaction de panser bien serré la blessure. Et au moment de partir, elle laisse deux d'entre elles, la crainte et la sollicitude (K), leur enjoignant de ne pas quitter la blessée avant de l'avoir rendue de nouveau à la santé[i]. Rétablie, la chasteté déclara : « Jamais je n'aurai de joie à moins de me venger de cette adversaire-là. »

6. Partie en reconnaissance à sa recherche, elle apprit que l'autre se cachait dans la maison d'un certain jeune homme. Elle aborde ce dernier (L) : « Pourquoi, dit-elle,

lance, demande : " Quels sont ces pleurs et ces gémissements que j'entends ? " On lui répond : " C'est Adam, le traître, que votre Père a fait jeter en prison jusqu'à ce qu'il ait trouvé par quels supplices le mettre à mort ". Que va faire Celui dont la nature est bonté et dont le propre est de toujours faire miséricorde et d'épargner ? Il descend dans la prison, il vient pour en faire sortir celui qui s'y trouve enchaîné » (*Circ* III, 4 : *SBO* 4, p. 284-285).

« Cur, ait, hostem meam receptans, hostis meus ipse factus es ? An nescis quae sim ? Ego regno in caelesti regno, Deo gratissima, angelis accepta. Nemo Deum
130 videbit, nisi me cor eius mundante (M). » Ad haec adolescens verecundatus : « Fateor, ait, o domina, me ita prestigiis suis meretrix ista incantavit, ut ea nec si velim carere possim. Et tamen dabo opera, Deo iuvante, abstrahi ab ea. » His dictis, cum ipsa abscessisset, ille vero
135 maleficae illi nondum renuntiaret, rursum reversa, coepit eum durius increpare (N) et ignis aeterni incendium minitari, cum protinus ille : « Vere, ait, domina, temptavi quidem illam expellere, sed illa *fortior me* mihi restitit et superavit [i]. » Hic illa : « Tua, inquit, culpa hoc factum
140 est, qui eam nimis abundanter pascis, qui eam ita impinguasti et contra te ipsum roborasti. Subtrahe ei, laudo, cibum potumque, somnum etiam et otium. Numquam apud te sit laeta, numquam quieta, ut hoc modo debilitata tibi cedat. » Quo spondente facturum se, illa ei vale
145 dicens abiit. Ille memor promissi coepit ei parcus et importunus esse, coepit eam torvo et irato vultu respectare et verbis etiam contumeliosis per diem provocare. Post aliquot dies contigit eos inter se rixari (O), adeo ut, lite illa vehementius exardescente, ille indignatus diceret :
150 « Exi a me [j], pessima ! » « Immo tu, ait illa, pessimus, me expellendo, quae tibi tam diu et tam dulciter servivi ! » Ille, felle commoto, forti nisu eam propellens, humi resupinam deiecit. Super quam festinus incumbens, et guttur eius contra terram pugnis confodiens (P) et toto
155 conamine constringens, sanguinis radium saniei mixtum

145-146 parcus esse et importunus *C* ‖ 153 deiecit : proiecit *C*

---

i. Nombr. 22, 6 ; Lc 11, 22 ‖ j. Cf. Mc 9, 24 ; Lc 4, 35

es-tu devenu toi-même mon ennemi en donnant asile à mon ennemie ? Ne sais-tu pas qui je suis ? Je règne dans le royaume céleste, souverainement agréable à Dieu, bien accueillie des anges. Personne ne verra Dieu sans purifier son cœur grâce à moi (M). » A cela le jeune homme tout honteux : « Je l'avoue, ô dame, cette garce m'a si bien ensorcelé par ses artifices que je ne pourrais me passer d'elle, quand bien même je le voudrais. Cependant je tâcherai, avec l'aide de Dieu, de m'en arracher. » A la suite de cette conversation, voyant qu'après son départ il ne renonçait pas à cette sorcière, la chasteté revint de nouveau et se mit à le gourmander (N) plus durement et à le menacer du feu éternel. Alors lui, sans ambages : « A vrai dire, dame, j'ai essayé de la mettre dehors, mais elle est *plus forte que moi ;* elle m'a résisté et elle l'a emporté [i]. » — « C'est ta faute : c'est toi qui la nourris trop bien, qui l'as tant engraissée et lui as donné des forces contre toi ! Je te conseille de lui retirer le boire, le manger, et même le sommeil et le loisir. Qu'elle ne trouve jamais chez toi ni joie ni tranquillité ; ainsi, affaiblie, elle pliera devant toi. » Comme il promettait de le faire, elle s'en alla en lui disant adieu. Lui, se souvenant de sa promesse, commença à se montrer parcimonieux et intraitable envers son hôte, à lui présenter un visage menaçant et irrité, et même à la provoquer à longueur de temps par des injures. Au bout de quelques jours il leur arriva de se quereller (O) ; la dispute s'échauffa si violemment qu'il lui dit tout indigné : « Va-t'en loin de moi [j], peste ! » — « Peste toi-même, répondit-elle : tu me mets dehors, moi qui t'ai servi si longtemps et pour ton si grand plaisir ! » Lui, dans un accès de bile, la repoussa vigoureusement, la renversa en arrière et la jeta à terre. Vite, s'abattant sur elle, lui martelant de ses poings la gorge contre terre (P) et la lui serrant dans un effort suprême, il lui fit rendre par la bouche un filet de sang

per os emittere compulit (Q), infelici spiritu vomitum illum mox subsequente (R).

Sic virtus vitium Domino superavit tribuente.

A. Quia libidinosa temptatio saepe nos ex improviso aggre-
160 ditur.

B. Vetus, quia ex vetustate primi hominis habemus patere temptationibus.

C. Domus quippe animae corpus est, quod profecto ex quo Adam peccavit, quasi tot rimis est discissum quot vitiis ob-
165 noxium. Unde David : *Et non est sanitas in carne mea*[k].

D. Tenuem ictum vocat solam delectationem sine consensu.

E. Sanguine obvolvi est in peccato carnis iacere, secundum illud : *Libera me de sanguinibus*[l].

F. Ultimus spiritus, spes est, quae sola adhuc vivit in
170 peccatore.

G. Id est gratia Dei.

H. Gratia Dei non longe a nobis est[m], cum iam de peccato surgere meditamur. Transit tamen si nondum perfecte resipiscimus.

175 I. Scriptum invenitur : « Omnia in confessione lavantur. »

K. Quia paenitenti cuique haec duo praecipue adesse debent, id est timor et sollicitudo.

L. Quando lubricus aliquis ad memoriam reducit quia bonum et honestum est caste vivere, tunc quasi castitas ad domum
180 eius venit et cum eo loquitur.

M. *Beati mundo corde, quoniam ipsi Deum videbunt*[n].

N. Dum enim quis in peccato iacet et inde damnari timet, talia secum saepe volvit.

O. Saepe contra nos ipsos rixamur, dum malae consuetudini
185 reluctamur, secundum illud : *Video aliam legem,* et cetera[o].

163 *Glosam* C. *distinxi : glosas* B. *et* C. *in unum coniugunt codd.* || quippe : proprie *C* || 169 *Glosam* F. *a glosa* E. *distinxi : in unum conglutinant codd.* || 171 *Glosam* G. *in textu inserunt codd.* || 175 invenitur : est *C* || 176 Quia *om. C* || 181 Beati — videbunt *om. C*

---

k. Ps. 37, 4.8 || l. Ps. 50, 16 || m. Cf. Act. 17, 27 || n. Matth. 5, 8 || o. Rom. 8, 23

mêlé de sanie (Q), et son funeste esprit suivit de près ce vomissement (R).

C'est ainsi que, par le don du Seigneur, la vertu a triomphé du vice.

A. En effet, la tentation charnelle nous attaque souvent à l'improviste.

B. Vétuste, car c'est en raison de la vétusté du premier homme que nous avons à subir des tentations.

C. La demeure de l'âme, c'est le corps. Par suite du péché d'Adam, il est comme lézardé : autant de vices, autant de fissures [1]. D'où ce mot de David : *Et rien de sain dans ma chair* [k].

D. On appelle « coup léger » le plaisir sans consentement.

E. Est couvert de sang qui gît dans le péché de la chair, selon cette parole : *Délivre-moi du sang* [l].

F. Le reste de souffle, c'est l'espérance, qui seule vit encore chez le pécheur.

G. C'est-à-dire la grâce de Dieu.

H. La grâce de Dieu n'est pas loin de nous [m] lorsque déjà nous envisageons de nous relever du péché. Elle passe cependant si notre repentir n'est pas encore parfait.

I. Il est écrit : « Tout est lavé dans la confession. »

K. Car c'est surtout ce couple — crainte et sollicitude — qui doit être présent à tout pénitent.

L. Lorsqu'un impudique se remémore combien il est bon et honorable de vivre chastement, la chasteté vient en quelque sorte chez lui et lui parle.

M. *Bienheureux les cœurs purs, car ils verront Dieu* [n].

N. Quand quelqu'un gît dans le péché et craint d'être damné, il retourne souvent en lui-même de telles pensées.

O. Nous nous querellons souvent avec nous-mêmes lorsque nous luttons contre une mauvaise habitude, selon ce mot : *Je vois une autre loi*, etc. [o].

1. Image semblable chez ISAAC DE L'ÉTOILE, *Serm.* 51 (*PL* 194, 1865 A).

P. Ne spiramen malae suggestionis progrediatur.

Q. Confessionem peccati designat, quia *ore confessio fit ad salutem* [p] ; qua peracta, statim *immundus spiritus* exit *ab homine* [q].

R. Confessionem mox subsequitur mors peccati, id est re-
190 missio, quia tunc libido moritur dum ei renuntiatur.

188 statim *om.* *C* || 190 tunc quia *D*

p. Rom. 10, 10 || q. Lc 11, 24 ; Cf. Mc 5, 8

P. De peur que le souffle de la suggestion mauvaise ne s'exhale.

Q. Ceci désigne la confession du péché, parce que *c'est par la bouche qu'a lieu la confession en vue du salut* [p] ; dès qu'elle est achevée, *l'esprit impur sort aussitôt de l'homme* [q].

R. La mort du péché, c'est-à-dire sa rémission, suit de près la confession, car le désir charnel meurt au moment même où on y renonce.

V

DE CLAUSTRALIBUS ET OBOEDIENTIALIBUS MONACHIS

1. Nonnulli claustrenses monachi, quando vident oboedientiales foras frequenter progredi, loqui, equitare, terrena negotia agere, beatos eos in corde suo dicunt, bene eis contigisse aiunt [a] seque illis similes fore deside-
5 rant. Qui nimirum in veri aestimatione multum falluntur, stateram mentis non habentes iustam [b], dum nequeunt vel nolunt discernere quantum distet inter bona et mala, vel inter maiora bona et minora.

Quantum enim spiritalia a corporeis, caelestia a ter-
10 renis, divina ab humanis discrepant, tantum vita vestra, ut ad vos sermonem vertam, ab actione eorum. Psallere quippe, orare, legere, spiritalia meditari, iam inchoatio est vitae futurae. De communi vivere, coniugium nescire,

Codd. CDS

2 progredi frequenter *S* ‖ 3 agere negotia *S* ‖ 8 inter minora et maiora bona *S* ‖ 9-10 spiritalia — humanis : a corporeis spiritualia, a terrenis caelestia, ab humanis divina *S*

---

a. Cf. Mal. 3, 12 ; Ps. 127, 2 ‖ b. Cf. Lév. 19, 36 ; Éz. 45, 10

---

1. Le thème général de cette parabole a des parallèles chez S. Bernard, *Assp* 3, 2-4 ; *Div* 9, 4-5 ; *Sent* I, 26 (*SBO* 5, p. 239-241 ; 6^1, p. 119-120 ; 6^2, p. 16) ; Aelred de Rievaulx, *Serm.* 17 (*CCM* 2 A,

5

LES MOINES QUI DEMEURENT DANS LE CLOÎTRE ET CEUX QUI ONT DES OBÉDIENCES[1]

1. Quelques moines de ceux qui demeurent dans le cloître, voyant les moines pourvus d'obédiences[2] sortir souvent, parler, chevaucher, brasser les affaires de cette terre, les disent bienheureux dans leur cœur ; ils déclarent qu'ils ont eu de la chance[a], et désirent être comme eux. Certes, ils se trompent fort dans leur appréciation du vrai. La balance de leur esprit n'est pas juste[b] ; ils ne peuvent ou ne veulent pas discerner quelle grande distance il y a entre biens et maux, ou entre de plus grands biens et de moindres.

Autant le spirituel diffère du matériel, le céleste du terrestre, le divin de l'humain, autant votre vie — c'est à vous que je m'adresse — de leur activité. Psalmodier, prier, lire, méditer les réalités spirituelles, c'est inaugurer déjà la vie future. Vivre en commun, ignorer le mariage, aspirer avidement vers Dieu, c'est le propre des anges.

p. 135-136) ; *Inst. inclus.* 28 (*SC* 76, p. 110-112). Voir J. Leclercq, « Galland de Régny et la tentation de sortir », dans *Otia monastica* (*Studia Anselmiana* 51), Rome 1963, p. 165-169.

2. Ce terme désigne une tâche confiée à un religieux en vertu de l'obéissance.

Deo inhiare, angelorum est. Iam ergo video in vobis
15 *civitatem sanctam Ierusalem descendentem de caelo* [c]. Iam
video vos *optimam partem elegisse, quae non auferetur a
vobis* [d].

2. Vos, secundum Apostolum, *exercetis vos ipsos ad
pietatem. Nam corporalis exercitatio ad modicum utilis
20 est* [e]. Quare dixit *ad modicum ?* Quia quod illi agunt,
corporis est, huius vitae est, servorum est ; quod vos
facitis, liberorum est, filiorum est. Denique quod illi
hominum est, quod vos angelorum. Vos *operamini cibum
qui non perit* [f]. Vos *fructum* affertis qui *maneat* in aeter-
25 num [g]. Vos, ut regia proles, ad mensam sedetis imperia-
lem, paternis vescentes deliciis, dum spiritalibus intendi-
tis ; illi, ut famuli, grossiori cibo semoti replentur, dum
student temporalibus. Vos, cubicularii regis, conspectui
eius adsistentes, tantae familiaritatis praerogativa gau-
30 detis, ab obsequiis eius non discedentes ; illi, foris excu-
bantes, vix eius faciem procedentis ad publicum eminus
prospiciunt. Per vos ei mandamus quod ipsi suggerere
non audemus, in vestra plurimum intercessione confisi.
Vos estis Ecclesiae pretiosus thesaurus, vos praeclara
35 domus Dei ornamenta, quae vix festivioribus tantum
diebus in lucem proferuntur. Vos in *tabernaculo* foederis
non *saga cilicina* nec *pelles rubricatae,* quae deforis pendent, sed *byssus, purpura coccusque* estis *bistinctus* [h], quae
interius latent [i].

40 **3.** Et ut aliquid per similitudinem inferam, sicut aliqua
nobilis et potens matrona in domo sua habet filias, habet

14-16 in vobis — video *om. per hom. CD* || 29 eius *om. S* || tantae : tota *C* || 34 Ecclesiae *om. S*

c. Apoc. 21, 10 || d. Lc 10, 42 || e. I Tim. 4, 7-8 || f. Jn 6, 27 || g. Jn 15, 16. Cf. Jn 14, 16 || h. Ex. 26, 1.7.14.31 || i. Cf. Cant. 1, 1.3

Dès maintenant donc, je vois en vous *la cité sainte, Jésuralem, descendant du ciel*[c] ; je vois que dès maintenant vous avez *choisi la meilleure part, qui ne vous sera pas enlevée*[d].

2. Écoutant l'Apôtre, *vous vous exercez à la piété ; les exercices corporels, en effet, ne sont que de peu d'utilité*[e]. Pourquoi dit-il *de peu d'utilité* ? Parce que ce qu'ils font relève du corps, de cette vie ; c'est le propre des esclaves. Ce que vous faites revient aux hommes libres, aux fils. En un mot : à eux la part des hommes, à vous celle des anges. Vous *travaillez pour la nourriture qui ne périt pas*[f]. Vous portez *un fruit qui demeure* pour l'éternité[g]. Tels des enfants royaux, vous êtes assis à la table impériale, vous nourrissant des délices paternelles en vous appliquant aux exercices spirituels ; eux, tels des domestiques, se bourrent dans leur coin d'aliments plus grossiers en s'occupant d'affaires temporelles. Familiers du roi, vous tenant en sa présence, vous jouissez du privilège d'une si grande intimité et ne vous écartez pas de son service[1]. Eux montent la garde dehors ; c'est à peine s'ils aperçoivent son visage de loin quand il sort en public. C'est par vous que nous lui faisons dire ce que nous n'osons lui suggérer nous-mêmes, très confiants dans votre intercession. Vous êtes le trésor précieux de l'Église, le splendide ornement de la maison de Dieu : c'est à peine si on l'expose aux plus grandes fêtes. Dans le *tabernacle* de l'alliance, vous n'êtes pas *les couvertures en poil de chèvre* ni *les peaux teintes en rouge* suspendues au-dehors, mais *le lin fin, la pourpre et l'écarlate deux fois teint*[h], cachés à l'intérieur[i].

3. J'ajoute ceci, au moyen d'une comparaison. Une noble et puissante matrone a dans sa maison des filles,

1. Allusion à *RB*, Prol. 50.

et ancillas ; filias vero pretiosis vestibus induit, delicatioribus cibis alit et intra thalami secretum commorari facit, vix eas foras egredi sinens, vix ad publicum venire aut
45 sub nudo stare aere permittens (hinc, secundum Salomonem, *servans corpus illarum*[j], inde cavens ne faciei earum decor aut teneritudo solis ardore nigrescat[k], vel ventorum seu pluviarum attritione durescat, ne forte suorum oculis sponsorum in aliquo displiceant) ; ancillae
50 autem vili et parco cibo vestituque contentae, variis deputatae sunt officiis, nunc aquam domum afferendo, nunc vestes ac linteamina ablutum deferendo, nudis forsitan pedibus et praecinctae renibus cruretenus succurtatae, per vias, per paludes, per flumina incedunt (secun-
55 dum prophetae verba ad quamlibet earum sic dicentis : *Transi flumina, revela crus, denuda turpitudinem tuam*[l]) : ita sanctae matris Ecclesiae vos, claustrenses monachi, estis filiae, vos dulci alumnae vestrae cariores, vos praecordialius diligit, vos propensiori sollicitudine custodit.
60 *Despondit enim vos uni viro virginem castam exhibere Christo*[m]. Teneritudinem vel decorem vestrum temptationum solibus vel pulveri curarum exponere indignum ducit, animaeque vestrae nec tenuem inhaerere labem patitur. *Aemulans enim vos Dei aemulatione*[m], acri uritur
65 dolore, si peccati maculam in cordis vestri senserit facie. Vos pretiosis induit vestibus, dum bonis docet ornari moribus. Vos lautioribus epulis pascit, dum subtiliores Scripturae sententias aperit. Vos cubiculi eius intima iugiter tenetis, dum monasterii claustra exire cavetis. Vos

42 vero *om.* *S* ‖ 43 et *om.* *S* ‖ 48 forte : dominorum *add.* *S* ‖ 50 autem — vestituque : vero parco cibo vilique vestitu *S* ‖ 53 praecinctae : -tis *CD* ‖ succurtatae : succurcitatae *CD* ‖ 60 castam *om.* *S* ‖ 62 solibus : sordibus *S* ‖ 68 Scripturae *om.* *S* ‖ cubiculi : cubilis (cubiculis *D*[pc]) *DS*

j. Sir. 7, 26 ‖ k. Cf. Cant. 1, 4-5 ‖ l. Is. 47, 2 ‖ m. II Cor. 11, 2

et aussi des servantes. A coup sûr elle revêt ses filles d'habits précieux, les nourrit de mets raffinés et les fait demeurer dans la chambre intérieure : à peine les laisse-t-elle sortir, à peine leur permet-elle d'aller dehors ou de se tenir à l'air libre. D'une part, selon la parole de Salomon, *elle préserve leurs corps*[j] ; de l'autre elle veille à ce que leur beau et délicat visage ne soit pas noirci par l'ardeur du soleil[k] ni durci par les vents et les pluies, de peur qu'elles ne déplaisent en quelque chose aux yeux de leurs époux. Les servantes, elles, doivent se contenter d'une nourriture et d'habits communs et chichement mesurés ; on leur assigne des tâches diverses : tantôt elles apportent l'eau à la maison, tantôt elles emportent vêtements et linge au lavoir ; pieds nus peut-être, la robe retroussée autour des reins, elles vont par routes, par marais, par fleuves, selon le mot du Prophète disant à l'une d'elles : *Traverse les fleuves, montre la jambe, mets à nu ta honte*[l]. De même vous, moines du cloître, êtes filles de la sainte Mère Église, vous êtes les chéris de votre douce nourrice ; c'est vous qu'elle aime du plus profond de son cœur, vous qu'elle garde avec plus de sollicitude. *Elle vous a en effet fiancés à un époux unique, telle une vierge chaste à présenter au Christ*[m]. Elle juge indigne d'exposer votre nature délicate, votre beauté, aux coups de soleil des tentations ou à la poussière des affaires, et ne souffre sur votre âme aucune tache, même insignifiante. *Elle éprouve à votre égard une jalousie divine*[m], elle brûle d'une vive douleur si elle perçoit la souillure du péché sur le visage de votre cœur. Elle vous revêt d'habits précieux en vous apprenant à vous parer de bonnes mœurs. Elle vous repaît de festins somptueux en vous ouvrant les pensées plus profondes de l'Écriture. Vous habitez continuellement au plus intime de sa chambre en vous gardant de sortir des cloîtres du monastère. Vous rendez à votre mère — et quelle mère ! —

70 tantae matri vestrae dignae honorem reverentiae exhibetis, dum circa ecclesiastica officia occupati, statis *cum timore et tremore*[n] cordis. Silentii censuram servare studetis, quia in cubiculis talium matronarum solent ministrae earum parce et silenter loqui.

75 **4.** Sed ne forte, quia sic loquimur, a vobis, oboedientiales monachi, importuni dicamur, oris nostri obsequio volumus servire et vobis. Non igitur, quia claustrales tanti fecimus, putetis nos labores vestros parvipendere. Quod enim illi sine sollicitudine vivunt, vestra sollicitudo 80 facit, sicut in Dei *tabernaculo byssus* et *purpura* ideo splendorem suum illaesum servabant, quia *saga cilicina* exteriora incommoda sustinebant. Et quia labore vestro efficitis, ut illi in proposito suo persistere possint, ergo quod illi faciunt, vestrum est, teste Domino qui ait : *Qui* 85 *recipit iustum in nomine iusti, mercedem iusti accipiet*[o]. Non autem quia ille *mercedem iusti accipiet,* ideo iustus eam perdet, quia Deus potest et huic eam plene dare et illi nihil demere[p]. Vos ergo, quia et cum ceteris fratribus modo ordinis tenorem custoditis, modo vero sine illis 90 temporalia tractatis, prae multa mentis fortitudine *utraque manu pro dextera utimini*[q], et sic Marthae vitam tenetis, ut nec Mariae contemplatio desit vobis[r]. Neces-

79 vestra : nostra *D* || 80 in tabernaculo Dei *S* || ideo *om. S* || 83 possint : possunt *S* || ergo *om. S* || 86 ille : illic *C* || 87 plene eam *S* || 88 cum *om. S* || 89 ordinis : et *add.* CD^{pc} *(inter lin.)* || 90 fortitudine mentis *S* || 92 vobis desit *S*

n. Éphés. 6, 5 || o. Matth. 10, 41 || p. Cf. Matth. 20, 1-16 || q. Jug. 3, 15 || r. Cf. Lc 10, 40-42

1. On peut comparer ce développement au passage de l'*Histoire ecclésiastique* (25 : *PL* 188, 639 B-D) où ORDERIC VITAL oppose les moines, « filles de roi » *(filiae regis),* voués aux activités contemplatives, aux paysans *(rustici)* destinés par nature aux tâches matérielles ; ceci dans le contexte de la discussion entre S. Robert de Molesme et ses moines. Ces derniers refusent la réforme qui leur est proposée au nom

l'honneur d'une révérence digne d'elle lorsque vous vous tenez debout *avec crainte et tremblement* [n] du cœur, occupés aux offices à l'église. Vous vous appliquez à garder la rigueur du silence, car dans les chambres de ces matrones les servantes parlent peu et à voix basse [1].

4. Mais de peur que vous, moines chargés d'obédiences, ne nous trouviez insupportables parce que nous parlons ainsi, nous voulons mettre nos lèvres à votre service à vous aussi. Si nous avons porté si haut les moines du cloître, ne pensez pas pour autant que nous fassions peu de cas de votre labeur. S'ils vivent sans soucis, c'est grâce à votre sollicitude — de même que dans *le tabernacle* de Dieu *le lin fin* et *la pourpre* gardent intact leur éclat du fait que les *couvertures en poil de chèvre* supportent les intempéries extérieures. Et puisque vous leur permettez par votre labeur de persister dans leur propos, ce qu'ils font est à vous, témoin le Seigneur qui dit : *Qui reçoit un juste en tant que juste recevra une récompense de juste* [o]. Mais si ce dernier *reçoit une récompense de juste,* le juste ne la perd pas pour autant : Dieu peut la lui donner en plénitude, sans en rien ôter à l'autre [p]. Quant à vous, donc, tantôt gardant avec les autres frères la ligne de l'Ordre, tantôt traitant sans eux les affaires temporelles, *vous vous servez des deux mains comme de la droite* [q] grâce à votre grande force d'âme, et vous menez la vie de Marthe d'une manière telle que la contemplation de Marie ne vous manque pas non

des coutumes monastiques traditionnelles, lesquelles excluaient notamment le travail agricole en se fondant sur JEAN CASSIEN, *Conl.* 24, 4 (*SC* 64, p. 175). Si, dans ce § 3, Galand reste dans la ligne de l'ancien monachisme, il s'en écarte ensuite aux § 4-5 où la qualité de fille *(filia)* ou de servante *(ancilla)* ne dépend plus de la matérialité des occupations, mais des dispositions intérieures. Cette parabole apparaît ainsi comme un témoin de l'effort de réflexion fait par les cisterciens pour intégrer le travail manuel et agricole à la doctrine monastique sur l'ascèse.

sitate foras exitis, sed intus corde remanetis. Ergo videmini quidem tunc silentii iura et claustri stationem de-
95 serere, sed quod corpore interrumpitis, voluntate tenetis. Non igitur iam estis ancillae, sed filiae, quia quod filiae tenent operatione, vos devotione.

5. Ancillae enim sunt qui desiderio haec faciunt, qui, quasi ob haec in monasterium venissent, se totos in his
100 demergunt, adeo ut si etiam ab eis aliquando corpore vacent, mente tamen in illis versentur. Cumque ad haec etiam devolvuntur, ut Deum in his offendere non timeant, solis vero *hominibus placere*[s] appetant, vere illis tunc illa Isaiana supradicta convenit sententia qua dicitur : *Transi*
105 *flumina, revela crus, denuda turpitudinem tuam*[t]. *Flumina* enim *transeundo, crus revelant* quia, transitoria peragendo, carnalem se habere mentem demonstrant ; et *turpitudinem suam denudant,* quam prius quasi circumducta veste tegebant, quia saeculare desiderium quod, dum in
110 claustro manerent, sub quodam religionis indumento celabant, tunc tandem discooperiunt, dum temporalia nimis saeculariter dispensant. Hi nudis pedibus ancillarum more incedunt, quia fortibus sanctorum Patrum iam defunctorum exemplis actionum suarum vestigia non muniunt.
115 Sic per *flumina* vel paludes discurrunt, quia transitoria et lutulenta sunt in quibus versantur. Non deliciosis cibis sed vilibus pascuntur, quia vix eos videas sacris lectionibus intendere, sed potius fabulis saecularibus vacare. Pretiosas vestes numquam induunt, quia pannosis mori-

93 remanetis : manetis *CS* ‖ 98 haec : hoc *S* ‖ 99 ob haec : ab hoc *S* ‖ 103 tunc illis *S* ‖ 108 circumducta : -data *S* ‖ 109 quod *om.* *S* ‖ 112 more *om.* *S*

s. Gal. 1, 10 ‖ t. Is. 47, 2

1. La même interprétation de *Jug* 3, 15 est donnée par GUILLAUME DE SAINT-THIERRY, *Epist.* 18 (*SC* 223, p. 158).

plus[r] [1]. Vous sortez par nécessité, mais de cœur vous restez à l'intérieur. Vous semblez alors abandonner les règles du silence et le séjour dans le cloître, mais vous tenez par la volonté ce que vous interrompez de corps. Vous n'êtes donc plus servantes, mais filles ; car ce que les filles observent en acte, vous l'observez par votre attachement dévoué.

5. Sont servantes ceux qui font ces choses par désir, qui s'y plongent tout entiers, comme s'ils étaient venus au monastère pour cela, au point de s'y appliquer par l'esprit même lorsqu'ils n'y sont pas occupés de corps. Quand ils s'y laissent entraîner jusqu'à ne pas craindre d'offenser Dieu en cela et à ne désirer *plaire* qu'*aux hommes*[s], alors vraiment la sentence d'Isaïe citée plus haut leur convient, elle qui dit : *Traverse les fleuves, montre la jambe, mets à nu ta honte*[t]. *En traversant les fleuves, ils montrent la jambe,* parce qu'en accomplissant des œuvres passagères ils font preuve d'esprit charnel. *Ils mettent à nu leur honte* — qu'auparavant ils couvraient comme d'un vêtement — parce qu'ils découvrent enfin leurs désirs mondains — qu'ils cachaient sous un certain vernis de religion tant qu'ils demeuraient dans le cloître — en administrant les affaires temporelles d'une façon par trop mondaine. Ils vont nu-pieds, à la manière des servantes, en ne protégeant pas les plantes de leurs actions par les solides exemples des saints Pères maintenant défunts. Ils courent ainsi *les fleuves* ou les marais, mêlés qu'ils sont à des affaires passagères et boueuses. Ils se nourrissent de mets non pas délicieux, mais ordinaires, car c'est à peine si on les voit s'appliquer aux saintes lectures ; ils s'occupent plutôt de racontars mondains[2]. Ils ne revêtent jamais d'habits précieux, salis

2. Cf. *RB* 48, 18.

120 bus semper sordescunt. Aquam domum afferre solent, quia frigida sunt et vilis saporis exempla quae fratribus praebent. Eorum tamen vestes fricando et contundendo lavant, quia dum eos duris et iniquis operibus suis gravant, cotidianorum excessuum maculas in illis purgant 125 et, per frequentem illorum attritionem, isti candidis moribus, velut lotis vestibus, nitent. In thalamis non resident, sed foris vagantur, quia, internis neglectis, exteriora sequuntur. Quorum facies aestu vel pulvere sordet, quia mentis aspectum vitiis habent obsitum. Non ergo filiae 130 sunt sed ancillae, quia a superna degenerantes nobilitate, servi sunt tot dominorum quot vitiorum.

125 isti : istis *DS*

qu'ils sont par leurs mœurs toujours loqueteuses. Ils apportent l'eau à la maison, car les exemples qu'ils présentent aux frères sont froids et de saveur vile. Ils leur lavent cependant les vêtements à force de frotter et de fouler : en leur faisant porter le poids de leurs œuvres dures et iniques, ils les purifient des taches de leurs écarts quotidiens. Grâce aux frottements fréquents qu'ils ont avec eux, les frères brillent de mœurs resplendissantes comme des vêtements lavés. Ils ne demeurent pas dans des chambres, mais vagabondent au-dehors, car négligeant l'intérieur, ils suivent ce qui est extérieur. Leur visage est sali par la chaleur ou la poussière, car ils ont la face de l'esprit couverte de vices. Ils ne sont donc pas filles, mais servantes : dégénérant de leur noblesse d'en haut, ils sont esclaves d'autant de maîtres que de vices.

VI

DE VERIS ET FALSIS RELIGIOSIS

1. Quia ea quae per similitudines dicuntur aliquando libentius audiuntur, de veris et falsis religiosis talem, Deo donante, texuimus parabolam.

Cum essem scholasticus (A) et multas discendi causa
5 peragrarem (B) provincias, mente veni in quamdam civitatem (C), multis et magnis aedificiis (D) exornatam. Qui cum admirando circumspicerem, video ibi duos homines (E), honesti admodum habitus et magni cuiusdam personatus. Accedo propius, assideo iuxta eos auscul-
10 tansque diu quid loquerentur, cognosco ex ipsis eorum verbis alterum eorum ex magna paupertate (F) ad maximas pervenisse divitias, alium vero ex ditissimo (G) pauperrimum factum fuisse, stupensque rogo doceri et illius provectum et huius casum.

15 Tunc is qui promotus fuerat, prior respondens : « Eram, ait, pauper (H) adolescens (I) ; factum est autem ut quidam nobilissimus ac ditissimus huius civitatis vir (K) filiam suam virginem (L) nubere hortaretur, illaque responderet dicens : 'Quia tuis, carissime pater,
20 iussis oboediendum est mihi, volo ut illum pauperem iuvenem — de me autem dicebat — mihi copules, eo

1 per similitudines quae *CD*[ac]

---

1. Parabole inséparable de ses gloses.

6

VRAIS ET FAUX RELIGIEUX[1]

1. On écoute parfois plus volontiers ce qui se dit au moyen de comparaisons : par un don de Dieu, nous avons donc composé la parabole suivante au sujet des vrais et des faux religieux.

Étant écolier (A) et parcourant (B) de nombreuses provinces dans le but de m'instruire, j'arrivai en esprit dans une ville (C) qu'embellissaient des édifices nombreux et importants (D). Comme je la parcourais des yeux avec admiration, je vois deux hommes (E) d'un extérieur parfaitement honorable et sentant son grand personnage. Je m'approche de plus près, m'assois à côté d'eux et, en les écoutant longtemps parler, j'apprends par leurs propres dires que l'un d'eux était parvenu d'une pauvreté profonde (F) aux plus grandes richesses ; l'autre au contraire était devenu fort pauvre, de très riche qu'il était (G). Stupéfait, je demande à être renseigné sur l'ascension du premier et la chute du second.

Celui qui avait réussi répondit le premier. « J'étais, dit-il, un jeune homme (I) pauvre (H) ; or il s'est trouvé qu'un homme de cette ville, fort noble et riche (K), exhortait sa fille vierge (L) à se marier. Elle lui répondit en ces termes : 'Puisqu'il me faut obéir à tes ordres, père très cher, je veux que tu m'unisses à ce jeune homme pauvre — c'est de moi qu'elle parlait —, car il a l'âme

quod mansueti et quieti sit animi (M). Nam si de divitiis agitur, cum per te exuberantibus affluam copiis, cur superbum quempiam et vitiosum divitem (N) ob pecu-
25 niarum suarum cupiditatem accipiam, qui moribus meis dissidens, placidum communis coniugii foedus domestica per dies lite perturbet ?' Quid plura ? Virgo clarissima, annuente patre, datur mihi uxor cum dote copiosissima. »

2. His alter subiungens ait : « At ego contra nobili
30 ortus prosapia (O), divitiis olim pollens (P), qualiter ceciderim audite. Muliercula quaedam ex servili genere domum meam sub specie mihi serviendi frequentare coepit. Cuius obsequium primo quidem velut necessarium simplici a me intentione susceptum, paulatim in vitium
35 libidinis versum est (Q). Quid multa ? Degenere victus amore, eam duco uxorem (R). Quo facto, mox dominus eius (S) in servum me vindicans, coepit bona mea (T) de die in diem diripere, vastare, consumere ; et ut rem breviter comprehendam, ad tantam redactus sum ino-
40 piam, ut omnis domus meae supellex, ipse etiam corporis mei vestitus, praeter hoc pallium (erat autem optimum), vix unius nummi constet. Unde nec hospitem quempiam in domum meam recipere audeo (V), ne indigentiae meae foeditatem videat. Quem tamen si forte quemquam sus-
45 cepero, accipio vasa, linteamina et cetera domus utensilia (X) et coram hospite omnia dico esse mea. Hoc vero pallium quod solum ex omnibus ornamentis meis mihi superest, mox ubi domum introeo, exuo, numquam amplius illud revestiturus, nec si frigore periturus sim, nisi
50 aut interim foras exiens aut aliquem hospitem recipiens (Y). Unde, quaeso te, carissime, mihi, si nosti, consule quid facere possim. »

1. Voir G. Ricci, « Naissance du pauvre honteux : entre l'histoire des idées et l'histoire sociale », *Annales* 38, 1983, p. 158-177.

douce et paisible (M). Si c'est de richesses qu'il s'agit, grâce à toi je regorge de biens surabondants : pourquoi supporterais-je donc, par convoitise pour son argent, un quelconque richard orgueilleux et vicieux (N) dont le caractère ne s'accorderait pas avec le mien et qui troublerait à longueur de journée par des querelles de ménage l'alliance paisible de notre commune union ?' Que dire de plus ? Avec l'approbation de son père, cette vierge très illustre m'est donnée comme épouse avec une dot des plus importantes. »

2. Prenant la suite, l'autre dit : « Moi, au contraire, je suis issu d'une noble lignée (O) ; jadis j'étais riche en biens (P). Écoutez comment je suis tombé. Une petite bonne femme, une serve, s'est mise à fréquenter ma maison sous prétexte de services à me rendre. Ce service qu'au début j'ai accepté comme nécessaire, avec une intention droite, a tourné peu à peu au vice de la chair (Q). Pourquoi m'étendre ? Vaincu par un amour dégradé, je la prends pour femme (R). Aussitôt fait, son maître (S) me revendique pour serf et se met à piller, à ravager, à dissiper mes biens (T) de jour en jour ; bref, j'ai été réduit à un dénuement si grand que tout le mobilier de ma maison, et même les vêtements que j'ai sur le corps, à l'exception du manteau que voici — il était magnifique —, valent à peine un liard. Aussi je n'ose recevoir aucun hôte dans ma maison (V), de peur qu'il ne voie ma hideuse indigence [1]. S'il m'arrive cependant d'en accueillir un, j'emprunte de la vaisselle, du linge et le reste du nécessaire (X), et devant l'hôte je dis que le tout est à moi. Quant à ce manteau, la seule chose qui me reste de toutes mes parures, je l'enlève dès que je rentre chez moi pour ne jamais le remettre, quand même je devrais mourir de froid, sauf pour sortir ou recevoir un hôte (Y). Aussi, très cher, je t'en prie : indique-moi ce que je peux faire, si tu le sais. »

Tum ego intra me paulum deliberans : « Numquam, aio, liberaberis quamdiu uxor vixerit. Mortem eius a Deo
55 petere nocte dieque memento ; quam ubi impetraveris, omnia quaecumque pariter cum ea acquisisti domino illius redde, et sic ei renuntia. Quod si etiam post renuntiationem te vindicare vel requirere ausus fuerit, causam tuam iudici refer (Z), et ope illius tutus deinceps per-
60 manebis. »

3. Nunc breviter quid haec sibi velint dicamus. Et ut a capite incipiamus, scholasticus spiritalis ille est qui divina praecepta discere studet ; qui etiam, cum religiosorum virorum per diversa loca manentium vitas sibi ad
65 imitandum in corde proponit, quasi discendi gratia circumquaque discurrit. Cum vero statum sanctae Ecclesiae mente intuemur, quasi civitatem quamdam ingredimur ; in qua multa et magna aedificia videmus, dum diversos fidelium ordines attendimus. Porro inter eos duos ho-
70 mines praeclaro habitu pariterque fulgentes, sed domi multum inaequaliter conversantes, duo genera religiosorum sunt, id est verorum et falsorum, qui exterius quidem in nullo fere distare videntur, sed interius non minus quam veritas a falsitate discrepantur. Nobilissimus iste
75 vir Deus est, cuius filia sapientia est, quia omnis sapientia a Deo data est. Quae nubere volens, id est spiritales Deo parere filios, non superbis sed mitibus copulari quaerit, iuxta illud : *Sapientia clamitat in plateis : Si quis parvulus est veniat ad me*[a]. Hic maritus, prius pauper postea dives,
80 illos designat qui vitae saeculari, in qua veris bonis inopes erant, renuntiantes, purae religionis et spiritalis sapientiae matrimonio sublimati, internis affluunt divitiis.

At contra alter qui ex glorioso miser effectus unum

68 magna et multa *C* ‖ 79 Hic : hec *D* ‖ 80 designat : significat *C*

---

a. Prov. 9, 4

Après avoir délibéré un peu en moi-même : « Tu ne seras jamais libre, dis-je, tant que vivra ton épouse. Souviens-toi jour et nuit de demander à Dieu sa mort. Quand tu l'auras obtenue, rends à son maître tout ce que tu as acquis avec elle, et renonce ainsi à lui. Si, même après cette renonciation, il osait te revendiquer ou te réclamer, porte ta cause devant le juge (Z), et grâce à son appui tu pourras demeurer en sûreté. »

3. Disons maintenant brièvement où tout cela veut en venir. Commençons par le commencement : est écolier spirituel quiconque s'efforce d'apprendre les préceptes divins. Lorsqu'en outre il se représente en son cœur les vies d'hommes religieux demeurant en divers lieux afin de les imiter, il voyage tout à l'entour en vue de s'instruire. Or, lorsque nous regardons en esprit l'état de la sainte Église, nous entrons en quelque sorte dans une ville ; nous y voyons des édifices nombreux et importants quand nous réfléchissons aux différentes catégories de fidèles. Quant à ces deux hommes remarquables par leur extérieur, qui brillent pareillement mais vivent très différemment chez eux, ce sont deux sortes de religieux : les vrais et les faux. Extérieurement ils semblent ne différer presque en rien, mais intérieurement ils sont aussi éloignés l'un de l'autre que la vérité l'est du mensonge. Cet homme fort noble est Dieu. Sa fille, c'est la sagesse, car toute sagesse est don de Dieu. Désirant se marier — c'est-à-dire engendrer pour Dieu des enfants spirituels — elle cherche à s'unir non aux orgueilleux mais aux doux, selon ce mot : *La sagesse proclame sur les places publiques : Si quelqu'un est tout petit, qu'il vienne à moi*[a]. Son mari, d'abord pauvre puis riche, désigne ceux qui, renonçant à la vie séculière où ils étaient dénués de vrais biens et élevés par leur mariage avec la religion pure et la sagesse spirituelle, abondent en richesses intérieures.

L'autre, au contraire, devenu misérable de glorieux

adhuc pretiosum pallium solummodo habebat, quo men-
85 dicitatis suae confusionem tegebat, assimilatur eis qui, post susceptum religionis propositum, in malae voluntatis miseriam devoluti, de cumulo sanctitatis, quasi de quadam divitiarum abundantia, in interiorem decidunt paupertatem. Et in conspectu quidem hominum adhuc stare
90 videntur dum, pristino religionis habitu retento, velut pretioso quodam pallio, internam tegunt malitiam ; sed in conspectu Dei iam ex tunc ceciderunt, ex quo ad terrena appetenda mentis statum deiecerunt, sicut scriptum est : *In conspectu eius cadent omnes qui descendunt*
95 *in terram*[b].

4. Qui terrenae cupiditatis, quasi ancillae obsequio prius quidem tamquam necessario suscepto, dein coniugio dehonestati, dum se per hoc iuri mancipant diaboli, ab eo cunctis spiritalibus spoliantur bonis. Unde fit ut nec
100 hospitem quemquam domum introducere audeant, quia malitiam infra tectum mentis eorum latentem manifestare summopere devitant. Quem si forte introduxerint, aliena quaerunt ornamenta, quae sua esse dicant ; quia si quis conscientiae eorum secreta voluerit inquirendo penetrare,
105 statim iactant se habere virtutes quas non habent, et sic dicunt esse sua quae sunt aliorum. Unde praesente tantummodo hospite vel foras ituri, pallium sumunt, quia intus ipsi vitiosissimi, *coram hominibus* se *iustificant*[c].

Quibus ego consilium dedi mortem malae coniugis suae
110 a Deo expetere, quia nisi prius in eis cupiditas saeculi divinitus extincta fuerit, iugum diaboli a se abicere nemo illorum poterit. Qua Dei dono extincta, quidquid cum illa simul acquisivimus quasi diabolo reddimus, ut ille ea

88 decidunt : incidunt *C* || 92 ex[1] *om.* *C* || 101 malitia *D*

b. Ps. 21, 30 || c. Lc. 16, 15

qu'il était, qui n'avait plus qu'un manteau précieux pour couvrir la honte de sa mendicité, représente ceux qui, ayant chu dans la misère de la volonté mauvaise après avoir embrassé le propos de la vie religieuse, tombent des cimes de la sainteté, comme d'une abondance de richesses, dans la pauvreté intérieure. Aux yeux des hommes, ils semblent encore se tenir debout tant qu'ils recouvrent leur malice de leur extérieur religieux d'autrefois, conservé tel un habit précieux ; mais aux yeux de Dieu ils sont déjà tombés du moment qu'ils ont abaissé leur esprit à désirer le terrestre, comme il est écrit : *Ils tombent à ses yeux, tous ceux qui descendent dans la terre*[b].

4. Ils ont d'abord admis les services de la cupidité terrestre, comme d'une servante, en tant que nécessaires, puis se sont déshonorés en l'épousant : se livrant par là au pouvoir du diable, ils sont dépouillés par lui de tous leurs biens spirituels. Aussi n'osent-ils introduire aucun hôte dans leur maison, car ils évitent avec le plus grand soin de découvrir la malice qui se cache sous le toit de leur esprit. S'il leur arrive d'en faire entrer un, ils recherchent les parures d'autrui et les disent leurs : quelqu'un s'enquiert-il en effet des secrets de leur conscience, ils se vantent aussitôt de posséder des vertus qu'ils n'ont pas ; ainsi disent-ils leur ce qui appartient à d'autres. Aussi ne mettent-ils leur manteau qu'en présence d'un hôte, ou pour sortir : profondément vicieux intérieurement, ils *cherchent à paraître justes devant les hommes*[c].

Je leur ai donné ce conseil : chercher à obtenir de Dieu la mort de leur male épouse, parce qu'aucun d'eux ne pourra rejeter le joug du diable à moins que l'action divine n'éteigne d'abord en eux la cupidité de ce monde. Une fois sa mort advenue par un don de Dieu, nous rendons en quelque sorte au diable tout ce que nous avons acquis en même temps qu'elle pour qu'il donne

ministris suis det, et sic ei renuntiamus ; quia si saeculi
115 cupiditas in corde nostro perfecte obierit, mox omnes terrenas possessiones libenter relinquimus ; sed quas nos abicimus, illi statim arripiunt quibus *princeps huius mundi*[d] dominatur. Nos vero ei renuntiantes, dominationis eius ius evadimus. Quod si postea nos denuo requirere
120 praesumpserit, causam nostram summo iudici orando repraesentemus ; *effundamus in conspectu eius* orationem *nostram, et tribulationem nostram ante ipsum pronuntiemus*[e], et liberabit *nos ab inimicis nostris*[f], qui vivit et regnat...

---

125 A. De schola eius qui ait : *Unus est enim magister vester,* et cetera[g].

B. *Circuivi et immolavi,* et cetera[h].

C. Id est in sanctam Ecclesiam.

D. <Id est> diversis ordinibus.

130 E. Duo genera religiosorum.

F. Id est ex saecularitate.

G. Id est ex religione.

H. Id est saecularis.

I. Id est sensus simplicis et mitis naturae.

135 K. Id est Deus.

L. Id est sapientiam.

M. Scilicet humiles requirit[i].

N. *In malivolam animam non introibit sapientia,* et cetera[j].

O. *Carissimi, nunc filii Dei sumus*[k].

140 P. Dei virtutibus.

Q. Mundana cupiditas nonnumquam cor paulatim subintrat ; et dum quasi necessaria admittitur, necessitatem mutat in voluntatem.

116 possessiones : possiones *D* || 128-129 *Glosas* C. *et* D. *in textu inserunt codd.* || 129 <Id est> *supplevi : om. CD* || 131-136 *Glosas* F.G.H.I.K.L. *in textu inserunt codd.* || 131 ex *om. C cancellat D* || 134 sensus *scripsi :* sensu *CD* || 137 *Glosam* M. *in textu inserit D* || Scilicet *scripsi : om. C* sc D^{pc} *(inter lin.)* || 138 et cetera *om. C* || 143 voluntatem : voluptatem *D*

cela à ses serviteurs, et nous renonçons ainsi à lui. Si en effet la cupidité de ce monde est parfaitement morte dans notre cœur, aussitôt nous abandonnons volontiers toutes nos possessions terrestres ; mais ceux que *le prince de ce monde*[d] domine s'emparent sur-le-champ de ce que nous rejetons. Quant à nous, en y renonçant, nous échappons à sa domination. Si par la suite il avait la présomption de nous réclamer de nouveau, portons notre cause devant le juge suprême par la prière, *épanchons notre* prière *sous son regard, et exposons devant lui notre tribulation*[e], et il *nous* délivrera *de nos ennemis*[f], lui qui vit et règne...

A. A l'école de celui qui dit : *Vous n'avez en effet qu'un seul maître*, etc.[g].
B. *J'ai fait le tour de l'autel et j'ai immolé*, etc.[h].
C. C'est-à-dire dans la sainte Église.
D. C'est-à-dire les divers ordres de la société.
E. Deux sortes de religieux.
F. C'est-à-dire de l'état séculier.
G. C'est-à-dire de l'état religieux.
H. C'est-à-dire un séculier.
I. C'est-à-dire simple de cœur et d'un naturel doux.
K. C'est-à-dire Dieu.
L. C'est-à-dire la sagesse.
M. Autrement dit, elle recherche les humbles[i].
N. *La sagesse n'entre pas dans une âme mal disposée*, etc.[j].
O. *Bien-aimés, dès maintenant nous sommes enfants de Dieu*[k].
P. Les vertus de Dieu.
Q. Parfois la cupidité mondaine s'insinue peu à peu dans le cœur ; et tandis qu'on l'admet en tant que nécessaire, elle change la nécessité en volonté.

d. Jn 12, 31 ; 14, 30 ; 16, 11 || e. Ps. 141, 3 || f. Ps. 135, 24 || g. Matth. 23, 8 || h. Ps. 26, 6 || i. Cf. Ps. 112, 6 ; 137, 6 ; Is. 66, 2 || j. Sag. 1, 4 || k. I Jn 3, 2

R. Uxor bonorum caritas ; uxor malorum cupiditas.
145 S. Id est *princeps huius mundi*[l].
T. Spiritualia.
V. Conscientiam dicit domum, quam videri refugit.
X. Id est virtutes.
Y. *Coram hominibus* se *iustificabat*[m].
150 Z. Id est Deo.

146 *Glosam* T. *in textu inserunt codd.* || 148 *Glosam* X. *in textu post* linteamina (*l.* 45) *inserunt codd.* || 150 *Glosam* Z. *in textu inserunt codd.*

R. Épouse des bons : la charité. Épouse des méchants : la cupidité.

S. C'est-à-dire *le prince de ce monde*[l].

T. Les biens spirituels.

V. Il appelle maison sa conscience, qui répugne à être vue.

X. C'est-à-dire les vertus.

Y. Il *cherchait à paraître juste devant les hommes*[m].

Z. C'est-à-dire Dieu.

l. Jn 12, 31 ; 14, 30 ; 16, 11 || m. Lc 16, 15

VII

DE BONA ET MALA VOLUNTATE

1. Mala voluntas atrocissimo odio bonam voluntatem oderat et, congregata satellitum suorum (A) manu, iniit cum eis consilium [a] quomodo eam de domo sua expellere posset. Tunc fallacia, praecipua eius consiliaria : « Laudo, 5 ait, mitti illuc duas ex nobis, id est ingluviem et vinolentiam (B), ac dein, aliquanto interposito tempore, luxuriam, quae quidquid eis mandavero diligenter adimplere studeant. » Iniuncto igitur eis ab illa quid facturae essent, accedentes ad domum eius, cum essent ex hostili parte, 10 finxerunt se esse socias atque amicas ; et ingressae ad eam, rogant se suscipi in coetu familiarium eius, dicentes se necessarias (C) in multis et adiutrices fore, et medicinalis artis (D) non modicam partem assecutas. Hoc modo susceptae, cum iam per familiaritatis consuetudi- 15 nem omnem de se suspicionem amovissent, nocte quadam, bona voluntate iam obdormiscente (E), luxuriam, quae illuc pedetentim accesserat et pro foribus latenter exspectabat, reserato clam pessulo, introducunt domum et cum ea pariter dormitantem illam invadentes, ab ipsa

14 iam *om.* *C* || 15 quadam nocte *C*

---

a. Cf. Matth. 22, 15

7

VOLONTÉ BONNE ET VOLONTÉ MAUVAISE[1]

1. La volonté mauvaise haïssait la volonté bonne d'une haine des plus inexorables. Ayant rassemblé sa clique de satellites (A), elle tint conseil[a] avec eux quant au moyen de la chasser de sa demeure. Alors la fourberie, sa principale conseillère : « Je suis d'avis d'envoyer là-bas deux d'entre nous, la gloutonnerie et l'ivrognerie (B), puis, au bout d'un certain temps, la luxure ; qu'elles s'appliquent à accomplir avec diligence tout ce que je leur aurai commandé. » Lors donc qu'elle leur a enjoint ce qu'elles ont à faire, et une fois rendues à sa demeure, elles feignent, alors qu'elles sont du camp ennemi, d'être des alliées et des amies. Entrées chez elle, elles demandent à être reçues dans le cercle de ses intimes, disant qu'elles s'avéreront nécessaires (C) et utiles en bien des domaines et affirmant avoir acquis en médecine des connaissances non médiocres (D). Ainsi les reçoit-on. L'habitude de leur commerce familier ayant écarté tout soupçon à leur sujet, une nuit, alors que la volonté bonne est déjà endormie (E), voilà qu'elles ouvrent le verrou à la dérobée et font entrer la luxure, qui s'était approchée avec précaution et attendait en cachette au-dehors. Elles attaquent toutes les trois la dormeuse, la chassent par

1. Parabole inséparable de ses gloses.

20 domo violenter expellunt (F) et pro ea dominam suam (G) in eadem domo habitare faciunt.

2. Illa, heu ! turpiter expulsa, cum *huc illucque incerta vagaretur*[b] nec facile qui eam vellet hospitari inveniret, tandem a quodam paupere sene (H) suscepta est. Ubi
25 congregatis militibus suis (I), ait illis : « Armamini quantocius et pessimam illam de domo nostra expulsum eamus. » Euntes ergo, cum iam domui appropinquassent, timor Dei qui forte ante alios armatus incedebat, securi acutissima, quam manibus gestabat, *foramen in pariete*[c]
30 fecit, per quod cum ipse primus introisset, statim post eum paenitentia ingressa est (K) ; dein compunctio, dein sobrietas, dein aliae atque aliae virtutes succedentes, reperiunt malam voluntatem ad mensam sedentem, cui ira, odium, invidia, homicidium ministrantes et serpentinas
35 carnes assas veribus offerentes humanumque sanguinem pro vino propinantes (L), dignis dominam suam sibique congruis pascebant ferculis. Quam foris protinus cum suis omnibus trudentes, reginam suam (M) illuc (N) cum omni honore et gaudio introducunt, et naturalem domi-
40 nam ad proprii iuris habitaculum multata raptrice reducunt, praestante Domino nostro Iesu Christo, qui cum Patre...

A. Id est omnigenerum vitiorum.

B. Ingluvies et vinolentia praecedunt, quia haec duo multis
45 fuerunt causa lapsus.

35 veribus : vertibus (*pro* verubus ?) *C* || 42 Patre *om. D* || 43 *Glosam* A. *in textu inserunt codd.*

b. I Sam. 23, 13 || c. Éz. 8, 7

1. Comparer S. Bernard : « “ il faut d'abord envoyer Crainte. Elle ira lui (= Grâce) préparer les voies ”. Crainte, sortie de devant le Seigneur, vient à la cité, tenant en main le bâton de la discipline. Elle trouve la porte de la difficulté fermée et verrouillée par les barres de la

violence de sa propre demeure (F) et y font habiter leur maîtresse (G) à sa place.

2. Honteusement chassée, las ! la volonté bonne *errait ça et là au hasard*[b], trouvant difficilement quelqu'un qui veuille l'héberger. Un pauvre vieillard (H) l'accueillit enfin. Elle rassembla ses soldats (I) et leur dit : « Armez-vous au plus vite, et allons chasser cette peste de chez nous. » Elles y vont donc. Comme déjà elles s'approchaient de la maison, la crainte de Dieu, qui se trouvait marcher en armes devant les autres, fait une *ouverture dans la paroi*[c] avec la hache très acérée qu'elle tenait en mains et pénètre la première. Aussitôt suit la pénitence (K), puis la componction, puis la sobriété, puis les vertus se succèdent, les unes après les autres[1]. Elles trouvent la volonté mauvaise à table, servie par la colère, la haine, l'envie et l'homicide : ils lui présentent de la viande de serpent rôtie à la broche et lui versent du sang humain en guise de vin (L), repaissant ainsi leur maîtresse de mets appropriés et dignes d'eux. Les vertus l'expulsent sur-le-champ avec tous les siens, font entrer (N) leur reine (M) avec honneur et réjouissance, et ayant puni la ravisseuse, reconduisent à la demeure qui lui appartient de droit sa maîtresse naturelle[2], par le don de notre Seigneur Jésus-Christ, qui avec le Père...

A. C'est-à-dire de vices de toute espèce.

B. Gloutonnerie et ivrognerie précèdent parce que ces deux-là ont été cause de bien des chutes.

mauvaise habitude... Mais elle, donnant l'assaut avec confiance, brise les verrous de la mauvaise habitude, arrache les portes de la difficulté... élève au-dessus des portes l'étendard de Grâce qui arrive, et plonge toute la cité dans la crainte » (*Par* 5 : *SBO* 6², p. 285).

2. Voir GUILLAUME DE SAINT-THIERRY, *Epist.* 221 ; 224 ; 227 ; 228 (*SC* 223, p. 322-328).

C. Dum fingunt se necessitati deservire, non gulae.

D. Secundum illud : *Modico vino utere propter stomachum et frequentes infirmitates tuas*[d] ; vel quia cibus aegritudinem famis fugat.

50 E. Somno scilicet negligentiae et segnitiei.

F. Id est de corde alicuius religiosi in peccatum lapsi.

G. Id est malam voluntatem.

H. Quia pauperum et senum magis est bonae voluntatis esse quam aliorum.

55 I. Id est omni genere spiritalium virtutum.

K. *Initium sapientiae timor Domini*[e]. Securis ergo est districtio divinae iustitiae, secundum illud : *Iam enim securis ad radicem arborum posita est*[f]. Qua territi, aditum pandimus paenitentiae, dein ceteris virtutibus. Bene ergo timor securim 60 ferre dicitur, quia ipse mentis nostrae oculis extremi examinis repraesentat animadversionem.

L. Serpentes assi signant peccatum inveteratum et induratum. Sanguis vero homicidium vel odium ; *qui* enim *odit fratrem suum homicida est*[g]. Talibus pascitur mala voluntas.

65 M. Id est bonam voluntatem.

N. Id est in cor alicuius prius quidem lapsi, sed postea resipiscentis.

52 *Glosam* G. *in textu inserunt codd.* || 55 *Glosam* I. *in textu inserunt codd.* || 62-63 induratum et inveteratum *D* || 65 *Glosam* M. *in textu inserunt codd.*

C. En feignant d'être au service de la nécessité, non de la gourmandise.

D. Selon cette parole : *Prends un peu de vin à cause de ton estomac et de tes fréquents malaises*[d], ou bien parce que la nourriture chasse les malaises qu'engendre la faim.

E. Savoir du sommeil de la négligence et de l'apathie.

F. C'est-à-dire du cœur d'un religieux tombé dans le péché.

G. C'est-à-dire la volonté mauvaise.

H. Parce que c'est le propre des pauvres et des vieillards, plus que des autres, d'être gens de bonne volonté.

I. C'est-à-dire toute espèce de vertus spirituelles.

K. *Le commencement de la sagesse, c'est la crainte du Seigneur*[e]. La hache est donc la rigueur de la justice divine, selon cette parole : *Déjà la hache est mise à la racine des arbres*[f]. Sous l'effet de la terreur qu'elle nous inspire, nous donnons accès à la pénitence, puis aux autres vertus. C'est à juste titre que la crainte est dite porter une hache, car elle nous met devant les yeux le châtiment du jugement dernier.

L. Les serpents rôtis signifient le péché invétéré et endurci ; le sang, l'homicide ou la haine, car *quiconque hait son frère est un homicide*[g]. Telle est la pâture de la volonté mauvaise.

M. C'est-à-dire la volonté bonne.

N. C'est-à-dire dans le cœur d'une personne qui, après être tombée, s'est repentie.

d. I Tim. 5, 23 || e. Sir. 1, 16 || f. Matth. 3, 10 || g. I Jn 3, 15

VIII

PARABOLA DE LIBERO ARBITRIO ET DE DEI ADIUTORIO

1. Frater quidam interrogavit senem dicens : « Cum omnes liberum arbitrium habeamus, quare Dominus dixit : *Sine me nihil potestis facere*[a] *?* Aut si per se ipsum operari non potest, quomodo liberum est ? » Respondens
5 autem ille dixit : « Cum ad ianuam (A) cuiusdam divitis pauperes die quadam congregati eleemosynam peterent (B), ille egressus ad eos (C) : 'Numquid, ait, o viri, artificium aliquod non nostis, aut quamobrem victum vobis operando non acquiritis (D) ?' Qui dixerunt : 'Ar-
10 tem (E) quidem omnes utique novimus et multa ac diversa operandi scientiam habemus, sed ab hostibus olim (F) depraedati et devastati, prae inopia numquam postea apparatum aliquem seu instrumenta ad operandum necessaria habere potuimus (G).'
15 Tum ille tres ex eis intuens[b] (H) et puto aliquid in eis animadvertens quod ceteris non inesset : 'Sequimini, ait, me[c] vos tres, si vultis, et venite ad domum meam ; et quia ego omnem apparatum habeo et omnium artificum

8 non *om.* *C* ‖ 10 multa ac diversa : -tam ac -sam *C* ‖ 12 postea *om.* *C* ‖ 18 ego *om.* *C*

a. Jn 15, 5 ‖ b. Cf. Mc 10, 21 ‖ c. Cf. Matth. 8, 22 *e.a.*

8

LIBRE ARBITRE ET SECOURS DIVIN : PARABOLE

1. Un frère interrogea un vieillard : « Nous possédons tous le libre arbitre ; pourquoi donc le Seigneur a-t-il dit : *Sans moi vous ne pouvez rien faire*[a] ? Ou, si le libre arbitre ne peut rien faire par lui-même, comment est-il libre ? » L'autre lui répondit : « Des pauvres se réunissaient un jour à la porte (A) d'un riche pour demander l'aumône (B). Lui sortit vers eux (C) : 'Vous ne savez donc aucun métier[1], les hommes ? ou alors, pourquoi ne gagnez-vous pas votre vie en travaillant ?' (D). Ils dirent : 'Nous savons tous un métier (E), et nous avons les connaissances qu'il faut pour réaliser des œuvres nombreuses et variées ; mais nous avons jadis (F) été dépouillés et pillés par nos ennemis. Du fait de notre dénuement, nous n'avons jamais pu nous procurer par la suite le matériel et l'outillage qu'il nous faudrait pour travailler (G).'

Alors lui, fixant son regard[b] sur trois d'entre eux (H) et remarquant chez eux, je pense, quelque chose que n'avaient pas les autres : 'Vous trois, dit-il, suivez-moi[c] si vous voulez, et venez à ma maison. J'ai, moi, tout le

1. Le récit de Galand s'inspire des paraboles évangéliques des talents (*Matth.* 25, 14-18) et du maître de la vigne (*Matth.* 20, 1-7), en les adaptant à son propos. Voir également *RB*, Prol. 14.

instrumentis seu ferramentis abundo, quidquid opus fue-
20 rit ad operandum vobis diligenter praeparabo. Vestrum
erit mentem tantum et manus operi apponere (I).'

Tunc duo ex illis tribus gratias agentes *secuti sunt eum*[d], tertio remanente et neque gratias agere neque eum sequi volente. Sed item unus ex duobus qui secuti sunt
25 eum, postquam etiam ambo pariter iam quaedam operati fuissent, taedio operis affectus et inertiae languore resolutus, discessit. Alter vero in opere perseverans, dives admodum effectus est.

2. Iam si nosse vis quorsum ista tendant, per hunc
30 divitem, Deum accipe ; per hos vero mendicos, omnes homines, quia utique universi a Deo pasci desideramus. Qui in Adam per diabolum depraedati et animi virtutibus atque bonis spiritalibus defraudati, intelligentiam tamen seu discretionem boni et mali, velut quamdam artem
35 bene operandi, non ex toto amisimus ; unde et quotiens peccamus, statim in corde nos ipsos conscientia teste diiudicamus. Et huius quidem artis scientia, id est recte intelligendi facultas, in illa depraedatione diabolica nobis est, Deo parcente, relicta ; verumtamen apparatus omnis
40 universaque instrumenta seu ferramenta ad bene faciendum idonea sublata sunt, quia videlicet, peccante Adam, cuncta ei mox subtracta sunt Spiritus Sancti charismata.

Hic ergo rationalis noster intellectus, nobis etiam post peccatum originale — ut iam dixi — relictus, arbitrium
45 vocatur, quia per illum arbitramur et perpendimus quid bonum quidve malum sit et quid appetere vel vitare debeamus ; liberum vero ideo dicitur quia nemo prohi-

21 apponere operi *C* ‖ 34 velut *scripsi* : vel *CD* ‖ 39 omnis : vel hominis *add. inter lin.* D^{pc} hominis *C* ‖ 47-48 nos prohibere *C*

d. Matth. 4, 20 *e.a.*

matériel nécessaire, je possède en abondance instruments et outils pour artisans de toutes sortes. Je vous préparerai consciencieusement tout ce dont vous aurez besoin pour travailler. Il ne vous faudra apporter à l'ouvrage que votre esprit et vos mains (I).'

Là-dessus, deux des trois *le suivirent*[d] en rendant grâces tandis que le troisième restait en arrière, ne voulant ni le suivre ni rendre grâces. Quant aux deux qui l'avaient suivi, l'un s'en alla également, bien qu'ils eussent déjà tous deux effectué de concert une certaine somme de travail, atteint de dégoût pour l'ouvrage et s'étant relâché par tiédeur et indolence. Mais l'autre, persévérant à la tâche, devint riche au possible.

2. Si maintenant tu veux savoir où tend ce récit : par le riche, entends Dieu, par ces mendiants tous les hommes, car tous nous désirons être nourris par Dieu. Dépouillés en Adam par le diable et frustrés des vertus de l'âme et des biens spirituels, nous n'avons cependant pas perdu tout à fait la connaissance et le discernement en matière de bien et de mal, tel un certain art de bien agir. Chaque fois que nous péchons, nous nous condamnons donc aussitôt nous-mêmes dans notre cœur, comme notre conscience en témoigne. Or la connaissance de ce métier, c'est-à-dire la faculté de comprendre correctement, nous a été laissée, par la miséricorde de Dieu, lorsque le diable nous a dépouillés. Mais tout le matériel, tous les instruments et outils permettant de bien faire nous ont cependant été enlevés, car, bien entendu, lorsqu'Adam a péché tous les dons de l'Esprit-Saint lui ont été retirés sur-le-champ.

L'intellect raisonnable qui nous a été laissé même après le péché originel, comme je viens de le dire, est donc appelé 'arbitre', parce que grâce à lui nous jugeons, nous pesons ce qui est bien ou mal, ce que nous devons rechercher ou éviter ; et il est dit 'libre' parce que per-

bere nos poterit tales boni vel mali diiudicationes et huiusmodi aestimationes in corde volvere. Possumus qui-
50 dem aliquibus forsitan minis cohiberi talia ore proferre, sed ab eorum intelligentia vel consideratione arceri nequimus. Princeps malus coercere me quoquo modo valet ne eum dicam malum, sed nullus terroribus vel plagis efficere potest ne eum cogitem malum. Econtra, cum
55 religiosum aliquem intelligo esse bonum, nemo mihi meum adimere potest intellectum. Liber est ergo animae rationalis intellectus, vel quia numquam cogitur rem intelligere aliter quam vult, vel quia divinitus etiam inspiratus non compellitur bene facere si non vult (K).

60 **3.** Itaque relinquitur nobis — ut supra dictum est — etiam in hoc exsilio et conceditur hoc liberum mentis nostrae arbitrium, tamquam quoddam pristinum artificium nostrum ; sed quia instrumenta ad spiritale opus faciendum non habemus, id est spiritalium munera gra-
65 tiarum, nec ea per nos recuperare quimus, ideo recte Dominus dixit : *Sine me nihil potestis facere*[e]. Ergo sicut supradictus dives ex illa inopum turba tres solummodo eligere eisque ferramenta sua accommodare voluit, cum tamen omnes beneficium exspectarent, sic et Dominus
70 noster, cum omnes adiutorio eius egeant, in quibusdam tamen nescio quid intuens, cur eos plus quam ceteros eligat, ipsos spiritaliter ad se vocat dum per internae inspirationis admonitionem excitat, ferramenta ad bene operandum tradit dum Spiritus Sancti dona mentibus
75 eorum infundit.

65 quimus : querimus *D*[pc]

e. Jn 15, 5

1. Noter l'affirmation en termes très modernes et optimistes de l'inviolabilité et de la liberté de la conscience humaine. Comparer avec

sonne ne peut nous interdire de retourner en notre cœur de pareils jugements et évaluations au sujet du bien et du mal. On peut nous empêcher par des menaces de les proférer de bouche, mais non pas nous retenir de comprendre ni de considérer ces réalités[1]. Un prince mauvais peut me retenir de dire qu'il est mauvais, mais ni terreur ni coups ne peuvent m'interdire de le penser. Lorsque je discerne au contraire qu'un tel est bon religieux, personne ne peut m'enlever ce sentiment. L'intellect raisonnable de l'âme est donc libre : soit parce qu'on ne peut jamais le contraindre à comprendre une chose autrement qu'il ne le veut, soit parce que même l'inspiration divine ne le force pas à bien faire s'il ne le veut pas (K).

3. Donc, nous l'avons dit plus haut, ce libre arbitre de notre esprit nous est laissé, concédé même dans cet exil comme constituant en quelque sorte notre métier primitif ; mais étant donné que pour faire œuvre spirituelle nous n'avons pas d'outils — les dons de grâce de l'Esprit — et ne pouvons en retrouver par nous-mêmes, c'est à juste titre que le Seigneur nous dit : *Sans moi vous ne pouvez rien faire*[e]. De même que le riche ci-dessus ne voulut choisir dans cette foule d'indigents que trois hommes à qui accorder ses outils — alors que tous espéraient une faveur —, de même notre Seigneur, voyant chez certains un je ne sais quoi qui les lui fait choisir de préférence aux autres — alors que tous ont besoin de son aide —, les appelle à lui spirituellement en les réveillant par cet avertissement qu'est l'inspiration intérieure, et leur remet les outils nécessaires pour bien agir en répandant dans leurs esprits les dons de l'Esprit-Saint.

l'enseignement de S. BERNARD au sujet de la liberté par rapport à la nécessité *(libertas a necessitate)* dans son traité *De gratia et libero arbitrio* III, 6 — IV, 11 (*SBO* 3, p. 170-173).

Cur tamen dives iste tres tantum ad operandum invitasse dicitur, sed primus invitantem contempsit, secundus opus iam inceptum dimisit, tertius in opere ipso perseveravit ? Quia vocatorum a Domino hominum tria genera
80 sunt. Primum genus est quod, divinae gratiae tactum respuens, *Spiritum extinguere* [f] non dubitat, per suam efficiens negligentiam, ut *gratia eius in eo vacua sit* [g]. Secundum est quod quidem inspirationem supernam non respuit, sed, ubi bene operari coepit, more *canis ad*
85 *vomitum* redit [h]. Tertium est quod, divinum respectum tota devotione suscipiens, et bene inchoat et melius consummat.

4. Cur vero Deus instrumenta haec quibusdam restituat, aliis vero minime ; vel quare huic, post restitutio-
90 nem, in bono opere perseverantiam det, illi vero nequaquam, quis investigare sufficiat ? Hoc tamen scimus et neminem bene operari posse nisi illa ei restituantur, et nullum tamen excusare se posse etiam si non restituantur, cum profecto damnandus sit, et quia ea per Adam
95 perdidit et quia post amissionem nihil boni fecerit. Siquidem amissioni illi imputandum est quidquid postea minus boni usquam factum est. Si forte enim, verbi gratia, servum carpentarium haberes et domum constructurus eum in silva ad incidenda, dolanda et praeparanda
100 ligna, traditis ei ferramentis ad hoc opus necessariis, mitteres ; ipse vero in via ferramenta ipsa, temeritate sua, perderet, atque *tota die otiosus* permaneret [i], nonne iam dupliciter tibi reus esset, et quia scilicet ferramenta perdidisset et quia iniunctum sibi opus non egisset ? Pona-
105 mus autem modo hunc servum ulterius ferramenta aliqua nullo alio modo, nisi te tribuente, recuperare posse, et

80 quod *scripsi* (*vide l.* 83 *et* 85) : qui *CD* || 83 supernam : fraternam *D* || 99 incidenda : et *add.* *C* || 103 scilicet et quia *CD*^{ac}

f. I Thess. 5, 19 || g. I Cor. 15, 10 || h. II Pierre 2, 21-22 || i. Matth. 20, 6

Mais pourquoi est-il dit que ce riche n'en a invité que trois à travailler, et que le premier a dédaigné celui qui l'invitait tandis que le second abandonnait l'œuvre déjà amorcée et que le troisième persévérait dans sa tâche ? C'est que les hommes appelés par le Seigneur sont de trois sortes. Les premiers n'hésitent pas à *éteindre l'Esprit*[f] en repoussant cette touche de la grâce divine ; par leur négligence ils rendent *vaine sa grâce en eux*[g]. Les seconds n'ont certes pas refusé l'inspiration d'en haut ; mais après avoir commencé à bien agir, ils sont retournés comme *le chien à leur vomissement*[h]. Les troisièmes, accueillant le regard divin par une remise totale d'eux-mêmes, commencent bien et finissent mieux encore.

4. Mais pourquoi Dieu rend-il ces outils à certains et non aux autres ; ou pourquoi, après les avoir rendus, donne-t-il à l'un, et aucunement à l'autre, de persévérer dans son œuvre bonne ? Qui serait capable de le découvrir ? Nous savons cependant ceci : d'une part, personne ne peut bien agir à moins qu'on ne lui rende ces outils ; d'autre part cependant, personne n'a d'excuse même si on ne les lui rend pas, puisqu'il mérite assurément d'être condamné, et parce qu'il les a perdus en Adam, et parce qu'il n'a rien fait de bien après les avoir perdus. Certes, tout ce qu'il a fait de moins bon par la suite doit être imputé à cette perte. Si par exemple tu avais un serf charpentier et si, devant construire une maison, tu l'envoyais couper, équarrir et préparer du bois dans la forêt en lui remettant les outils nécessaires à ce travail, et si lui perdait les outils par sa propre imprudence et restait *toute la journée oisif*[i], ne serait-il pas doublement coupable envers toi : d'une part parce qu'il aurait perdu les outils, d'autre part parce qu'il n'aurait pas fait le travail à lui enjoint ? Posons maintenant en outre que ce serf ne pourrait plus retrouver d'outils à moins que tu ne lui en donnes ; tu comprendras alors facilement combien le

tunc bene intelligere valebis quam veraciter Dominus dixit : *Sine me nihil potestis facere*[j].

Quis enim, nisi ipse cum Patre et Spiritu Sancto fer-
110 ramenta talia fabricare vel reparare novit ? Qui non sine causa *fabri filius*[k] dictus sit, sed ideo potius quia ille summus fabricator *spiritu et igne*[1] operans, dum Spiritus Sancti menti nostrae flatum infundit, sopitum in nobis caelestis desiderii ignem excitat et ferream cordis nostri
115 duritiam crebris timoris sui, velut cuiusdam martelli, tunsionibus edomans in pectoris nostri officina, sancta ferramenta fabricat, dum spiritales in nobis virtutes informat. »

A. Ianua haec Dei misericordia est, quia et ipsa nobis
120 aliquando quasi clauditur, aliquando aperitur. Ianua haec clausa fuit Apostolo pro *stimulo carnis suae ter Dominum roganti*[m] ; et David pro vita pueri se affligenti[n] ; et Samueli pro Saule lugenti[o] ; et Iob querenti et dicenti : *Ecce clamabo vim patiens et nemo audiet*[p] ; et ei qui in psalmo dicit : *Deus meus clamabo*
125 *per diem, et non exaudies,* et cetera[q].

B. Omnes homines a Deo petunt et mendicant auxilium.

C. Multotiens ad nos Deus exit et per internam aspirationem et per occultam aliquam excitationem.

112 operans : fabricans *C* || 116 tonsionibus *C* || 120-125 Ianua haec clausa — et cetera *in textu post* apponere (*l.* 21) *inserunt codd.* || 123 Ecce *om. C* || 125 exaudies *om. D* || 126 *Glosam* B. *cum glosa* A. *post* aperitur (*l.* 120) *coniugunt codd.* || 127 Deus ad nos *C* || 127-128 et ... et : $\overline{\text{XPC}}$ ... $\overline{\text{XPC}}$ *D* || aspirationem : inspira- *D* || 128 occultam *om. C*

j. Jn 15, 5 || k. Matth. 13, 55 || l. Matth. 3, 11 ; Lc 3, 16 || m. II Cor. 12, 7-9 || n. Cf. II Sam. 12, 16-18 || o. Cf. I Sam. 16, 1 || p. Job 19, 7 || q. Ps. 21, 3

1. Jeu de mots audacieux qui prépare l'admirable métaphore du Christ « bon forgeron ». En effet, *spiritus* désigne aussi bien l'Esprit-Saint que le souffle issu d'un soufflet de forgeron.

Seigneur a raison de dire : *Sans moi vous ne pouvez rien faire*[j].

Qui, en effet, sinon lui-même avec le Père et l'Esprit-Saint, sait fabriquer ou réparer de pareils outils ? Ce n'est pas pour rien qu'on l'a appelé *fils de charpentier*[k]. Ou pour mieux dire, c'est parce que cet artisan suprême qui opère *par l'esprit et le feu*[l 1] réveille en nous le feu assoupi du désir céleste en répandant le souffle de l'Esprit-Saint dans notre esprit et, adoucissant la dureté de fer de notre cœur dans l'atelier de notre poitrine par les coups de marteau répétés[2] de sa crainte, fabrique de saints outils en façonnant en nous les vertus spirituelles[3]. »

A. Cette porte est la miséricorde de Dieu, car elle aussi nous est tantôt fermée, en quelque sorte, tantôt ouverte. Cette porte demeura fermée à l'Apôtre lorsqu'il *pria trois fois le Seigneur* au sujet de *l'aiguillon de sa chair*[m] ; et à David qui se mortifiait pour la vie de son enfant[n] ; et à Samuel pleurant Saül[o] ; et à Job qui se plaignait en disant : *Voici que, souffrant violence, je crierai et personne n'entendra*[p] ; et à l'homme qui dit dans le psaume : *Mon Dieu, je crierai le jour, et tu n'entendras pas*, etc.[q]

B. Tous les hommes demandent, mendient du secours auprès de Dieu.

C. Dieu sort fréquemment vers nous, aussi bien par l'inspiration intérieure que par quelque impulsion secrète.

2. Cf. la seconde strophe de l'hymne *Urbs Ierusalem beata :* « Pierres polies par coups et pressions (*Tunsionibus, pressuris expoliti lapides*) ». Noter la transposition dans le domaine sidérurgique d'une image appartenant à celui de la construction.

3. Cf. *RB* 4, 75.78 : « Tels sont les instruments de l'art spirituel... Quant à l'atelier où nous accomplirons assidûment tout cela, c'est le cloître du monastère et la stabilité dans la communauté. » Mais la perspective de notre texte est théologique et non plus seulement morale.

D. In multis sacrae Scripturae locis increpat Deus otiositа-
130 tem nostram, ut ibi : *Quid hic statis tota die otiosi*[r] *?* Et ibi : *Filii hominum, usquequo gravi cordi*[s] *?* Et : *Surge, qui dormis, et exsurge a mortuis*[t] *!*

E. Scilicet liberum arbitrium.

F. Peccante Adam.

135 G. Spiritus Sancti dona per nos habere nequivimus.

H. Non omnes homines per internam inspirationem a Deo vocantur. Vocati etiam non omnes veniunt. Venientes quoque non omnes perseverant ; perseverantes autem caelestibus omnes ditantur bonis.

140 I. Mentem et manus applicare debemus offerenti se nobis aspirationi divinae, ut quidquid ipsa suggesserit et pio corde suscipiamus et sedulo opere impleamus.

K. Sed nec a diabolo cogi potest, nisi sponte consenserit. Quid, quod nec morte superatur ? Quid, quod fine nullo clau-
145 ditur ?

144 morte : in morte *C*

r. Matth. 20, 6 || s. Ps. 4, 3 || t. Éphés. 5, 14

D. Dieu blâme notre oisiveté en bien des passages des saintes Écritures, comme celui-ci : *Pourquoi restez-vous là toute la journée oisifs*[r] ? Et celui-ci : *Fils des hommes, jusques à quand aurez-vous le cœur alourdi*[s] ? Et : *Éveille-toi, toi qui dors, et lève-toi d'entre les morts*[t] !

E. A savoir le libre arbitre.

F. Lorsque Adam a péché.

G. Nous ne pouvons nous procurer par nous-mêmes les dons de l'Esprit-Saint.

H. Dieu n'appelle pas tous les hommes par une inspiration intérieure. En outre, ceux qu'il appelle ne viennent pas tous. Enfin, tous ceux qui viennent ne persévèrent pas. Mais ceux qui persévèrent deviennent tous riches en biens célestes.

I. Nous devons offrir notre esprit et nos mains à l'inspiration divine qui se propose à nous, de manière à recevoir avec un cœur plein de piété tout ce qu'elle nous aura suggéré et de l'accomplir au moyen d'un travail diligent.

K. Mais il ne peut pas non plus être contraint par le diable, à moins de consentir spontanément. Que dire encore de ceci, que la mort même ne l'emporte pas sur lui ? qu'il ne connaît aucune limite ?

IX

DE QUIBUSDAM QUAESTIONIBUS

Quidam fratres venerunt aliquando ad quemdam spiritalem patrem, singuli singulas quaestiones solvi sibi ab eo cupientes.

IX A Parabola de dentibus confractis diaboli

1. Primus ergo dixit : « Quare dixit psalmista : *Dentes peccatorum contrivisti*[a] *?* Quis dicere queat, quando peccatores sanis et integris dentibus exsistant, cum econtra plures religiosi senes edentuli sint, ita ut pane suo vix
5 vesci[b] queant ? »

Respondit ille : « Quidam habens canem subitaneum, id est prius hospites seu ignotos homines mordentem quam latratum ederet, dentes ei fregit ob hoc videlicet ut, cum deinceps aliquem morderet, nequaquam eum
10 multum laedere posset. Ita etiam ne diabolus repentinis et occultis suggestionum suarum morsibus nobis nimium nocere possit, Dominus contra morsum libidinis abstinentiam, iracundiae patientiam, superbiae humilitatem, contra cunctaque vitia cunctasque virtutes opponere nos

Titulum generale supplevi (vide l. 2) : *tit. parab.* IX A *codd.*
2 quando *conieci :* quod *CD* || 14 cunctaque : cuncta *C*

9

QUELQUES QUESTIONS

Des frères se rendirent chez un père spirituel, désirant chacun recevoir de lui une réponse à leurs questions.

9 A Les dents brisées du diable : parabole

1. Le premier demande : « Pourquoi le psalmiste dit-il : *Tu as broyé les dents des pécheurs*[a] ? Comment peut-on affirmer cela, alors que des pécheurs ont toutes leurs dents, et bien saines, tandis que nombre de religieux anciens sont édentés au point de pouvoir à peine manger leur pain[b] ? »

L'autre répondit : « Un homme avait un chien aux réactions immédiates, autrement dit qui mordait hôtes ou inconnus avant d'aboyer ; il lui brisa les dents pour que, si ensuite il mordait quelqu'un, il ne puisse lui faire bien mal. De même aussi, pour que le diable ne puisse trop nous nuire par les morsures de ses suggestions soudaines et cachées, le Seigneur nous a appris à opposer à la morsure du désir charnel, l'abstinence ; à celle de la colère, la patience ; à celle de l'orgueil, l'humilité ; enfin à chaque vice la vertu correspondante. Par ce moyen les

a. Ps. 3, 8 || b. Cf. Gen. 3, 19

15 docuit ; et hoc modo diabolici morsus debilitati sunt. Vides fratrem irascentem, litigare volentem : dulcia ei verba responde, et iracundiae *dentes contrivisti.* Mens tua incipit te efferre et super alios extollere : cogita te moriturum, vermem et pulverem mox futurum, ad illud exa-
20 men venturum, rationem redditurum, districte iudicandum, et superbiae *dentes* confregisti.

2. Dicamus et aliter quomodo *dentes peccatorum* confringantur. Saepe accidit ut saecularis quispiam peccatis criminalibus velut quibusdam diabolicis dentibus
25 transfixus diuque rabido Cerberi illius ore detentus, per Dei gratiam visitetur, ut de huiuscemodi dentibus eruatur. Verumtamen hostis pessimus non vult eum facile dimittere, immo nullo patitur modo insertos miseris artubus dentes sibi relaxari, utpote qui tam magnum
30 tamque longum studium et laborem in praeda illa retinenda exercuerat eamque iam omnino sui iuris esse putabat nullumque ulterius fore qui eam a se requireret, qui eam sibi extorquere vellet, apud se dicebat. Et quia Dominus clamantem ad se peccatorem vi quadam atque
35 potentia eruit (iuxta illud : *Qui educit vinctos in fortitudine*[c] *;* illudque : *Si autem fortior illo superveniens vicerit eum*[d], et cetera), ideo dentes diaboli confringi dicuntur ad similitudinem alicuius qui, quod semel dentibus arriperet, nullo alio pacto dimittere vellet nisi ei dentes
40 frangerentur.

3. Cum vero a maioribus et gravioribus peccatis nos liberat, tunc *molas leonum confringit Dominus*[e] *;* cum autem a levioribus seu mediocribus, tunc *dentes peccatorum* conterit. Vel certe quia molares dentes magis in

15 diabolici : diaboli *C* ‖ debilitati : delitati *C* ‖ 25 rabido : rapido *D* ‖ 29 magnum : magnam *D*

morsures diaboliques ont été largement neutralisées. Vois-tu un frère en colère qui te cherche querelle ? réponds-lui doucement, et *tu as broyé les dents* de la colère. Ton esprit se met-il à te porter aux nues, à t'élever au-dessus des autres ? pense que tu vas mourir, que tu seras bientôt poussière et vers, que tu seras soumis au grand jugement, que tu auras des comptes à rendre, que tu seras jugé avec sévérité : et tu as brisé *les dents* de l'orgueil.

2. Disons encore autrement comment *les dents des pécheurs* seront brisées. Il arrive souvent qu'un séculier que des fautes criminelles transpercent comme autant de dents du diable et qui a été longtemps retenu dans la gueule de ce cerbère enragé, soit visité par la grâce de Dieu qui tend à l'arracher à ces dents. Mais l'ennemi funeste ne veut pas le laisser aller si facilement : bien mieux, il ne souffre nullement de desserrer les dents qu'il a plantées dans ses malheureux membres, comme il est naturel de la part de qui avait mis en œuvre tant de zèle et de peine pour garder sa proie, qui la croyait déjà tout à fait en son pouvoir et se disait en lui-même que plus personne ne la lui réclamerait ni ne voudrait la lui arracher ! Or le Seigneur délivre avec force et puissance le pécheur qui crie vers lui, selon cette parole : *qui fait sortir les vaincus dans sa force*[c], et celle-ci : *mais survient-il un plus fort que lui, il le vaincra*[d], etc. Aussi dit-on du diable que ses dents sont brisées, le comparant à un être à qui l'on ne pourrait faire lâcher ce qu'il aurait saisi entre ses dents qu'en les lui brisant.

3. Quand il nous délivre de péchés plus importants et plus graves, *le Seigneur brise les molaires des lions*[e] ; quand il s'agit de fautes plus légères ou de peu d'importance, il *broie les dents des pécheurs*. Ou bien, puisque les molaires sont plus cachées que les dents de devant,

c. Ps. 67, 7 || d. Lc 11, 27 || e. Ps. 57, 7

45 occulto sunt quam anteriores, *cum ab occultis me mundat*[f], *molas confringit Dominus ;* quando vero a palam commissis, dentes frangit. Et quia molares dentes grossiores sunt quam anteriores, bene per illos occulta peccata signantur, secundum hoc dumtaxat quod peccans frater 50 citius nonnumquam emendat culpam quae innotescit quam quae latet.

Sed et tu ipse dentes peccatoris conteris quando falsum fratrem[g] prava tibi aliqua suadentem non audis. Huiusmodi enim persuasio latratus est, caninus morsus est, 55 vulnus animae est. Et quotiens ille tale aliquid tibi suggerit, quid est quod nihil proficit, nihil agit, nihil tibi nocere potest, nisi quia dentes confractos habet ? »

50 innotescit : igno- *CD*

f. Ps. 18, 13 || g. Cf. II Cor. 11, 26 ; Gal. 2, 4

le Seigneur brise des molaires lorsqu'il me purifie de mes fautes cachées[f] ; quand c'est de fautes commises ouvertement, il brise des dents[1]. Étant donné que les molaires sont plus grosses que les dents de devant, c'est à juste titre qu'elles signifient les péchés cachés, du moins quant à ceci : le frère qui pèche se corrige souvent plus vite d'une faute apparente que d'une faute cachée.

Toi aussi, tu broies les dents du pécheur lorsque tu refuses d'écouter le faux frère[g] qui t'invite au mal. Pareille suggestion est un aboiement, une morsure de chien, une blessure de l'âme. Et comment se fait-il que chaque fois qu'il te suggère ce genre de chose il n'obtient rien, n'arrive à rien, ne peut te faire aucun mal, sinon parce qu'il a les dents brisées ? »

1. Voir Grégoire le Grand : « On désigne par " molaires " ses embûches cachées [celles du diable], par " dents " l'accomplissement à découvert de la faute. Molaires et dents dont le psalmiste a écrit : " Mais Dieu brisera les dents dans leur bouche, le Seigneur brisera les molaires des lions " » (*Mor. XIX*, 26, 47 : *PL* 76, 128 A).

IX B Parabola de fide, spe et caritate

1. Secundus dixit : « Quare dixit Apostolus : *Fides, spes, caritas, tria haec, maior autem his est caritas*[a] ? Cur eas ita ordinavit, vel quamobrem ultimam duabus aliis praetulit ? »

5 Cui ille : « Cum quidam, inquit, agricola ad plantandam vineam totum studium suum dedisset multumque laborem in eius cultura impendisset, laetus quidem fuit quando eam vidit plantatam, sed laetior quando processu temporis vernis eam diebus aspexit florentem, laetissimus 10 vero quando autumnalibus cognovit fructificantem. Quia vero Dei vinea fide quidem plantatur, spe vero floret, caritate autem fructificat, laeta ergo res est fides, laetior vero spes, laetissima autem caritas. Et huius quidem vineae plantatio non semper durat, florum quoque decor 15 transitorius est ; caritatis vero fructus, si nosse vis qualis sit, audi Dominum : *Et fructum,* inquit, *afferatis, et fructus vester maneat*[b]. Ergo fidei quidem plantatio praeterit, spei quoque flores decidunt, *caritas* vero *numquam excidit*[c]. Et in plantando quidem multum laboramus, in 20 florum etiam proventu nihil adhuc recipimus, in fructuum vero collectione cellaria nostra laeti implemus.

2. Horreum caeli caritas implet ; nam fides et spes illuc non ascendunt. Caritas nostra hic germinat, hic de terra

13 autem *om.* *C* || 21 collectionem *D*

a. I Cor. 13, 13 || b. Jn 15, 16 || c. II Cor. 13, 8

9 B Foi, espérance et charité : parabole

1. Le second demanda : « Pourquoi l'Apôtre a-t-il dit : *Elles sont trois, foi, espérance et charité ; mais la plus grande d'entre elles, c'est la charité*[a] ? Pourquoi les énonce-t-il dans cet ordre-là, pourquoi met-il la dernière au-dessus des deux autres ? »

L'autre lui répondit : « Quand un agriculteur a mis tous ses soins à planter une vigne et s'est donné beaucoup de peine à la cultiver, il est joyeux certes lorsqu'il la voit plantée, mais plus joyeux lorsque avec le temps il la voit fleurir aux jours printaniers, très joyeux enfin lorsque à l'automne il la voit porter du fruit. Or la vigne de Dieu, plantée par la foi, fleurit par l'espérance et donne son fruit dans la charité. Si donc la foi est chose joyeuse, l'espérance l'est davantage et la charité souverainement. Planter une vigne, voilà qui ne dure pas toujours ; la beauté des fleurs est passagère, elle aussi ; mais veux-tu savoir de quelle nature est le fruit de charité ? écoute le Seigneur : *Et que vous portiez du fruit,* dit-il, *et que votre fruit demeure*[b]. Cette plantation qu'est la foi passe, les fleurs d'espérance aussi tombent, mais *la charité ne disparaît jamais*[c]. Et de fait nous peinons beaucoup à planter et même à la floraison nous ne recevons encore rien, tandis qu'à la récolte des fruits nous remplissons tout joyeux nos celliers.

2. La charité remplit le grenier du ciel, car foi et espérance ne montent pas jusque-là. Notre charité germe

cordis nostri exoritur, sed cacumen eius caelos penetrat
25 et fructus eius angelis nos sociat. In caelum ascendere nisi per arborem caritatis nequis. Nisi hic plantaveris caritatem, ibi fructum eius non colliges.

At ubi carititatis semen in horto cordis tui seminaveris, pessimam invidiae herbam cave. Illa enim, illa praecipue
30 caritatis germen exstinguit et *omnia genimina* [d] eius suffocat et ipsam radicitus extirpat. Nutri caritatem, *ordina in te caritatem* [e], ut videlicet primum diligas domesticos seu contubernales tuos, deinde ceteros familiares tuos, tertio vicinos vel prope positos, quarto etiam longinquos
35 sed aliqua tibi notitia cognitos, quinto peregrinos quosque et ignotos, ad ultimum vero ipsos etiam inimicos.

3. Porro Apostolus tres virtutes has ita ordinavit vel ideo quia, nisi primum credideris, caelestia bona sperare
40 non valebis et, nisi postea adepturum speraveris, amore eorum aliter accendi non poteris ; vel quia turris illa evangelica, quam in corde nostro construere debemus [f], fide fundatur, spe ad sublimiora porrigitur, caritate consummatur ; vel quia fides viam nos docet quam te-
45 neamus, spes a longe locum ostendit ad quem tendamus [g], caritas facit ut illuc perveniamus ; vel quia fides lapso suggerit ut surgat, spes surgentem confortat, caritas eius peccata occultat [h]. Denique fides nos parit, spes nutrit,

30 eius genimina *D*

d. Job 31, 12 || e. Cant. 2, 4 || f. Cf. Lc 14, 28 || g. Cf. Hébr. 11, 13 ; Gen. 22, 9 || h. Cf. I Pierre 4, 8

1. Le thème de la charité ordonnée *(caritas ordinata)* a été légué aux auteurs spirituels du 12e siècle par les écrits d'ORIGÈNE sur le Cantique : *Hom. Cant.* 2, 8 (*SC* 37 bis, p. 128-130) ; *In Cant.* 3 (*PG* 13, 155 D - 160 B). Il semble bien que S. AUGUSTIN s'en soit lui-même

ici-bas, elle lève ici-bas de la terre de notre cœur ; mais sa cime pénètre les cieux et son fruit nous met en compagnie des anges. Tu ne peux monter au ciel sinon par l'arbre de la charité. A moins de planter ici-bas la charité, tu n'en cueilleras pas le fruit là-haut.

Mais quand tu sèmeras une semence de charité dans le jardin de ton cœur, prends garde à l'envie, la pire des mauvaises herbes. C'est elle en effet — elle surtout ! — qui détruit la charité en germe, étouffe *toutes ses pousses* [d] et l'arrache jusqu'à la racine. Nourris la charité, *ordonne en toi la charité* [e] [1] de manière à aimer d'abord les gens de ta maison, tes compagnons, ensuite tes autres intimes, en troisième lieu tes voisins ou les gens des environs, en quatrième lieu également ceux qui habitent plus loin mais ne te sont pas inconnus, en cinquième lieu étrangers et inconnus, et enfin tes ennemis eux-mêmes.

3. D'ailleurs l'Apôtre a énoncé les trois vertus dans cet ordre, soit parce qu'à moins de croire d'abord tu ne pourras espérer les biens célestes et qu'à moins d'espérer les atteindre un jour tu ne pourras t'enflammer d'amour pour eux ; soit parce que la tour de l'Évangile [f] que nous devons bâtir dans notre cœur a pour fondement la foi, s'élève bien haut par l'espérance et s'achève par la charité ; soit parce que la foi nous enseigne la voie à suivre, que l'espérance nous montre de loin l'endroit vers lequel nous nous dirigeons [g], que la charité nous y fait parvenir ; soit parce que la foi inspire à qui est tombé de se relever, que l'espérance le réconforte tandis qu'il se relève, que la charité cache ses péchés [h]. Bref, la foi nous enfante,

inspiré : *Doctr. christ.* 1, 27, 28 (*BA* 11, p. 214) ; *Civ.* 15, 22 (*BA* 36, p. 138-140 et la note complémentaire 8, *ibid.*, p. 703-704). Voir aussi R. JAVELET, *Image et ressemblance au douzième siècle*, Paris 1967, t. 1, p. 409-427.

caritas perficit ; fides nos mundat, spes laetificat, caritas
50 sanctificat ; fides ab infidelibus nos separat, spes ad alta
levat, caritas ipsi Deo copulat ; fides nos facit Christianos,
spes devotos, caritas Dei filios ; fides omnem pellit errorem, spes desperationem, *caritas foras mittit timorem*[i]. »

i. I Jn 4, 18

---

1. Les trois vertus théologales sont envisagées comme trois étapes du développement en nous d'une même réalité qui est la vie de Dieu. Cf. GUILLAUME DE SAINT-THIERRY : « La formation de l'homme [religieux], c'est l'éducation morale ; sa vie, c'est l'amour divin. Conçu par

l'espérance nous nourrit, la charité nous parfait[1]. La foi nous purifie, l'espérance nous réjouit, la charité nous sanctifie. La foi nous distingue des infidèles, l'espérance nous élève vers les hauteurs, la charité nous unit à Dieu lui-même. La foi nous fait chrétiens, l'espérance tout donnés, la charité fils de Dieu. La foi chasse toute erreur, l'espérance bannit le désespoir ; *la charité met dehors la crainte*[i]. »

la foi, enfanté dans l'espérance, cet amour reçoit de la charité, c'est-à-dire de l'Esprit-Saint, sa forme et sa vitalité » (*Epist.* 169-170 : *SC* 223, p. 278).

IX C De leni correptione parabola

1. Tertius dixit : « Quis plus delinquit : qui peccantes nimis aspere arguit, an qui molliter ? »

At ille : « Habebam, inquit, aliquando duos vicinos, qui me ad prandium, caritatis affectu, frequenter invita-
5 bant, et uterque potum vini melle et absinthio diligenter conditi mihi propinabant. Verumtamen unus eorum fere semper in potione illa de melle quidem plus iusto ponebat, de absinthio vero minus quam deberet ; cum econtra alter de melle quidem semper minus aequo ibi mitteret,
10 de absinthio autem plus quam opus fuisset. Ergo licet uterque me offenderet, tamen sicut dulcior potus minus mihi gravis erat quam amarior, sic et Deo lenis plus iusto correctio quam nimis aspera. Et quidem vinum austeritatis aliquando habere bonum est, sed dulcedine
15 lactis abundare multo melius est, sicut scriptum est : *Quia meliora sunt ubera tua vino* [a]. Nam et si *vinum* pariter *et oleum* plagae *infundendum* est [b], oleum tamen pluris est semper quam vinum ; et si haec duo miscere temptes, semper oleum superexcellet. Sed et si cocus tuus in
20 condiendis oleribus modum forte excesserit, levius tamen feres si olei plurimum miserit quam si salis.

7 quidem *scripsi* (*vide l.* 9) : quod *CD*

a. Cant. 1, 1 || b. Lc 10, 34

1. Comparer avec S. AUGUSTIN : « L'huile répandue dans l'eau monte au-dessus de l'eau ; l'eau répandue sur l'huile descend au-dessous de l'huile : ils sont entraînés par leur poids et cherchent le lieu qui leur est propre. Les choses qui ne sont pas en leur place s'agitent ; mais quand

9 C La correction modérée : parabole

1. Le troisième dit : « Qui est plus en faute : celui qui reprend trop durement les gens qui pèchent, ou celui qui le fait mollement ? »

L'autre : « J'avais une fois deux voisins ; la charité les faisait m'inviter souvent à déjeuner, et l'un et l'autre m'offraient à boire du vin soigneusement relevé de miel et d'absinthe. Cependant l'un d'eux mettait presque toujours dans cette boisson plus de miel qu'il n'était juste et moins d'absinthe qu'il n'aurait dû ; l'autre au contraire y mettait toujours moins de miel que de raison et plus d'absinthe qu'il n'en aurait fallu. L'un et l'autre me causaient un désagrément ; cependant, de même que la boisson trop douce m'était moins désagréable que l'autre trop amère, de même une correction plus douce que justice l'est moins à Dieu qu'une autre trop dure. Certes, il est bon d'avoir parfois en soi la rigueur du vin, mais bien meilleur de déborder de la douceur du lait, comme il est écrit : *Car tes seins sont meilleurs que le vin*[a]. S'il faut en effet *verser* pareillement *du vin et de l'huile*[b] dans une plaie, on met toujours plus d'huile que de vin ; si on tâche de mélanger ces deux substances, l'huile surnage toujours[1]. Et s'il arrive à ton cuisinier de dépasser la mesure pour l'assaisonnement des légumes, tu supporteras mieux trop d'huile que trop de sel.

elles ont trouvé leur place elles restent en repos. Mon poids, c'est mon amour ; en quelque endroit que je sois emporté, c'est lui qui m'emporte » (*Conf.* 13, 9 ; trad. J. Trabucco, t. 2, Paris 1937, p. 319).

2. O quantam olei abundantiam bonus ille cocus, *qui venerat in hunc mundum*[c] *non ministrari sed ministrare*[d], in cibis illis ponebat quos nobis praeparabat ! Vide,
25 quaeso, et nota quod *disponit omnia suaviter*[e] ; quod dulciter apostolos de prioratu semel litigantes corripit[f] ; mulierem peccatricem ad pedes suos flentem suscipit, absolvit, in pace dimittit[g], excusat quoque modo contra Simonem leprosum[h], modo contra <Iudam> Simonis
30 Iscariotem[i], modo etiam contra sororem ipsius Martham[j] ; item mulierem adulteram sibi adductam eripit securamque quidem eam non damnans facit[k] ; Petrum negantem respicit[l] ; in ipsa etiam cruce latroni paradisum promittit[m] ; pro Iudaeis <apud> Patrem intercedit[n] ;
35 matri flenti alium pro se filium quaerit[o] ; postquam etiam mortuus est <et> resurrexit, discipulos resurrectionis ipsius incredulos adit[p], salutat et resalutat, latus nudat[q], ad fidem reformat, Thomam ad palpandum invitat[r], it saepius et redit, monet frequenter et instruit[s], ad ultimum
40 foras educit, benedicit, ascendit[t].

3. O quam bonus dapifer, qui tam dulces et sapidas dapes ministrat ! Si vis ipse gustare, si quaeris quod dico experiri, accede tutemet, ingredere tutemet refectorium Evangelicum. Ibi invenies quattuor mensas, tot et tantis
45 deliciis refertas ut, quia hoc bonum est, illud melius, dubites ipse quid potissimum carpas. Sane cum primum ad Matthaei mensam veneris, ut cetera omittam innu-

24 quos : quod *C* || 28 modo : etiam *add. C* || 29-30 <Iudam> Simonis Iscariotem *scripsi :* Simonem Scariothen *CD* || 34 <apud> *supplevi : om. CD* || 35 flenti : scienti *C* || 36 <et> *supplevi : om. CD*

---

c. Jn 11, 27 ; cf. 9, 39 || d. Matth. 20, 28 || e. Sag. 8, 1 || f. Cf. Lc 22, 24-29 || g. Cf. Lc 7, 37 s. || h. Cf. Mc 14, 3 s. || i. Cf. Jn 12, 14 s. || j. Cf. Lc 10, 38 s. || k. Cf. Jn 8, 3 s. || l. Cf. Lc 22, 61 || m. Cf. Lc 23, 43 || n. Cf. Lc 23, 34 || o. Cf. Jn 19, 26 s. || p. Cf. Mc 16, 14 || q. Cf. Jn 20, 20-21 || r. Cf. Jn 20, 27 ; Lc 24, 39 || s. Cf. Act. 1, 3 ; Lc 24, 27.44-49 || t. Cf. Lc 24, 50-51

2. Ah ! quelle abondance d'huile ce bon cuisinier[1], *venu en ce monde*[c] *non pour être servi mais pour servir*[d], ne mettait-il pas dans les mets qu'il nous préparait ! Vois, je t'en prie, et remarque qu'*il dispose toutes choses avec douceur*[e] ; qu'il corrige doucement les Apôtres un jour qu'ils se disputent le premier rang[f]. Il accueille la pécheresse en larmes à ses pieds, l'absout, la renvoie en paix[g] ; il la justifie aussi, tantôt devant Simon le lépreux[h], tantôt devant <Judas> fils de Simon, l'Iscariote[i], tantôt même devant Marthe, sa propre sœur[j]. Il délivre la femme adultère qu'on lui amène et la met en sûreté en ne la condamnant pas[k]. Il regarde Pierre[l] qui le renie. Même sur la croix il promet le paradis au larron[m], intercède auprès du Père pour les juifs[n] ; à sa mère qui pleure, il cherche un autre fils pour prendre sa place[o]. Après sa mort et sa résurrection, il va trouver ses disciples qui ne le croient pas ressuscité[p], les salue, les salue encore, met à nu son côté[q], les forme de nouveau à la foi, invite Thomas à le toucher[r], s'en va et revient à bien des reprises, les exhorte et les instruit souvent[s]. En dernier lieu il les conduit dehors, les bénit, monte au ciel[t].

3. Ah ! le bon maître d'hôtel qui sert de si doux et savoureux festins ! Veux-tu y goûter toi-même, cherches-tu à faire l'expérience de ce que je dis ? approche, entre toi-même au réfectoire de l'Évangile. Tu y trouveras quatre tables garnies de délices si nombreuses et si grandes que tu ne sauras pas quoi prendre : ceci est bon, cela meilleur ! Oui vraiment, lorsqu'en premier lieu tu viendras à la table de Matthieu — pour ne rien dire de tout le reste —, que peut-on trouver en fait de bien, de

1. Plus loin, le Christ sera appelé « bon maître d'hôtel » (§ 3, 1.00). Voir plus haut *Par*. 2, 6 et p. 74-75 ; n. 1.

merabilia, sermo Domini in monte factus[u] quid usquam boni est, quid dulcedinis, quid moralitatis, quid aedifi-
50 cationis quod ipse non contineat ? Deinde duabus aliis mensis a te per ordinem perscrutatis et mirabilibus quae eis apposita sunt conspectis, cum iam nihil sub caelo melius reperiri posse putaveris, ad ultimum Ioannis tibi occurret mensa, quam tanta divinorum ferculorum di-
55 gnitate onustam aspicies, ut omnia quae prius videras parva ducas. Quid tandem cum ad cenam Dominicam perveneris et divinorum verborum affluentem copiam et copiosam affluentiam perspexeris[v] ? Vere cum Paulo exclamare libebit : *O altitudo divitiarum sapientiae et scien-*
60 *tiae Dei*[w] *!* »

u. Cf. Matth. 5-7 || v. Cf. Jn 13-17 || w. Rom. 11, 33

douceur, de morale, d'édification, que ne contient pas le sermon du Seigneur sur la montagne [u] ? Ensuite, quand tu auras scruté à fond et dans l'ordre les deux autres tables et regardé les merveilles qui y sont servies, que tu penseras que rien de meilleur ne peut se trouver sous le ciel, la table de Jean se présentera à toi en dernier. Tu la verras chargée de mets divins d'une noblesse telle que tout ce que tu avais vu auparavant te semblera peu de chose. Qu'en sera-t-il enfin lorsque tu parviendras à la Cène du Seigneur et que tu parcourras du regard l'abondance ruisselante, le ruissellement abondant des paroles divines [v] ? En vérité, tu pourras t'exclamer avec Paul : *O profondeur des richesses de la sagesse et de la science de Dieu* [w] ! »

IX D Parabola de divina inspiratione

1. Quartus dixit : « Quare Dominus in Evangelio dicit se et *Patrem ad eum venturum et mansionem apud eum facturum*, qui mandata eius *servaverit* [a], cum utique nullus ea *servare* possit, nisi ipse prius ad eum per internam
5 aspirationem *venerit* ? »

Respondit ille : « Dives quidam puerulum pauperem et pusillum in domo sua propter Deum nutriebat. Cui iam adulto dixit : 'Placet mihi paululum tibi dare pecuniae, ut videlicet negotiando eam tibi multiplices eo utique
10 modo ut, si eam sapienter propagaveris, multo maiorem postmodum tibi tribuam ; sin aliter, hanc ultimam puta.'

Sed cum ille eam caute tractasset, dominus eius maiusculam ei adiecit. Cumque et hanc bene dispensasset, ille hoc cernens multis eum beavit copiis.

15 **2.** Ita et Dominus primum quidem nobis quantulamcumque gratiae suae aspirationem confert, ita tamen ut, si prior haec *eius gratia* in nobis *vacua* et inanis *non fuerit* [b], multo pleniori postea tam sui quam paterni adventus benedictione nos ditet, tali nimirum pacto ut, si
20 et hanc superadditam nobis eius largitionem bene et strenue tractaverimus, ipse quoque alia atque iterum alia liberalitatis suae munera tribuat ; adeo ut quotiens donis

5 aspirationem : inspi- *D*

a. Jn 14, 23 || b. I Cor. 15, 10

9 D L'inspiration divine : parabole

1. Le quatrième demanda : « Pourquoi le Seigneur dit-il dans l'Évangile que lui et *son Père viendront chez qui garde* ses commandements *et feront chez lui leur demeure*[a], alors que de toute façon personne ne peut les *garder* à moins que Dieu ne *vienne* d'abord chez lui par une inspiration intérieure ? »

L'autre lui répondit : « Un riche élevait dans sa maison, pour l'amour de Dieu, un garçonnet pauvre et de condition modeste. Ce dernier parvenu à l'âge adulte, il lui dit : 'J'ai décidé de te donner une petite somme d'argent afin qu'en faisant du négoce, tu l'augmentes à ton profit, aux conditions suivantes : si tu la fais rapporter avec sagacité, je t'en donnerai ensuite une bien plus grande ; sinon, dis-toi que celle-ci sera la dernière.'

Or, quand le jeune homme eût géré cet argent avec prudence, son maître ajouta une somme un peu plus importante à la première ; et lorsqu'il le vit bien administrer également celle-là, il le gratifia d'abondantes richesses.

2. Ainsi le Seigneur nous accorde d'abord un souffle de sa grâce, si léger soit-il, étant entendu que, si cette première *grâce ne demeure pas vaine* et vide en nous[b], il nous enrichira par la suite d'une bénédiction bien plus abondante : sa venue et celle de son Père. Et si nous gérons bien et diligemment la largesse qu'il nous surajoute là, lui aussi nous accordera encore et plus les dons

eius congrue et prudenter responderimus, totiens ipse ampliora superaddat, et, si nos a bene promerendo non
25 desistimus, ipse quoque numquam a bene nobis faciendo desinat, nec sit finis ullus et nostrae cotidianae promotionis, et illius assiduae et supereffluentis recompensationis. »

de sa libéralité ; autant nous répondrons convenablement et avec sagacité à ses dons, autant lui nous en ajoutera de plus amples. Et si nous ne cessons pas de bien mériter de lui, lui non plus ne cessera jamais de nous faire du bien, et il n'y aura de fin ni à notre avancement quotidien ni à ses constantes et surabondantes récompenses. »

IX E De spirituali pulchritudine

1. Quintus dixit : « Quare dixit quaedam : *Nigra sum sed formosa ?*[a] Si enim *nigra*, quomodo *formosa* ? Vel si *formosa*, quomodo *nigra* ? »

At ille ait : « Contigit aliquando virum quemdam simul
5 cum puerulo ire ad mora colligenda. Mora vero, quia non omnia erant matura, ideo et omnia non erant unicoloria, sed quaedam nigrum, quaedam autem viridem vel rubeum colorem habebant. Existimans vero puer ille et reputans in corde suo[b] omnia nigra fore vilipendenda
10 et abicienda, rubea tantum vel viridia colligebat, cum socius eius nigra solummodo decerperet.

2. Ita et tu putare non debes omnia nigra esse vilia et abiecta, praesertim cum multa inveniantur tanto meliora quanto nigriora, ut, puta, litterae in libro formatae
15 quanto nigriores sunt, tanto apertiores sunt, si vero rufae vel pallidae fuerint, iam non tam bene legi possunt ; et racemi in autumno, vel mora ipsa supramemorata, quanto nigriora fuerint, tanto ad vescendum dulciora, si vero adhuc aliquid fulvi vel viridis coloris retinuerint,
20 iam non sic placent.

Sic et in rebus spiritualibus quaedam quasi nigra sunt, quae stultis quidem foeda et turpia videntur, sed sapientibus cara et honesta apparent, ut est paupertas volun-

6 omnia et *D* || 15 sunt apertiores *C*

a. Cant. 1, 4 || b. Cf. Lc 11, 38 ; Ps. 13, 1

9 E La beauté spirituelle

1. Le cinquième demanda : « Pourquoi une certaine personne dit-elle : *Je suis noire, mais je suis belle*[a] ? Si elle est *noire*, comment peut-elle être *belle* ? et si elle est *belle*, comment est-elle *noire* ? »

Mais l'autre : « Un homme alla un jour ramasser des mûres avec un petit garçon. Mais les mûres n'étaient pas toutes à point et n'avaient donc pas toutes la même couleur : les unes étaient noires, les autres vertes ou rouges. L'enfant, croyant et se disant en son cœur[b] que tout ce qui est noir est méprisable et à rejeter, ne ramassait que les mûres rouges ou vertes, tandis que son compagnon ne cueillait que les noires.

2. Toi non plus, ne crois pas que tout ce qui est noir soit commun et sans valeur : au contraire, bien des choses se trouvent être d'autant meilleures qu'elles sont plus noires ! Pense par exemple aux lettres tracées dans un livre : plus elles sont noires, plus elles sont nettes. Rougeâtres ou jaunâtres, elles seraient moins lisibles. Les raisins en automne, ou les mûres dont il a été question plus haut, sont d'autant plus agréables à manger qu'ils sont plus noirs ; s'il leur reste des traces de jaune ou de vert, ils nous paraissent déjà moins bons.

De même dans l'ordre des réalités spirituelles : certaines sont en quelque sorte noires. Elles semblent laides et honteuses aux sots, tandis que les sages les chérissent et les estiment. Telles sont la pauvreté volontaire, une pa-

taria, patientia tranquilla, religiosa humilitas. Qui haec
25 bene intelligere et discernere novit, intellectu vir est, discretione perfectus est. Qui vero talia perpendere nescit, *sensu puer*[c] et animo modicus est. Mora bona et matura praetermittit, acerba vero colligit. Quaecumque ergo sancta anima has tam pulchras nigredines in se pro Dei
30 amore habet, merito dicit : *Nigra sum sed formosa*[d] *!* »

26 perpendere talia *C*

c. I Cor. 14, 20 || d. Cant. 1, 4

tience tranquille, l'humilité religieuse. Quiconque est capable de bien les comprendre, de bien les reconnaître est un homme par l'entendement, un parfait par le discernement. Mais quiconque est incapable d'apprécier de pareilles réalités est *un enfant par le jugement*[c] [1] et un petit esprit. Il laisse de côté les bonnes mûres bien à point pour cueillir les vertes. Toute âme sainte qui pour l'amour de Dieu a en elle ces si belles noirceurs peut donc dire avec raison : *Je suis noire, mais je suis belle*[d] ! »

1. L'expression « enfant par le jugement *(puer sensu)* » revient dans *Lib. prov.* 85 et 98. Elle désigne chez Galand l'immaturité spirituelle. Cf. C. FRIEDLANDER, « Galland de Reigny et la simplicité », *Coll. Cist.* 41, 1979, p. 41.

IX F Parabola de eo qui voce non sua clamat

1. Sextus ait : « Quare dixit psalmista : *Voce mea ad Dominum clamavi*[a] ? Quis enim umquam voce non sua clamat vel loquitur ? »

Respondit ille (A) : « Fuit quidam vetulus nihil fere
5 iam prae senectute videre valens. Eratque ei filius unicus et admodum carus, qui huc illucque pro necessariis eorum rebus saepe discurrebat. Cuius nimirum absentiam iuvenis quidam in vicino habitans explorabat, et tunc ad patrem eius veniens ipsumque filium se esse fingens,
10 munuscula quaelibet ab eo postulabat ; et quia per ioculatoriam artem vocem suam in diversas fingere species noverat, ipsam filii vocem assumens et patris nomen blandiendo crebrius repetens, illico quod petebat assequebatur.

15 Ita et Deus filii sui vocem audire quaerit, audire delectatur ; vocem filii, inquam, non mercenarii ; illius qui heres secum futurus est, non illius qui *non manet in domo in aeternum*[b]. Sed quia *Deus non irridetur*[c], non fallitur, sicut senex ille supradictus decipiebatur, oportet
20 te vere filium esse si veram filii vocem vis habere.

2. Veri quippe filii vox, vox humilis, simplex et devota, vox menti consona, vox operibus approbata. Veri filii

2 sua non *C* ‖ 20 vere : verum *C*

---

a. Ps. 3, 5 ‖ b. Jn 8, 35 ‖ c. Gal. 6, 7

9 F L'homme qui crie d'une voix autre que la sienne : parabole

1. Le sixième demanda : « Pourquoi le Psalmiste dit-il : *De ma voix j'ai crié vers le Seigneur* [a] ? En effet, qui crie ou parle jamais d'une voix autre que la sienne ? »

L'autre répondit (A) : « Il était un vieillard à qui l'âge avait fait perdre presque complètement la vue. Il avait un fils unique et très cher, qui faisait souvent des courses par-ci par-là pour leur procurer le nécessaire. Un jeune homme qui habitait le voisinage guettait son absence pour venir chez le père et, feignant d'être son fils, lui demandait tous les petits cadeaux qu'il voulait. Comme il était doué d'un talent d'imitateur et savait donner différents timbres à sa voix, il prenait la propre voix du fils et répétait souvent le nom du père d'un ton caressant : et il obtenait sur-le-champ ce qu'il demandait.

De même Dieu cherche à entendre la voix de son fils, il prend plaisir à l'entendre. Une voix de fils, dis-je, non de mercenaire : la voix de qui héritera avec lui, non de qui *ne demeure pas pour toujours dans la maison* [b]. Mais *on ne peut se rire de Dieu* [c] ni le tromper comme on pouvait abuser le vieillard ci-dessus. Si donc tu veux avoir une vraie voix de fils, il te faut être vraiment fils.

2. Une voix de vrai fils est une voix humble et simple, qui exprime le don de soi, voix en harmonie avec l'esprit [1],

1. Cf. *RB* 19, 7 : « ... quand nous nous tenons debout pour psalmodier, faisons en sorte que notre esprit concorde avec notre voix ».

vox non suos ulcisci quaerit inimicos, quia Pater eius *pluit super iustos et iniustos*[d] ; nec terrena postulat, quae
25 mercenariis dantur, sed caelestia expectat, quae filiis reservantur. Veri filii vox est pacifica[e], quia tales *filii Dei vocabuntur*[f]. Vox veri filii de misericordiae operibus libenter disputat, quia *Pater* eius caelestis *misericors est*[g]. Haec vox lugubris est et gemebunda, sicut scriptum est :
30 *Vox turturis audita est in terra nostra*[h]. Haec vox, cum Patris vocabulum profert, Patris etiam amorem in corde tenet, et cum *Domini nomen invocat*[i], Domini quoque reverentiam in mente gestat.

Quo contra si ego forte, quod absit, nequitiae meae
35 merito *filius diaboli*[j] et *servus fuero peccati*[k], cum dico *Pater noster*[l], vel canto *Domine Dominus noster*[m], non voce mea sed alterius clamo, et rem iusti peccator usurpo, non impetrandi fiduciam, sed conscientiae confusionem reportans.

40 **3.** At contra David, quia semper bonus et sanctus fuit, merito dicit : *Voce mea ad Dominum clamavi, et exaudivit me de monte sancto suo*[n]. Quod tale est ac si diceret : 'Quia ad Dominum voce solita, voce sibi bene nota, sibi semper accepta clamo, ideo exaudiendum me confido.
45 Nam et ipsam orationem meam idcirco, inquit, clamantem voco, quia eam ex intimis animae visceribus proferens, magno mentis conamine ante Deum fundo. Sed hoc quod me (B), ait, velut de vertice montis clamantem exauditum dico (C), quasi et non de valle similiter exau-
50 direr, aut quasi Deus in caelo consistens, ideo de monte magis quam de valle clamantes audiat, quia isti propin-

42 diceret : dicit *D*

d. Matth. 5, 45 ‖ e. Cf. Jac. 3, 17 ‖ f. Matth. 5, 9 ‖ g. Lc 6, 36 ‖ h. Cant. 2, 12 ‖ i. Joël 2, 32 ; Cf. Act. 2, 21 *e.a.* ‖ j. I Jn 3, 10 ; Cf. Jn 8, 44 ‖ k. Jn 8, 34 ‖ l. Matth. 6, 9 ‖ m. Ps. 8, 2 ‖ n. Ps. 3, 5

voix que confirment les œuvres. Une voix de vrai fils ne cherche pas à tirer vengeance de ses ennemis, car son père *fait tomber sa pluie sur les justes et sur les injustes*[d] ; elle ne demande pas les biens terrestres donnés aux mercenaires, mais attend ceux du ciel réservés aux fils. Une voix de vrai fils est une voix d'artisan de paix[e], car de tels hommes *seront appelés fils de Dieu*[f]. Une voix de vrai fils parle souvent d'œuvres de miséricorde, car son *père* céleste *est miséricordieux*[g]. C'est une voix plaintive et gémissante, comme il est écrit : *La voix de la tourterelle s'est fait entendre dans notre terre*[h]. Lorsque cette voix prononce le nom de « père », l'amour du père occupe aussi le cœur. Lorsqu'elle *invoque le nom du Seigneur*[i], l'esprit aussi porte en lui la révérence due au Seigneur.

Par contre, si d'aventure — loin de moi ! — ma malice me vaut un jour d'être *fils du diable*[j] et *esclave du péché*[k], lorsque je dirai : *Notre Père*[l] ou chanterai : *Seigneur, notre Seigneur*[m], je ne crierai pas de ma propre voix ; j'emprunterai celle d'un autre. Pécheur, j'usurperai ce qui revient au juste, et j'en rapporterai non la confiance d'être exaucé, mais la confusion pour ma conscience.

3. En revanche, David, qui fut toujours bon et saint, dit à juste titre : *De ma voix j'ai crié vers le Seigneur, de sa montagne sainte il m'a exaucé*[n]. Comme s'il disait : 'Puisque je crie vers Dieu de ma voix habituelle, voix qu'il connaît bien, qu'il agrée toujours, j'ai confiance : je serai exaucé. Et si je dis de ma prière qu'elle crie, c'est qu'en la proférant du fond des entrailles de mon âme je l'épanche devant Dieu dans un grand élan spirituel. Quant au fait que je dis avoir été exaucé (B) alors que je criais pour ainsi dire du sommet d'une montagne (C), comme si je ne devais pas l'être également en criant depuis une vallée, ou comme si Dieu, qui demeure dans le ciel, entendait mieux ceux qui crient d'une montagne que ceux qui crient depuis une vallée parce que les

quiores ei sunt quam illi : verum utique est quod quanto ei propinquior fueris, tanto citius exaudieris, quantoque remotior, eo difficilius petita impetrabis ; sed haec appro-
55 piatio vel remotio, sicut apud nos loco, ita apud Deum meritis aestimatur, quibus profecto vel ad Deum accedimus [o] vel ab eo elongamur [p].' »

A. Non omnia quae sunt in cultello incidunt, sed omnia proficiunt vel ornant illum. Sic aliquando non omnia quae sunt
60 in parabolis allegoriae acumine vigent, sed omnia verborum seriem complent vel aptant, ut narrationis textus stare queat. Sic et in constructione domus saepe quaedam fieri solent magis ad aedificii ornatum, quam ad necessitatis usum pertinentia. Sic et haec accipienda sunt nobis.
65 B. Scilicet David.
C. *Et exaudivit me de monte sancto suo* [q].

53 propinquior ei *C* || 61 complent : implent *C* || 62 Sic : sed *C*

o. Cf. Ps. 33, 6 ; Hébr. 11, 6 || p. Cf. Ps. 72, 27 || q. Ps. 3, 5

premiers seraient plus proches de lui que les seconds, il est vrai que plus tu seras proche de lui, plus vite tu seras exaucé, et plus tu seras loin de lui, plus il te sera difficile d'obtenir ce que tu demandes. Mais de même que proximité ou éloignement se mesurent en termes de lieu quand il s'agit de nous, dans le cas de Dieu ils s'évaluent en termes de mérites : car c'est par eux assurément que nous nous approchons [o] ou nous éloignons [p] de Dieu. »

A. Toutes les parties d'un couteau ne coupent pas, mais toutes sont utiles ou décoratives. Ainsi tous les éléments d'une parabole ne sont pas nécessairement chargés de subtilités allégoriques ; mais tous complètent ou perfectionnent la composition du texte pour que la trame du récit puisse se tenir. Lorsqu'on bâtit une maison, on y fait souvent des travaux qui visent à embellir l'édifice plutôt qu'à répondre à une nécessité pratique. C'est également ainsi que nous devons comprendre les détails de cette parabole.

B. Il s'agit de David.

C. *De sa montagne sainte il m'a exaucé* [q].

X

PARABOLA DE EO QUI STIMULO CARNIS[a] SUAE INFESTATUR

1. Duorum pugilum duellum, quod me nuper videre contigit, narraturus, ipsorum armaturam prius describere volo.

Uni ergo ex ipsis scutum erat ex corio (A) forti, duro, 5 spisso, nigro asperoque et ad solis ardorem diutissime exsiccato. Porro dextera eius ligno armata erat praeduro, robusto, nodoso spinosoque et cornibus quibusdam undique exasperato. Ast alter, qui et iniustitiam habere videbatur, cum dubium se pavidumque (B) in omnibus 10 exhiberet, clipeum habebat (C) pergrandem et ponderosum, qui vimineis virgulis textus luteoque bitumine litus videbatur. In dextera vero nil gladii vel fustis tenebat, sed subulis (D) innumeris, subtilissimis et acutissimis renes accinctus stabat.

15 Tali igitur armatura instructi, in campum pugnaturi conveniunt, magnum novumque adstantibus populis spectaculum praebituri.

2. Nam iniustus ille, scuto in terram defixo, secus illud velut post parietem in insidiis positus (E) stabat[b], et 20 supradictis subulis paratis adversarii sui carnem terebrare

4 ex corio forti erat *C* || 11 vimineis : innumeris *D*

a. Cf. II Cor. 12, 7 || b. Cf. Ps. 9, 29 (10, 8)

10

L'HOMME QUE HARCÈLE L'AIGUILLON DE SA CHAIR [a] : PARABOLE [1]

1. Il m'est arrivé de voir dernièrement un duel entre deux champions ; avant de le raconter, je voudrais décrire leur armement.

L'un d'eux avait un bouclier en cuir (A) solide, dur, épais, noir et rugueux, desséché très longtemps au soleil. De plus, sa main droite était armée d'un gourdin très dur, solide, noueux, couvert d'épines et partout hérissé de pointes. L'autre — qui avait l'air d'être dans son tort, car il se montrait en tout hésitant et peureux (B) — portait un très grand écu (C), lourd, qui semblait tressé de tiges d'osier et enduit d'un bitume argileux. Il ne tenait dans sa main droite ni épée ni bâton, mais avait les reins ceints d'innombrables dards (D), très fins et très pointus.

Ainsi armés, ils entrent en lice pour combattre et offrir un grand et singulier spectacle à la foule des assistants.

2. Or le fautif, se plaçant en embuscade [b] (E) derrière son bouclier fiché en terre comme derrière un mur, et ayant apprêté les dards susdits, cherchait à en percer la chair de son adversaire (F). Mais leur pointe se heurtait

1. Parabole inséparable de ses gloses.

quaerebat (F) ; sed percito parmae illius obiectu (G) acumen susceptum, postquam eius spissitudinem perforaverat, iam aliud aliquid alte penetrare non poterat, et ad eius punctionem vel nihil vel parum sanguinis egrediabatur (H) ; verum nonnulla doloris molestia (I) vulnusculum ipsum subsequebatur. At vero alter, ligno in hostem vibrato, ictus vacuos raro dabat, verum illius tam caput quam faciem corpusque reliquum fortiter verberans[c] (K), per multas vulnerum aperturas sanguinem effluere cogebat, donec ille exsanguis effectus, viribus quoque pariter cum cruore amissis (L), magis titubare ac tremere, quam stare aut pugnare videretur. Quo ille comperto, levato statim utraque manu[d] (M) baculo, per medium illi verticem viriliter dedit, et ad terram illico prostratum ibique caput eius tamquam caput serpentis effringens penitus et comminuens, infelicem exire spiritum compulit. Qua potitus victoria, congressoris sui arma igni combussit[e] (N), quietam deinceps (O) prosperamque Dei dono ducens vitam.

A. Cutis humana ex nimia abstinentia grossescere et exasperari solet. Itaque huius armaturae descriptio tota nihil aliud designat quam austeram, asperam rigidamque fratris cuiuslibet vitam, per quam videlicet fatigantem se *stimulum carnis*[f] expugnat. Nam et ipsa austeritas et ieiunia, teste Apostolo, ictus quidam in hostem sunt[g]. Igitur hi duo pugiles sunt homo et ipse propriae *carnis stimulus*.

B. Timida semper res libido et tenebris amica, reatus sui signa secum portat.

21 parmae : parimae *C*[ac]*D* ‖ 40 groscescere *CD* ‖ 42 fratris : patris *C*

au bouclier que très vivement ce dernier leur opposait (G) : après en avoir percé l'épaisseur, elle n'était pas capable de pénétrer beaucoup plus loin et la piqûre qu'elle faisait ne saignait pas, ou peu (H), mais une douleur assez fâcheuse (I) accompagnait cette petite blessure. Quant à l'autre champion, brandissant son gourdin contre son adversaire, il frappait rarement dans le vide : ses coups vigoureux [c] l'atteignaient tant à la tête qu'au visage et sur le reste du corps (K), faisaient couler le sang à flots par de multiples blessures, jusqu'à ce que, exsangue, ayant perdu ses forces en même temps que son sang (L), il parût moins se tenir debout pour combattre que tituber en tremblant. L'ayant constaté, l'autre leva aussitôt son gourdin à deux mains [d] (M), l'en frappa vigoureusement en plein sur la tête, l'abattit à terre, et là, lui brisant complètement le chef et le lui broyant comme celui d'un serpent, il obligea son funeste esprit à s'exhaler. Ayant remporté cette victoire, il brûla au feu les armes [e] de son adversaire (N) et par le don de Dieu mena ensuite une vie paisible (O) et heureuse.

A. Une abstinence extrême rend la peau de l'homme épaisse et rude. La description de cette armure ne désigne donc pas autre chose que la vie austère, âpre et sévère par laquelle un frère soumet en s'exténuant *l'aiguillon de la chair* [f]. Car au témoignage de l'Apôtre, l'austérité et les jeûnes sont eux-mêmes des coups portés à l'ennemi [g]. Ces deux champions sont donc l'homme et *l'aiguillon de* sa propre *chair*.

B. Le désir charnel est chose toujours timide et amie des ténèbres : il porte en lui-même les marques de sa culpabilité.

c. Cf. I Cor. 9, 26-27 || d. Cf. Jug. 3, 15 || e. Cf. Ps. 45, 10 || f. II Cor. 12, 7 || g. Cf. I Cor. 9, 25-27

C. *Stimulus carnis* solet contra cogitationes bonas et spiri-
50 tales increpationes fragilitatem carnis quasi scutum quoddam
opponere seque per eam excusare et velut protegendo defendere.
Quae carnis fragilitas bene per vimineum, luteum et ponderosum clipeum designatur. Unde et scutum hoc terrae defixum
dicitur, ut corporis nostri gravedo designetur.
55 D. Subulae istae pravae sunt suggestiones, sed quae nonnumquam ita subtiles sunt, ut percipi non queant, donec cor
punxerint, dum scilicet sub specie boni vel sub recordatione
alicuius sanctae mulieris repunt ; quae circa habentur renes
merito, ubi scilicet magis libido dominetur.
60 E. Libido in insidiis stare[h] dicitur quia nonnumquam eius
subreptio vix ab aliquo praevidetur. Caro nostra quasi latibulum
libidinis est, et ex ea velut ex insidiis prodiens, nos saepe
improvisa invadit.
F. Cor carnale prava suggestione perstringere quaerebat,
65 sed vitae austeritas, velut scuti duritia vel densitas, illam debi-
litabat.
G. Quotiens stimulus carnis temptationum subulas contra
nos exserit, totiens et nos abstinentiae scutum opponimus illis,
quia quando sentimus libidinis aculeos adversum nos crescere,
70 solemus maiori abstinentiae operam dare, ita quidem ut illis
Dei dono decrescentibus, et nos abstinentiam aliquantulum
relaxemus ; illis vero forte iterum invalescentibus, nos quoque
rursum amplius nosmet ipsos affligamus, atque ita scutum
nostrum obviantibus ictibus obiicimus.
75 H. Ex qua punctione sanguis non egreditur, quando mens
usque ad peccati perpetrationem non pertrahitur ; sed dolor
tamen interius sentitur, cum anima in tali cogitatione delectatur.
I. Illecebrosa delectatio per dolorem signatur, quia ratio
ipsa dolet et indignatur talibus se affici passionibus.

54 nostri *om.* *C* ‖ designatur *C* ‖ 55 sunt C^{pc} *(inter lin.)* : *om.* C^{ac}*D* ‖ 59 ubi scilicet : quia scilicet ibi *C* ‖ 61-63 Caro nostra — invadit *hic restitui* : *in fine glosae* H. *post* delectatur (*l.* 77) *inserunt codd.*

C. *L'aiguillon de la chair* a coutume d'opposer la fragilité de la chair comme un bouclier aux bonnes pensées et aux reproches d'ordre spirituel et de s'en servir pour s'excuser et pour se défendre en s'abritant pour ainsi dire derrière. Cette fragilité de la chair est convenablement désignée par le lourd écu d'osier enduit d'argile. Aussi cet écu est-il dit fiché en terre, pour désigner la pesanteur de notre corps.

D. Ces dards sont les suggestions mauvaises. Elles sont parfois si subtiles qu'on ne peut les percevoir avant qu'elles n'aient percé le cœur, à savoir lorsqu'elles s'insinuent sous l'apparence du bien ou au moyen du souvenir d'une femme sainte. C'est à juste titre que ces dards sont portés autour des reins, car c'est surtout là que règne le désir charnel.

E. Le désir charnel est dit se tenir en embuscade [h] parce que souvent on prévoit à peine son approche insidieuse. Notre chair est en quelque sorte le repaire du désir charnel : il en sort souvent comme d'une embuscade pour nous attaquer à l'improviste.

F. Il cherchait à piquer le cœur charnel par la suggestion mauvaise ; mais l'austérité de vie, telle un bouclier dur et épais, en atténuait l'efficacité.

G. Chaque fois que l'aiguillon de la chair se manifeste contre nous par les dards de la tentation, nous lui opposons le bouclier de l'abstinence. En effet, lorsque nous sentons le désir charnel nous aiguillonner davantage, nous nous appliquons à une plus grande abstinence. Si ses attaques diminuent par le don de Dieu, nous aussi nous relâchons quelque peu notre abstinence. Si par hasard elles reprennent de la force, nous aussi nous nous châtions davantage, et de la sorte nous opposons notre bouclier aux coups qui viennent au-devant de nous.

H. Cette piqûre ne saigne pas lorsque l'esprit ne se laisse pas entraîner jusqu'à commettre le péché. Mais on éprouve cependant une douleur intérieure lorsque l'âme prend plaisir à une telle pensée.

I. Le plaisir séducteur est désigné par une douleur parce que la raison souffre et s'indigne d'être affectée par de pareilles passions.

h. Cf. Ps. 9, 29 (10, 8)

80 K. Cum per multam inediam caput dolet, facies pallescit, corpus attenuatur, libidinis vires frangi necesse est.

L. Luxuriae corpus verberatur eiusque cruor effunditur, cum carni et sanguini per abstinentiam renuntiatur. Ex qua renuntiatione vires illa perdere incipit, quia iam minus acres 85 temptationes immittit ; quod ubi quis in se ipso senserit, studet eam penitus exstinguere, cum apud se deliberat nihil turpe ulterius vel in cogitatione recipere. Et tunc caput eius velut serpentis conteritur[i], quando nec initium malae cogitationis se amplius recepturum disponit. Sicque libido vel nobis moritur, 90 dum Deo donante nulla eius de cetero titillatio <a> nobis sentitur.

M. Si utraque manu[j], id est tam mentis quam corporis afflictione, hunc hostem invaseris, cito corruet.

N. Victores libidinis arma eius igni comburimus, cum per 95 Spiritus Sancti gratiam nullis iam eius de cetero impugnationibus inquietamur.

O. Nos vero quietam de reliquo ducimus vitam, cum caelestem nocte dieque animo contemplamur gloriam, nullis vitiis Dei dono mentis nostrae obnubilantibus aciem.

80-81 *Glosam* K. *suo loco restitui : ad glosam* H. *post insertionem partis glosae* E. *adnectunt codd.* || 90 <a> *supplevi : om. CD*

K. Lorsqu'une grande inanition provoque maux de tête, pâleur du visage, maigreur du corps, les forces du désir charnel sont nécessairement anéanties.

L. On frappe le corps de la luxure et on fait couler son sang quand on renonce à la chair et au sang par l'abstinence. A la suite de ce renoncement elle commence à perdre des forces : déjà ses tentations se font moins violentes. La sentant faiblir en soi, on tâche de la faire disparaître tout à fait en prenant la résolution de ne plus rien accueillir de honteux, pas même en pensée. On lui écrase alors la tête comme à un serpent [i], en décidant de ne plus accueillir ne serait-ce que le début d'une mauvaise pensée. Et ainsi le désir charnel meurt, du moins à notre égard, lorsque par le don de Dieu nous n'en éprouvons plus aucun chatouillement.

M. Si tu attaques cet ennemi des deux mains [j], c'est-à-dire en châtiant aussi bien ton esprit que ton corps, tu l'abattras aussitôt.

N. Vainqueurs du désir charnel, nous brûlons ses armes au feu quand par la grâce de l'Esprit-Saint il ne nous trouble plus ensuite par aucun assaut.

O. Nous vivons une vie paisible lorsque jour et nuit nous contemplons en esprit la gloire du ciel sans que, par le don de Dieu, aucun vice n'embrume d'un nuage le regard de notre âme.

i. Cf. Gen. 3, 15 || j. Cf. Jug. 3, 15

XI

DE SUMMA SAPIENTIA ET VARIIS VIRTUTIBUS

Fuit quaedam nobilis et honesta piaque matrona (A), innumeros in domo sua tam famulos quam famulas (B) habens veniebantque ad eam multi necessitatibus variis constricti, quibus illa congruam pro loco et tempore
5 opem ferebat.

XI A Parabola de gemina lacrimarum compunctione

1. Quidam ergo paterfamilias (C) in domo propria cum filiis (D) et mercenariis (E) habitans, cum non haberet puellam aliquam vel pedissequam quae eorum vestes ablueret (F) vel aquam domum afferet, abiit ad
5 eam supplicans et postulans ut ei unam ex famulabus suis accommodaret, quae praedicti officii genus adimplere posset (G). Cumque diu multumque eam orasset, tandem illa, precibus eius mota, petitam tradidit ministram. Quae cum apud eum paucis diebus mansisset, cernens tam
10 ipsum quam suos (H) levibus et nimium laetis moribus (I) exsistere, cum ipsa econtra apud dominam suam honeste et graviter (K) instituta esset, coepit animo ex-

Titulum generale apposui (*vide l.* 47-48) : *tit. parabolae* XI A *codd.*

1. Série de paraboles inséparables de leurs gloses.

11

LA SOUVERAINE SAGESSE ET LES DIFFÉRENTES VERTUS [1]

Une noble matrone, honorable et pleine de bonté (A), avait dans sa maison d'innombrables domestiques, hommes et femmes (B). Bien des gens venaient à elle, contraints par diverses nécessités ; elle leur venait en aide de façon adaptée au temps et au lieu.

11 A Les deux sortes de larmes de componction : parabole

1. Un chef de famille (C) qui habitait sa propre maison avec ses fils (D) et ses domestiques à gages (E), n'avait pas de jeune fille, de servante, pour laver leurs vêtements (F) et apporter l'eau à la maison. Il s'en alla chez elle demander, supplier qu'elle lui accorde une de ses domestiques qui soit capable de s'acquitter de cette fonction (G). Lorsqu'il l'en eût beaucoup et longuement priée, elle se laissa émouvoir et lui donna enfin la servante qu'il demandait. Après quelques jours passés chez lui, elle constata que lui et les siens (H) étaient légers et joyeux (I) à l'excès, alors qu'elle au contraire avait été formée chez sa dame dans la vertu et la gravité (K) ; et ces façons dont elle n'avait pas l'habitude commencèrent

horrere quod non consueverat videre. Reversaque ad heram suam, dicit mores suos et illorum ita dissidere, ut 15 nullatenus cum eis possit ulterius habitare nisi prius se correxerint. Cui matrona : « Remane, ait, hic mecum, homoque stultitiae suae merito perdat quod bonitatis meae dono acceperat. »

2. Cum ergo ille diu puellae solatio (L) destitutus, 20 hinc aquae penuria, inde sordidarum vestium squalore affligeretur (M), inito tandem cum suis hac de re tractatu : « Si sanis, inquit, o famuli (N), consiliis acquiescere voluerimus (O), et perditam cubiculariam recuperabimus et vitae honestate decorabimur. » Cumque se illi facturos 25 quae suadebat spopondissent, sed et opere diligenter adimplessent, ubi hoc ad dominam perlatum est, reddidit viro vernaculam. Quae apud eum deinceps pacifice manens, deputatum sibi ministerium strenue peragebat, excepto quod indumenta abluta nequaquam clara specie 30 vel pleno candore esse faciebat.

3. Tunc paterfamilias ad matronam adveniens et super imperfecta, ut dixi, vel subobscura exuviarum suarum pulchritudine quaestionem movens, audivit ab ipsa sic : « Ministra (P), quam tibi dedi, non pluvialibus vel de- 35 super venientibus aquis, sed de subterraneis et ab imo exeuntibus (Q) vestes lavare novit, et idcirco hoc quod quereris pateris. Sed habeo aliam eiusdem officii virginem

1. Comparer HERMAS, *Le Pasteur,* Similitude 10, 3 (113) : « Je t'ai envoyé ces vierges pour qu'elles habitent avec toi ; j'ai en effet constaté qu'elles sont affables à ton égard. Tu as en elles des aides, de façon à pouvoir mieux observer les préceptes du Pasteur. Il ne se peut pas en effet que, sans ces vierges, on puisse observer les préceptes. Je vois qu'elles sont volontiers avec toi ; mais je leur donnerai l'ordre de ne pas du tout s'écarter de ta maison. Seulement, toi, nettoie-la bien ; car elles habiteront avec plaisir une maison propre ; elles sont elles-mêmes pures, chastes, actives et toutes ont un grand crédit auprès du Seigneur.

à la faire frémir en son âme. Elle retourna chez sa maîtresse et dit que sa manière de vivre et la leur étaient si opposées qu'elle ne pourrait absolument pas habiter plus longtemps avec eux à moins qu'ils ne se corrigent d'abord. La matrone lui répondit : « Reste ici avec moi, et que cet homme perde du fait de sa sottise ce qu'il avait reçu par un don de ma bonté [1]. »

2. Après être resté longtemps privé de l'assistance de la jeune fille (L), et comme il souffrait d'une part du manque d'eau, de l'autre de la malpropreté de ses vêtements tout tachés (M), il se mit enfin à discuter l'affaire avec les siens : « Si nous voulions bien, ô domestiques (N), nous rendre à de sages avis (O), nous retrouverions la femme de chambre que nous avons perdue et l'honneur d'une vie vertueuse. » Et quand, après avoir promis solennellement de faire ce qu'il conseillait, ils se furent consciencieusement exécutés, la dame, à qui l'on avait rapporté la chose, rendit la servante à cet homme. Demeurant désormais en paix chez lui, elle accomplissait diligemment la fonction à elle assignée, sauf qu'elle ne donnait jamais aux vêtements qu'elle lavait un éclat bien net ni une parfaite blancheur.

3. Le chef de famille se rendit alors chez la matrone et souleva cette question de la beauté imparfaite, de l'aspect un peu terne de ses vêtements. Voici la réponse qu'il en reçut : « La servante (P) que je t'ai donnée ne sait laver les habits qu'avec l'eau souterraine qui sourd d'en bas (Q), non avec l'eau de pluie qui vient d'en haut ; c'est pourquoi ce dont tu te plains t'arrive. Mais j'ai une autre jeune fille vierge apte à la même fonction

Si donc elles trouvent ta maison propre, elles y resteront ; mais s'il s'y produit la moindre souillure, elles la quitteront sur-le-champ, car ces vierges n'aiment pas du tout la souillure » (trad. R. Joly, *SC* 53, p. 361-363).

iuvenculam, non *ancillam* sed *liberam*[a] (R), quam si a me accipere merueris, tunc vere vestium tuarum decorem
40 ea efficiente miraberis. » Ille vero hoc audito, supplicando insistens seque omnia quae imperarentur facturum pollicens, dummodo haec ei non negetur, virginem quam devote petiit accipere meruit, acceptamque domum duxit et secum pro illa priore, sed meritis inferiore, habitare
45 fecit. Quae quia caelesti unda in abluendo utebatur (S), lotae ab ea induviae clarissimae efficiebantur.

A. Haec matrona summa est sapientia, id est Christus.

B. Famuli vero et famulae variae sunt virtutes, quarum quia quaedam feminino, quaedam etiam masculino genere no-
50 minantur, ideo utrumque genus hic ponitur.

C. Virtutum vero omnium familiam Christus possidet, unde et in psalmis dicitur *Deus* vel *Dominus virtutum* saepe[b].

D. Contemplativae vitae actus filii sunt, quia caelum hereditabunt.

55 E. Activae vero mercenarii, *qui non manent in domo in aeternun*[c].

F. Boni enim actus nostri quasi vestes sunt, quibus anima induitur et ornatur, sed eis frequenter adhaerent maculae vel vanae gloriae, vel negligentiae, vel alicuius excessus. Quae sicut
60 frequentes sunt, ita et frequenti fletu diluendae sunt.

G. Compunctione carebat, quae lacrimarum aquam ministrat et sordes actuum nostrorum lavat. Hanc a Deo petebat.

H. Per suos hic accipe tam sermones quam cogitatus, tam mentis quam corporis etiam inordinatos motus.

65 I. Levitas et vana laetitia compunctionem fugant, quibus tamen correctis revertitur.

42 ei *om.* *C*

---

a. Gal. 4, 31 || b. Ps. 23, 10 ; 45, 8.12 ; 58, 6 *e.a.* || c. Jn 8, 35

et qui n'est pas *esclave*, mais *libre*[a] (R) ; si tu mérites de la recevoir de moi, alors vraiment tu seras émerveillé de la beauté qu'auront grâce à elle tes habits. » Ayant entendu cela, il s'attacha à la supplier, promettant de faire tout ce qu'on lui commanderait pourvu qu'on ne la lui refuse pas, et mérita de recevoir la vierge qu'il avait demandée de tout son cœur. L'ayant reçue, il la mena chez lui et la fit habiter avec lui à la place de la première, qui lui était inférieure. Elle faisait la lessive avec l'eau du ciel (S), et rendait tout resplendissants les vêtements qu'elle lavait.

A. Cette matrone est la souveraine Sagesse, c'est-à-dire le Christ.

B. Les domestiques hommes et femmes sont les différentes vertus. Puisque certaines ont des noms féminins et d'autres des noms masculins, on a mis ici les deux genres.

C. La maisonnée que forme l'ensemble des vertus appartient au Christ. Aussi est-il dit souvent dans les Psaumes : *Dieu* ou *Seigneur des vertus*[b].

D. Les actes de la vie contemplative sont fils, car ils hériteront le ciel.

E. Ceux de la vie active, eux, sont les domestiques à gages qui *ne demeurent pas pour toujours dans la maison*[c].

F. Nos bonnes actions sont en quelque sorte des vêtements dont l'âme se revêt et se pare ; mais ils sont souvent tachés par la vaine gloire, la négligence ou un écart quelconque. Puisque ces accidents sont fréquents, il faut en effacer les traces par des larmes fréquentes.

G. Il n'avait pas la componction, qui fournit l'eau des larmes et lave les taches qui souillent nos actions. C'est elle qu'il demandait à Dieu.

H. Par « siens » il faut entendre les paroles et les pensées, les mouvements non encore ordonnés de l'esprit et du corps.

I. Légèreté et joie creuse mettent la componction en fuite. Elle revient cependant lorsqu'on s'en corrige.

K. Iuxta illud : *In populo gravi laudabo te*[d] *;* quia religiosorum est maxime et compunctorum levitatis et lasciviae vitium summopere vitare, ne forte compunctionis gratiam taliter amit-
70 tant.

L. Id est compunctione.

M. Sine lacrimis erat, nec cotidianas actuum suorum maculas flendo lavabat. Ideo mente affligitur, afflictus conqueritur, conquestus corrigitur, correctus recuperat quod amisit.

75 N. Cum suis loquitur cogitationibus.

O. Id est mores corrigendo.

P. Id est compunctio.

Q. Quia non pro desiderio caeli sed pro timore inferni flebat, plus serviliter quam filialiter compuncta ; ideoque pro
80 meliore mutanda orat.

R. Alterius generis compunctionem, nullo desiderio terreno corruptam et a timore servili liberatam, quando scilicet quis solo Dei amore flet. Itaque pluvialis aqua lacrimae sunt pro caelesti desiderio fusae, subterranea vero pro timore gehennae.
85 Quae non adeo pulchram et perfectam reddunt animam, quia ipse timor sine sorde non est. Qui enim coactus bene facit bonae voluntatis non est. Quia haec potior spiritaliorque compunctio, summopere appetenda est.

S. Amore Dei flebat.

69 summo opere *C*[ac]*D* ‖ 76 *Glosam* O. *om.* *C* ‖ 88 summo opere *CD* ‖ 89 *Glosam* S. *in textu post* quia (*l.* 45) *inserunt codd.*

---

d. Ps. 34, 18

K. Selon cette parole : *Je te louerai dans un peuple grave* [d]. C'est le propre des religieux et des gens pleins de componction d'éviter avec le plus grand soin ces vices que sont légèreté et laisser-aller, de peur de perdre de leur fait la grâce de la componction.

L. C'est-à-dire de la componction.

M. Il était sans larmes et ne lavait pas à force de pleurer les taches quotidiennes de ses actes. Aussi souffre-t-il en son esprit ; du fait qu'il souffre, il se plaint ; s'étant plaint, il se corrige ; s'étant corrigé, il retrouve ce qu'il avait perdu.

N. Il s'entretient avec ses pensées.

O. C'est-à-dire en corrigeant leur manière de vivre.

P. C'est-à-dire la componction.

Q. Elle ne pleurait pas par désir du ciel, mais par crainte de l'enfer ; sa componction était plus servile que filiale. Aussi demande-t-il dans sa prière à l'échanger contre une meilleure.

R. Un autre genre de componction, qu'aucun désir terrestre n'a corrompue, et qui est délivrée de la crainte servile : à savoir celle qui consiste à pleurer pour le seul amour de Dieu [1]. L'eau de pluie, ce sont donc les larmes versées par désir du ciel ; l'eau souterraine, celles qu'on verse par crainte de la géhenne. Elles ne rendent pas l'âme aussi belle ni aussi parfaite, car la crainte elle-même n'est pas sans tache. En effet, qui agit bien par contrainte n'a pas une volonté bonne. Puisque cette componction est plus puissante et plus spirituelle, on doit mettre tous ses soins à la rechercher.

S. Elle pleurait par amour de Dieu.

1. L'importante distinction entre componction de crainte et componction d'amour a été introduite par S. GRÉGOIRE LE GRAND, *Mor.* 23, 20, 42 ; 24, 6, 10 ; *Hom. év.* 17, 10-11 (*PL* 76, 277 A ; 291 D-292 B ; 1143 C-1144 C) ; etc. Voir *DSp* 2^2, c. 1315.

XI B Parabola de caritate

1. Alter etiam, in domo sua plures tam servos quam ancillas habens (A), cum nulla earum vestem ei pretiosam texere novisset, quam ille vel festivis diebus vel *ad nuptias* forte quandoque *invitatus*[a] induere posset (B), ad
5 matronam eamdem accedens, talem sibi rogat et obsecrat tradi operariam quae supradictae qualitatis indumentum ei componere norit (C). Quid plura ? Post multas tandem *preces et lacrimas*[b] exauditus, puellam accipit, gratias agit, ad domum ducit.

10 **2.** Verum cum ea in primo adhuc ingressu staret, cernit interius ancillas sese inhoneste et indecenter habentes (D). Inter quas etiam tres ex ipsis praecipue notat quae graviter ei semper et hostiliter inimicari solebant. Datoque mox pede retro, fugam iniit, protestans et dicens
15 se numquam aspectum earum ullo tolerare posse pacto. Quam ille cum clamore et fletu prosecutus, currebat post eam (E), iurans et spondens se antea omnes alias de domo expulsurum, quam non huius solatio potiretur. Cumque hoc idem pactum coram matrona ipsa firmiter
20 statuisset, sed et facto studiose consummasset, virgo cum eo laeta repedat et apud eum de cetero immobilis perseverat. Quae et vestem ei auri splendore fulgentem, pretii

2 cum : non *add. sed exp. et eradit C add. inter lin. D*^{pc} || 11 inhoneste sese *D* || 15 telerare *C*

11 B La charité : parabole

1. Un autre aussi avait dans sa maison nombre de serviteurs et de servantes (A). Comme aucune de ces dernières n'était capable de lui tisser un habit précieux qu'il puisse mettre les jours de fête ou pour aller *à une noce*, s'il lui arrivait d'y *être invité*[a] (B), il se rend chez cette même matrone, demande, supplie qu'on lui donne une ouvrière qui sache lui faire un vêtement de la qualité qu'on vient de dire (C). Pourquoi s'étendre ? Exaucé enfin après bien *des prières et des larmes*[b], il reçoit la jeune fille, rend grâces, la conduit à sa maison.

2. Mais comme elle se tenait encore à l'entrée, elle voit à l'intérieur des servantes à la tenue déshonnête et indécente (D), et en remarque surtout trois qui lui avaient toujours été violemment hostiles. Reculant aussitôt, elle prend la fuite, protestant et disant que jamais, d'aucune manière elle ne pourrait tolérer leur vue. L'ayant suivie avec cris et pleurs, l'homme court après elle (E), jurant et promettant de chasser toutes les autres de sa maison plutôt que de se priver de son assistance. Une fois qu'il a fermement promis la même chose devant la matrone en personne et s'est exécuté avec empressement, la vierge revient avec lui toute joyeuse et demeure chez lui sans en bouger désormais. Et elle lui fabrique

a. Matth. 22, 3 || b. Tob. 7, 13

qualitate praecellentem, incorruptionis perennitate mirabilem (F) componit.

---

25 A. Per servos et ancillas, affectus humanos et cogitationes accipe.

B. Cum *caritatem non habebat*[c], quae *veste nuptiali* ac festiva nos induit[d].

C. Cum scriptum sit : *Caritas operit multitudinem peccato-*
30 *rum*[e]. Caritas ergo vestem nobis componit, qua turpitudinem nostram in die iudicii operire possit[f].

D. Ancillae inhonestae, vitia sunt caritati valde adversa ; sed inter cetera, tria sunt magis ei contraria, id est invidia, avaritia, amor sui ipsius. Haec fugant caritatem, sed si corri-
35 gantur, libenter redit et innocentiae veste nos ornat.

E. Si quis forte aliquam sibi divinitus datam gratiam culpa sua amiserit, summopere laborare debet ut recuperet ; quod in cursu et clamore istius designatur.

F. Vestis caritatis aurea dicitur, quia ceteras haec virtus
40 excellit ; perennis vero est, quia *caritas numquam excidit*[g].

25-26 *Glosam* A. *distinxi et suo loco posui : ad glosam* B. *post* induit (*l.* 28) *adnectunt codd.*

---

c. I Cor. 13, 1 ‖ d. Matth. 22, 11 ‖ e. I Pierre 4, 8 ‖ f. Cf. Ex. 28, 42 ‖ g. I Cor. 13, 8

un habit resplendissant d'or, de très grand prix, d'une merveilleuse et incorruptible éternité (F).

A. Entends par serviteurs et servantes les *affectus* et les pensées de l'homme.

B. Quand *il n'avait pas la charité*[c], qui nous revêt de *l'habit de noces*[d] et de fête.

C. Puisqu'il est écrit : *La charité couvre la multitude des péchés*[e]. La charité nous fait donc un vêtement dont elle pourra couvrir notre honte au jour du jugement[f].

D. Les servantes déshonnêtes sont des vices, grands ennemis de la charité. Trois d'entre eux lui sont plus opposés que les autres : l'envie[1], l'avarice, l'amour de soi. Ils mettent la charité en fuite. Mais si nous nous en corrigeons, elle revient volontiers et nous pare d'un vêtement d'innocence.

E. S'il arrive à quelqu'un de perdre par sa faute une grâce que Dieu lui a donnée, il doit travailler avec le plus grand soin à la recouvrer : c'est ce que signifient la course et les cris de cet homme.

F. L'habit de charité est dit d'or, parce que la charité dépasse en excellence les autres vertus. Il est vraiment éternel, car *la charité ne passe jamais*[g].

1. Cette opposition directe entre envie et charité a été notée par S. AUGUSTIN : « Où il y a de l'envie, il ne peut y avoir d'amour fraternel ... Qui envie n'aime pas » (*In I Jn* V, 8 : *SC* 75, p. 262).

XI C De timore et amore parabola

1. Tertius quoque eam adiens, supplex ait : « Cum mihi, domina mi, multa et satis bona sit familia (A), in hoc mihi male accidit, quod dispensatorem eis duris et asperis moribus (B) praefeci. Cuius importunitas quia 5 mihi et meis gravis est et molesta, muta, quaeso, eum, nobis talem de tuis praebens vernulam, qui blandus et lenis exsistens, pro eo poni possit. » Quid morer ? Pia annuente domina, impostor ille amovetur meliorque ei oeconomus (C) subrogatur, qui hominis illius familiam 10 tam bene regebat, ut cuncti opera sua et minori labore et maiori fructu deinceps peragerent.

2. Porro bonus iste procurator penes hominem illum nihil molestiae passus est, excepto quod quaedam mala femina (D) eius domum frequentare, ire saepius et redire, 15 et quaedam inhonesta verba edere solebat. Verum cum eam die quadam venientem et iam ostium ingredi incipientem videret, ipse vero interius propre ostium staret, toto impetu ostium claudens, tam vehementer eam in fronte percussit ut, largis sanguinis fluentis (E) emana- 20 tionibus, nihil cruoris, nihil virium in ea remansisse putares. Tunc ille gavisus : « Habe, ait, hoc iam nunc tibi. Et quidem puto quod de cetero non huc libenter usque ad longum tempus venies. Quod tamen si quandoque

6 blandus : sit *add. C* || 16 quadam die *C* || 19 emanationibus *conieci* : emanantibus *CD* || 21 iam nunc hoc *C*

11 C Crainte et amour : parabole

1. Un troisième vient à elle et lui dit tout suppliant : « J'ai, ma dame, une nombreuse et fort bonne domesticité (A), sauf que j'ai eu le malheur de placer à sa tête un intendant d'un caractère dur et sévère (B). Sa rigueur m'est un poids fâcheux ainsi qu'à mes gens : je t'en prie, change-le nous, donne-nous un serviteur né dans ta maison, doux et modéré, qui puisse prendre sa place. » Pourquoi m'attarder ? La dame pleine de bonté y consentant, cet imposteur est écarté et un meilleur « économe (C) » le remplace. Il régissait si bien les domestiques de cet homme que tous accomplissaient désormais leurs tâches avec moins de peine et plus de profit.

2. Ce bon gérant n'eut à subir aucun ennui chez cet homme, si ce n'est qu'une femme de mauvaise vie (D) fréquentait sa maison, allait et venait et tenait des propos déshonnêtes. Mais un jour qu'il la voyait arriver — elle était déjà sur le pas de la porte tandis que lui se tenait à l'intérieur, tout près — il claqua d'un coup le vantail, la frappant au front avec une telle violence qu'à la vue de l'abondante hémorragie qui s'ensuivit (E) on aurait cru qu'il ne restait plus en elle ni sang, ni forces. Alors lui, tout joyeux : « Prends déjà ça. Et je pense que tu ne seras pas volontaire pour venir ici avant longtemps. Si cependant tu osais approcher un jour... à l'instant nous

aggredi ausa fueris, modo quidem parumper lusimus
25 tecum, sed tunc vere seriam et certam rem in te adimplebimus. Nam si denuo in manus nostras incideris, illico te morituram certa sis (F). »

A. Subaudis : cogitationum vel operum.

B. Timore gehennae, non Dei amore, omnia operabatur.
30 Hic timor omnibus operibus eius praeerat. Timor vero molesta res est ; amor autem Dei, blandus et suavis. Hunc petit sibi dari, quia quod per eum fit et plus valet et minus gravat.

C. Id est dispensator.

D. Prava suggestio domum cordis frequentabat, verumta-
35 men Dei amor eam in ipso mox limine mentis repellit.

E. Fluxus vero sanguinis designat confessionem peccati, per quam illicita suggestio vires perdit.

F. Non omnia quae sunt in cithara sonant, sed omnia iuvant. Sic non tota parabola allegoriam sonat, sed tota iuvat.
40 Nisi enim cetera circumstarent, quae allegoriam sonant non extarent.

31 et *om.* *C*

avons joué un petit moment avec toi, mais alors — la chose est décidée — ce sera sérieux. Si tu nous tombes de nouveau entre les mains, sache avec certitude que tu mourras sur-le-champ ! (F) »

A. Sous-entends : de pensées et d'œuvres.

B. Il faisait tout par crainte de la géhenne, non par amour de Dieu. Cette crainte gouvernait toutes ses œuvres. Or la crainte est chose pénible ; l'amour de Dieu, lui, est caressant et doux. Il demande que ce dernier lui soit donné, car ce qu'on fait sous sa motion est à la fois plus valable et moins pesant.

C. C'est-à-dire intendant.

D. Une suggestion mauvaise fréquentait la maison de son cœur, mais l'amour de Dieu la repousse dès le seuil.

E. Le flux de sang désigne la confession du péché, grâce à laquelle la suggestion illicite perd ses forces.

F. Les parties d'une cithare ne rendent pas toutes un son, mais toutes ont leur utilité. De même, dans une parabole tout n'a pas un sens allégorique, mais tout y est utile. Les éléments doués de sens allégoriques ne se tiendraient pas s'ils n'étaient pris dans l'ensemble.

XI D Parabola de humilitate

Pergens et quartus ad eam, querebatur dicens : « Cum cotidianis laboribus, tam meis quam servulorum meorum (A), opes multas singulis annis acquiram, quia tamen cellararium (B), qui hoc custodiat et sapienter re-
5 condat, non habeo, ideo usque ad mendicitatis opprobrium fere deveni. » Cui illa : « Tuae, ait, mendicitatis non solum causa est quam narras, sed etiam quia inter servos tuos est quidam linguosus et ventosus (C), qui te beatum esse et divitem iactans <et> circumquaque ef-
10 ferens, vicinos tuos (D) ad tibi nocendum sic incitat et provocat. Qui nimirum bona tua, tam vi quam blanditiis, tam furto quam rapina (E) et aliis modis depilantes et diripientes, ad hanc te inopiam redegerunt. Est mihi quidem quaedam puella optima cellararia, sed eam aliter
15 habere non poteris quod si hunc prius non eieceris, quia ut ignis aquae (F) sic iste oppositus est illi. » Quid multa ? Eiecto *malo servo* [a] et bona puella recepta, omnia sibi deinceps salva (G) esse vehementer homo ille laetatus est.

---

20 A. Anima, incorporea quantum per se, corporea vero per quinque sensus corporis, velut per servulorum suorum officium tractat.

2 servulorum : servorum *C* || 9 <et> *supplevi : om. CD* || 15 quod — eieceris *transposui et suo loco restitui : post* redegerunt (*l.* 13) *locant CD*

11 D L'humilité : parabole

Un quatrième était venu chez elle et se plaignait en ces termes : « J'acquiers tous les ans de grands biens tant par mes travaux de chaque jour que par ceux de mes serviteurs (A) ; néanmoins j'en suis arrivé presque au déshonneur de la mendicité parce que je n'ai pas de cellérier (B) pour garder tout cet avoir et le mettre en réserve avec sagesse. » Elle lui répondit : « Ce n'est pas la seule cause de ton extrême indigence ; elle provient aussi de ce que tu as parmi tes serviteurs un bavard plein de vent (C). Il proclame avec jactance tout à l'entour que tu es riche et heureux, et par là il excite et provoque tes voisins (D) à te nuire. Ce sont eux qui t'ont plumé, ont mis tes biens à sac tant par la force que par la flatterie, tant par le vol que par le pillage (E) et par d'autres procédés semblables, et t'ont réduit à ce dénuement. J'ai certes une jeune fille, très bonne cellérière ; mais tu ne pourras l'avoir qu'à condition de chasser d'abord cet individu, qui lui est aussi opposé que le feu à l'eau (F). » Pourquoi s'étendre ? Ayant chassé le *mauvais serviteur* [a] et reçu la bonne servante, l'homme se réjouit vivement de voir tous ses biens désormais en sûreté (G).

A. L'âme, incorporelle en elle-même mais corporelle par les cinq sens du corps, travaille en quelque sorte grâce aux bons offices de ces serviteurs.

a. Matth. 25, 26

B. Humilitate carebat, quae custos est bonorum operum, ideo omnia perdebat.

25 C. Id est appetitus laudis humanae.

D. Id est aereas potestates [b].

E. Quia aliquando nescii, aliquando scientes peccamus ; modo etiam coacti, modo vero spontanei.

F. Humilitas cum fastu vel laudis appetitu convenire non 30 potest.

G. Humilitas bona nostra abscondit et celat, et ideo salva esse facit. Et econtra inanis gloria, quia publicat, quodammodo furibus ea exponit.

b. Cf. Éphés. 2, 2

B. Il lui manquait l'humilité, gardienne des autres bonnes œuvres ; aussi perdait-il tout.

C. C'est-à-dire l'appétit des louanges humaines.

D. C'est-à-dire les puissances de l'air [b].

E. Parce que nous péchons tantôt en état d'ignorance, tantôt en connaissance de cause ; tantôt contraints, tantôt de plein gré.

F. L'humilité ne peut s'accorder avec la superbe ni avec l'appétit de louanges.

G. L'humilité cache nos biens, les tient secrets, et les met ainsi en sûreté. Par contre, en les publiant, la vaine gloire les expose en quelque sorte aux voleurs.

XI E De Paulo apostolo

1. Sed et quintus (A) ad eam ivit, *flens et eiulans*[a] atque dicens : « Obsecro, mi domina, est mihi acerbissimus quidam et cruentissimus hostis (B), qui nocte dieque in insidiis positus[b], occidere me quaerit. Quotiens incau-
5 tum me nudato gladio petiit, quotiens et dormientem (C) me trucidare paravit ! Et revera fecisset nisi, fuga elapsus (D), Deo miserante delituissem. » Contra illa : « *Quid,* inquit, *tibi vis* fieri[c] ? » « Volo, ait, et rogo, ut congregata statim vernularum tuarum (E) multitudine,
10 eum invadamus et usque ad interemptionem consumemus. » Illa autem nolente, *abiit* homo *tristis*[d].

2. Sed iterum cum lacrimis reversus atque iterum ab ea repulsus, cum et tertio redisset (F), accepit ab ea sic : « Si non tibi, o amice, periculum hoc accidisset, non
15 totiens, credo, ad me venisses, nec tot coram me lacrimas fudisses, nec tantam te ipsum humiliandi materiam habuisses. In domo quoque tua consistens, non tot noctes insomnes duceres, nec tot Deum precibus pro liberatione tua rogares, nec tanta tibi circumspectione (G) provi-
20 deres. Quapropter expedit tibi, ut mihi videtur, causam

a. Mc 5, 38 || b. Cf. Ps. 9, 29 (10, 8) || c. Mc 10, 51 ; Lc 18, 41 || d. Matth. 19, 22

11 E L'apôtre Paul

1. Un cinquième (A) alla chez elle, *pleurant, se lamentant*[a] et disant : « Je t'en supplie, ma dame ! j'ai un ennemi des plus impitoyables et des plus sanguinaires (B). Posté nuit et jour en embuscade, il cherche à me tuer[b]. Combien de fois, quand je n'étais pas sur mes gardes, ne m'a-t-il pas attaqué une épée nue à la main ! combien de fois ne s'est-il pas disposé à m'égorger pendant mon sommeil (C) ! Et il l'aurait fait, si, lui ayant échappé (D), je ne m'étais tenu caché par la miséricorde de Dieu. » Elle lui répondit : « *Que veux-tu* qu'on fasse *pour toi*[c] ? » — « Je veux, dit-il, je demande que, rassemblant sur-le-champ la multitude des serviteurs nés dans ta maison (E), nous l'attaquions et le détruisions jusqu'à le supprimer. » Mais comme elle ne le voulait pas, l'homme *s'en alla tout triste*[d].

2. Il revint de nouveau avec larmes, et elle le repoussa de nouveau. Revenu une troisième fois (F), il reçut d'elle cette réponse : « Si ce péril n'avait pas fondu sur toi, ami, je crois que tu ne serais pas revenu si souvent vers moi, que tu n'aurais pas versé devant moi tant de larmes, et que tu n'aurais pas eu tant matière à t'humilier. Chez toi non plus, tu ne passerais pas autant de nuits sans sommeil, tu ne demanderais pas ta délivrance à Dieu par d'aussi nombreuses prières, et tu ne prendrais pas tes précautions avec une si prudente attention (G). Il me semble donc qu'il t'est avantageux d'avoir un motif de

habere te ipsum custodiendi, te ipsum expergiscendi, ne somno et inertia deterior fias[e]. Attamen unum e famulis meis tibi tradam (H), qui irremotus et inseparabilis comes tuus exsistens, adversarium tuum non quidem 25 penitus extinguat, sed ubi forte ille te invaserit hic *de manibus eius eripiat*[f]; sicque nec ille locum habebit te laedendi, nec tu securitate et socordia torpescendi. »

A. Id est Paulus apostolus.

B. Id est *stimulus carnis*[g].

30 C. Vigilantem per pravas suggestiones aperte invadebat, dormientem vero per illusiones nocturnas.

D. Ad Deum fugiebat orando.

E. Id est spiritualium virtutum.

F. Quia *Dominum rogavit* pro *stimulo carnis ter*[h].

35 G. Multi enim, dum carnis illecebras timent, sollicitiores fiunt.

H. Caeleste desiderium et amor Dei illum semper sursum trahebant, et hostis ad ima retrahebat, ut ille in medio positus nec nimis elevaretur ne superbiret, nec nimis deiceretur ne 40 temptationi consentiret[i]. Non solum vero Paulo sed et innumeris aliis parabolae huius significationem congruere haud dubium est.

22 e : ex *C* ‖ 28 apostolus *om.* *C* ‖ 35 enim : etiam *D* ‖ illecebram *D*

e. Cf. Lc 19, 26 ; II Pierre 2, 20 ‖ f. I Macc. 5, 12 ‖ g. II Cor. 12, 7 ‖ h. II Cor. 12, 7-8 ‖ i. Cf. II Cor. 12, 7-9

prendre garde à toi et de te secouer, de peur qu'en t'endormant dans la paresse, tu ne deviennes pire[e]. Je te donnerai cependant un de mes domestiques (H) ; il sera pour toi un compagnon inséparable, il ne te quittera jamais. Certes, il ne détruira pas complètement ton adversaire, mais si d'aventure ce dernier t'attaque il t'*arrachera à ses mains*[f]. Ainsi ni lui n'aura l'occasion de te faire du mal, ni toi de t'engourdir dans l'insouciance et l'indolence. »

A. C'est-à-dire l'apôtre Paul.

B. C'est-à-dire *l'aiguillon de la chair*[g].

C. A l'état de veille il l'attaquait ouvertement par des suggestions mauvaises, et pendant son sommeil par des illusions nocturnes.

D. Il fuyait vers Dieu par la prière.

E. C'est-à-dire des vertus spirituelles.

F. Parce qu'*il a prié trois fois le Seigneur* au sujet de *l'aiguillon de la chair*[h].

G. En effet, bien des gens deviennent plus attentifs quand ils craignent les séductions de la chair.

H. Le désir du ciel et l'amour de Dieu l'entraînaient sans cesse vers le haut, et l'ennemi le tirait de nouveau vers le bas, de sorte que, placé au milieu, il ne s'élevait pas à l'excès — il aurait pu s'enorgueillir — et ne se laissait pas trop abattre — il aurait pu consentir à la tentation[i]. Sans aucun doute la leçon de cette parabole s'applique non seulement à Paul mais à d'innombrables autres personnes.

XII

DE MONOMACHIA CHRISTI ET DIABOLI, ID EST DE SINGULARI BELLO PARABOLA

1. Cum quidam miles (A) sapientem quemdam rogasset, ut ei de antiquis fortium virorum (B) actibus vel unum, accipiendi gratia exemplum, narraret, audivit ab eo sic :

5 « Ab interioribus aquilonis [a] (C) et remotissimis plagae illius recessibus, mirabilis quidam gigas [b] olim exiit, Archichachos (D) nomine, statura longissima, facie horribili et virtute tam ingenti ut, cum eius immanitatem adstantibus populis ostendere vellet, caelum ipsum dextera ap-

10 prehensum tanta vi concuteret, ut innumeras ex eo stellas ad terram cadere faceret [c] (E). Scuto vero et lorica omnique armatura ita protectus erat, ut nullo iaculo (F) penitus penetrabilis putaretur. Et quidem gladio terribili (G) accinctus erat ; sed, quia nemo ei in faciem

15 resistere audebat, vix eo ad pugnandum utebatur. Verum igneis et venenatis sagittis (H) dextera laevaque emissis, innumeras cotidie populorum catervas prosternebat. Pueros aeque ut iuvenes, iuvenes ut senes caedebat, excepto

12-13 penitus iaculo *D*

---

a. Cf. Is. 14, 13 ; Jér. 4, 6 ; 10, 22 || b. Cf. Is. 14, 9 || c. Cf. Matth. 24, 29 ; Apoc. 6, 13 ; 13, 13 ; II Thess. 2, 9

12

LA « MONOMACHIE » DU CHRIST ET DU DIABLE, C'EST-A-DIRE LEUR COMBAT SINGULIER : PARABOLE [1]

1. Un chevalier (A) ayant demandé à un sage de lui raconter, pour lui servir d'exemple, ne serait-ce qu'un seul des antiques exploits des héros (B), voici ce qu'il entendit :

« Des profondeurs de l'Aquilon [a] (C), du fin fond des régions boréales, sortit jadis un géant [b] singulier du nom d'Archichacos (D). Il était de très haute taille, d'un aspect effrayant et d'une force si démesurée que, voulant montrer aux assistants combien elle était prodigieuse, il frappait le ciel même, qu'atteignait sa main droite, avec tant de violence qu'il en faisait tomber d'innombrables étoiles sur la terre [c] (E). Bouclier, cuirasse et armure le protégeaient si bien qu'on pouvait le croire parfaitement impénétrable à tout javelot (F). Et s'il était ceint d'une épée terrible (G), il s'en servait à peine pour combattre, car personne n'osait lui résister en face. Mais, lançant de sa droite et de sa gauche des flèches enflammées et empoisonnées (H), il terrassait chaque jour des foules innombrables. Il frappait les enfants comme les jeunes gens, les jeunes gens comme les vieillards ; seulement, il

1. Parabole inséparable de ses gloses.

quod aliis hos, aliis illos confodiebat missilibus. Quid
20 plura ? Hoc terrore, hac violentia vel tyrannide, omnem
sibi fere terram subiugavit, ita ut iam non dico quasi
dominus honoraretur, sed quasi Deus adoraretur [d].

2. Cum ergo tam *fortis* ille *armatus* totum sibi mundum quasi unum *atrium custodiret* [e] nullamque prorsus
25 sibi vim iam inferri posse putaret, ecce ab occultis et
intimis austri [f] finibus (I) alius repente gigas procedit [g],
cui nomen Caloarcha (K), statura multo longiore et
virtute multo maiore, ad cuius armorum fulgorem omnis
terra resplenduit (L), ad cuius vocem auditores quique
30 admirantes stupebant (M), ad cuius respectum (N) non
solum aegri convalescebant sed et mortui reviviscebant,
ad cuius *odoris suavitatem* [h] maesti quique et desolati
mirabiliter recreabantur (O). Denique cum virtutis suae
vim aperire vellet (P), extendens manum (Q) et appre-
35 hendens solem et lunam (R), solem quidem dextera,
lunam vero laeva (S) ferebat ubi volebat (T).

3. Hic ergo cum se ad invadendum alium, utpote qui
ad hoc venerat, parasset (V) eique iam armatus (X) su-
perveniret [i], ille eo viso tunc primum timoris horrore
40 perstringi (Y) coepit et haesitare quidnam potissimum e
duobus faceret, utrum videlicet fuga elaberetur, an duelli
fortunam experiretur. Sed pristinae rursus memor virtutis
et solita se feritate acturum credens, primus eum nudato
ense appetere ausus est (Z). Cumque ingentem ictum
45 super cervicem eius inflixisset ut ei caput amputaret (A′),
galeam quidem de capite eius excussit et ad terram eam
deiecit (B′), sed vulnus ipsum usque ad vivum, Deo

23 ille *om.* *C* ‖ 32 suavitate *D* ‖ 37 alium, utpote qui *scripsi* : illum, utpote alium (*varia lectio in textu irrepta*) qui *CD* ‖ 45 inflixisset : influx- *D*

perçait les uns de tels projectiles, les autres de tels autres. Pourquoi s'étendre ? A force d'effroi, de violence, de tyrannie, il se soumit presque toute la terre, si bien qu'il était, je ne dis plus honoré comme seigneur, mais adoré comme Dieu [d].

2. Comme donc ce *fort* — et si fort ! — *armé gardait* le monde entier pour son propre compte comme une seule *maison* [e] et croyait que plus aucun assaut ne pourrait fondre sur lui, voici que des confins cachés et secrets du midi [f] (I) s'avance soudain un autre géant [g], du nom de Caloarcha (K), de bien plus haute taille et d'une force bien plus grande. Toute la terre resplendit de l'éclat de ses armes (L) ; à sa voix, les auditeurs quels qu'ils soient étaient frappés d'étonnement et d'admiration (M). A son regard (N), non seulement les malades retrouvaient la santé, mais encore les morts revenaient à la vie ; *la douceur de son parfum* [h] ranimait merveilleusement affligés et désolés (O). Enfin, comme il voulait dévoiler la vigueur de sa force (P), tendant la main (Q) et saisissant le soleil et la lune (R) — le soleil de sa main droite, la lune de sa gauche (S) —, il les portait où il voulait (T).

3. Donc, s'étant préparé à attaquer l'autre (V) — il était venu pour cela —, comme déjà il se jetait sur lui tout armé [i] (X), son adversaire à sa vue fut d'abord saisi d'un frisson de crainte (Y) et hésita entre deux possibilités : se dégagerait-il par la fuite ou tenterait-il sa chance en duel ? Mais se souvenant de sa force d'auparavant et pensant agir avec sa sauvagerie habituelle, il osa l'assaillir le premier, l'épée nue (Z). Et lui ayant asséné un coup formidable à la nuque afin de lui couper la tête (A'), il en fit certes tomber le casque qu'il jeta à terre (B') ; mais il ne blessa pas son homme, car Dieu le protégeait. A

d. Cf. II Thess. 2, 4 ; Apoc. 13, 4 ‖ e. Lc 11, 21 ‖ f. Cf. Hab. 3, 3 ‖ g. Cf. Ps. 18, 6 ‖ h. Sir. 24, 20.23 ‖ i. Cf. Lc 11, 21-22

protegente, non pervenit. Vix autem hunc ictum suum peregerat, cum bonam mox ipse recepit vicem. Nam
50 melioris illius bellatoris framea[j] (C′) per medium huius caput librata ita eum usque ad terram fidit medium, ut corporis pars altera ad dexteram, alia rueret ad laevam (D′).

4. Quo circumquaque immo ubique audito, omnis ad
55 eum laetus orbis venit (E′), gratias egit, manusque ei dantes regem atque imperatorem eum habere meruerunt, quietam deinceps beatamque ducentes sub eo vitam, excepto quod ex toxico monstri illius perempti germine pestiferi quidam homines (F′) descendentes rem publi-
60 cam (G′), quia vi non poterant, saltem dolis turbare quaerebant. Quorum primus (H′) ambitionis atque avaritiae stimulis agitatus falsumque simulatus sui obsequium praetendens (I′), dum negotiorum imperialium dispensator vel administrator (K′) fieri temptaret, sed tali
65 utique modo ut redditus omnis vel quaestum exinde provenientem non thesauris regiis assignaret, sed potius ad proprios retorqueret usus (L′) ; accusatus et convictus ex hoc, praecipitio interemptus est (M′). Qui ab alto corruens, doluit sero se nimis alta praesumpsisse. Sed
70 cur iudici placuit nequam hunc tali punire morte ? Utique ut quisquis deinde eius exemplo (N′) ad illicitum honorem aspiraverit (O′), noverit se quidem exterius erigi, sed intus graviter collidi.

5. Alter etiam tectis (P′) adversus regem aestuans
75 odiis, cum nocendi locum minus sibi subpetere doleret,

50 huius : eius *C* ‖ 57 vitam sub eo *C* ‖ 59 quidam : quidem *CD*[ac]

j. Cf. Ps. 34, 3

1. Le récit de la mort de Simon le Magicien provient des *Actes* apocryphes *de Pierre* (32 : éd. L. Vouaux, Paris 1922, p. 412-414 ; voir l'étude historique, p. 114-121). L'envol et la chute de Simon sont repré-

peine avait-il porté ce coup que lui-même en reçut un fier en retour ! Car l'autre, meilleur guerrier, brandit le glaive[j] (C') sur le sommet de sa tête et le fendit ainsi par le milieu jusqu'à terre, de telle sorte qu'une partie de son corps tomba à droite, l'autre à gauche (D').

4. La nouvelle s'étant répandue tout à l'entour, ou mieux partout, le monde entier vint à lui tout joyeux (E'), rendit grâces, et lui prêtant hommage, mérita de l'avoir pour roi et empereur. L'on mena par la suite une vie paisible et heureuse sous son autorité, si ce n'est que de funestes individus (F') issus de la semence de ce monstre vénéneux, maintenant anéanti, cherchaient à troubler l'État (G') par la ruse, puisqu'ils n'avaient pu le faire par la violence. Le premier d'entre eux (H'), excité par l'aiguillon de l'ambition et de l'avarice, mettant en avant une soumission fausse et simulée (I'), tâcha de devenir intendant ou administrateur (K') des affaires impériales, non pas cependant pour remettre les revenus ou bénéfices qui en proviendraient aux trésors royaux, mais plutôt pour les détourner à son propre usage (L'). Il fut accusé et reconnu coupable ; on le mit à mort en le précipitant d'un lieu élevé[l] (M'). En tombant, il s'affligea trop tard d'avoir visé présomptueusement si haut. Mais pourquoi a-t-il plu au juge de punir ce vaurien d'une pareille mort ? Pour que quiconque par la suite aspirerait à son exemple (N') à un honneur illicite (O') se sache élevé extérieurement, mais gravement brisé intérieurement.

5. Un autre (P') encore brûlait d'une haine cachée pour le roi, souffrait de n'avoir pas l'occasion de lui nuire et ne supportait pas de voir différé plus long-

sentés sur deux chapiteaux du bas-côté droit de la cathédrale d'Autun, sculptés entre 1125 et 1145. Voir D. GRIVOT, *La sculpture du XIIe siècle de la cathédrale d'Autun*, Colmar-Ingersheim 1976, p. 1-2 et 19-20.

non passus ultra differri (Q′) hoc quod facere desiderabat, die quadam, amici assumpta specie (R′), ante faciem imperatoris in medio procerum suorum stantis venit, sed et sicam (S′) sub pallio paratam habuit. Incipiensque
80 eum blandis quibusdam et bonis alloqui verbis (T′), occultum repente erexit gladium, per medium caput regium librans (V′), cum illico fidi eius (X′), ex utroque prosilientes latere (Y′) seseque ictui medios citissime opponentes, ipsum quidem a periculo imminenti defenderunt,
85 sed profecto ipsi gravissimo debilitati sunt vulnere (Z′). Reliqui vero qui ab eo plagati non sunt, mox eum arripientes in cloacam proiecerunt (A″), et quidem iuste, ut qui ipsum caput imperiale foedare temptaverat, ipse postmodum omnium stercoribus foedatus, disceret uniuscuiusque
90 iniquitatem in caput actoris reversuram[k].

6. His igitur et aliis rebellibus multis digna nequitiae suae caede peremptis, cum rex alta pace cum suis poti-retur, ecce iterum pessimus quidam, magorum summus (B″), nomine Antitheos (C″), populum sollicitans
95 sibique tam donis quam blanditiis alliciens, plerumque etiam minis terrens, utpote qui pestilentiam vel cladem (D″) quamlibet terris arte sua immittere posset, totum fere mundum hac vi ad se inclinavit, adeo ut quasi Deus ab omnibus adoraretur[l]. Cumque tempore quodam
100 catervis suorum stipatus ad imperatorem ipsum deponendum (E″) iret, accidit ut ipse in solario domus suae (F″) consistens, per fenestram respiceret (G″) eumque ad se venientem videret. Cumque iam prope esset, iaculo (H″), quod forte manu tenebat, fortiter emisso, nequissimorum
105 nequissimi verticem perfodit. Atque ita eius morte tam subita sequaces illius perterritos sibi facile reconciliavit,

90 auctoris C^{pc} *(inter lin.)* ‖ 104 quod : quem *D*

k. Cf. Ps. 7, 17 ‖ l. Cf. II Thess. 2, 4 ; Apoc. 13, 3-4

temps (Q′) ce qu'il désirait faire. Un jour, prenant l'apparence d'un ami (R′), il vint en présence de l'empereur, debout au milieu de ses nobles, mais il avait un poignard (S′) tout prêt sous son manteau. S'étant mis à lui adresser de douces et bonnes paroles (T′), il leva tout à coup l'épée qu'il tenait cachée, la brandissant sur la tête du roi (V′). Aussitôt ses fidèles (X′), s'élançant de part et d'autre (Y′) et parant au plus vite le coup de leurs corps, écartèrent de lui le péril imminent ; mais eux-mêmes furent très grièvement blessés (Z′). Ceux qui restaient, et qu'il n'avait pas frappés, se saisirent aussitôt de lui et le jetèrent dans un égout (A″). Et certes c'était justice que l'homme qui avait essayé de mutiler la tête même de l'empereur soit lui-même souillé ensuite des excréments de tous et apprenne ainsi que l'iniquité d'un chacun doit retomber sur la tête de son auteur [k].

6. Ces rebelles donc, et bien d'autres, ayant péri d'une mort digne de leur malice, le roi et les siens jouissaient d'une paix profonde, quand voici que de nouveau un funeste individu, le plus grand des magiciens (B″), du nom d'Antitheos (C″), souleva le peuple et l'attira à lui tant par des présents que par des flatteries, le terrorisant souvent aussi par des menaces, capable qu'il était d'envoyer sur terre l'épidémie ou le fléau (D″) qu'il voulait ; par cette violence, il fit pencher vers lui presque le monde entier, au point que tous l'adoraient comme Dieu [l]. Un jour qu'escorté des troupes de ses partisans, il allait chez l'empereur lui-même pour le déposer (E″), il arriva à ce dernier, qui se trouvait dans la chambre haute de sa maison (F″), de regarder par la fenêtre (G″) et de le voir venir. Comme il était déjà proche, il lança avec force un javelot (H″) que par hasard il tenait à la main et en perça la tête de cette peste d'entre les pestes. Ainsi se réconcilia-t-il facilement les sectateurs de ce dernier, terrifiés par sa mort si soudaine ; et quant au reste, ni

nec de reliquo quidquam omnino molestiae vel ipse vel sui omnes senserunt aut sensuri sunt in aeternum. »

A. Scilicet spiritalis miles est religiosus quisque.
110 B. Id est sanctorum patrum.
C. Per aquilonem, qui rigore glaciali terram stringit, malitiae horrorem accipe, ex cuius intimis visceribus prodiit hoc quod diabolus se per idolatriam adorari fecit.
D. Id est princeps malus vel malorum.
115 E. Ecclesiam persecutione concutiebat et fideles quosdam labi faciebat.
F. Timoris etiam vel amoris Dei vel paenitentiae.
G. Quasi gladio utebatur, cum aliquem penitus conterebat, ut Iudam.
120 H. Pravis suggestionibus animas occidebat et unumquemque pro aetate et qualitate sua ad peccandum incitabat.
I. Ex paternae claritatis sinu Christus in mundum venit. Vel quia fervor caritatis Christum ad nos venire fecit, sicut frigus iniquitatis diabolum.
125 K. Id est bonus princeps.
L. Miraculorum et verborum eius splendor mentes illuminabat.
M. Unde et dicebant : *Numquam sic locutus est homo*[m].
N. Spiritalis Dei respectus ad cor fit.
130 O. Fama vitae eius tribulatos confortabat, cum eum quoque tribulatum fuisse audirent[n].
P. Hoc erit in die iudicii.
Q. Id est potentiam suam exserens.
R. Luna semper cornuta est vel rotunda, quadrata vero
135 numquam ; et impii semper rebelles sunt et mobiles, stabiles vero nequaquam[o]. Luna quoque nocte lucet, non die ; et im-

110 Id est *om.* *C* ‖ 124 diabolus *C* ‖ 135 mobiles sunt et rebelles *C*

m. Jn 7, 46 ‖ n. Cf. Hébr. 2, 18 ; 12, 3 ‖ o. Cf. Sir. 27, 12

1. H. DE LUBAC a décrit la symbolique du carré chez les Pères de l'Église et les auteurs médiévaux, symbolique liée à celle du nombre quatre : « Si trois se rapporte à la foi en raison de la sainte Trinité,

lui ni aucun des siens n'éprouvèrent plus aucun désagrément, ni n'en éprouveront éternellement. »

A. Le chevalier spirituel, c'est le religieux.

B. C'est-à-dire les saints Pères.

C. Par l'Aquilon, qui enserre la terre dans un froid glacial, entends le mal dans toute son horreur. De ses entrailles secrètes procède ceci : par l'idolâtrie, le diable se fait adorer.

D. C'est-à-dire prince mauvais ou prince des méchants.

E. Il frappait l'Église par la persécution et faisait chanceler des fidèles.

F. Même de crainte, d'amour de Dieu ou de pénitence.

G. Il frappait de l'épée lorsqu'il menait quelqu'un à une ruine totale, comme par exemple Judas.

H. Il tuait les âmes par des suggestions mauvaises et poussait chacun à pécher selon son âge et sa condition.

I. Le Christ est venu dans le monde du sein de la splendeur du Père. Ou bien : l'ardeur de la charité fait venir le Christ vers nous, comme le froid de l'iniquité fait venir le diable.

K. C'est-à-dire prince bon.

L. L'éclat de ses miracles et de ses paroles illuminait les esprits.

M. Ils disaient : *Jamais un homme n'a parlé ainsi* [m].

N. Le regard spirituel de Dieu s'adresse au cœur.

O. La renommée de sa vie réconfortait les affligés, car ils apprenaient qu'il avait été affligé lui aussi [n].

P. Ceci arrivera au jour du jugement.

Q. C'est-à-dire mettant à découvert sa puissance.

R. La lune est toujours cornue ou ronde, jamais carrée ; et les impies sont toujours rebelles et changeants, jamais stables [o] [1]. De plus, la lune brille toujours la nuit, jamais le jour ; et la

quatre se rapporte aux mœurs en raison de la *quadripartita virtus*, qui s'oppose aux " quatuor animi pertubationes ". Les quatre angles égaux d'un carré sont le symbole de la justice, dont l'égalité est la mère. Au lieu de tourner à la manière d'une âme folle, l'homme parfait, dans son bel équilibre, est solidement fixé " par la constance des vertus ", à la manière d'un cube » (*Exégèse médiévale*, t. 4, Paris 1964, p. 28).

piorum gloria hic splendet, in futuro vero tenebrescet. Econtra sol die fulget, nocte vero non apparet ; quia *iusti fulgebunt sicut sol in regno Patris eorum*[p], hic vero vilescunt. Item sol nocte 140 inferiora, die vero superiora tenet ; iusti hic comprimuntur, ibi autem exaltabuntur. Per lunam mali signantur vel quia frigidi et nocturni, vel quia modo quasi lucent, dum ratione cogente se male agere recognoscunt, modo vero tenebrescunt, dum ad iniquitatem redeunt.

145 S. Bonos et malos ad iudicium congregabit. Et bonos quidem in dextera, malos vero in sinistra constituet[q].

T. Id est malos ad poenam, bonos ad gloriam.

V. Id est apostolos elegisset et ea quae ante passionem facienda erant fecisset.

150 X. Occultus : humanitate tectus.

Y. Unde et dixit : *Scimus qui sis, Sanctus Dei*[r].

Z. Quando eum occidi fecit.

A′. Ecclesiam a Christo, capite suo, abscidere volebat.

B′. Humanitatem quae caput, id est divinitatem, Christi 155 adumbrabat et tegebat, ad terram per mortem carnis deiecit, sed deitas illaesa permansit.

C′. Id est ensis.

D′. Corpus diaboli, id est infidelis populus, finditur dum alii ad fidem venientes dexteram petunt, alii fidem persequentes, ad 160 sinistram ruunt.

E′. Id est ad fidem Christianam conversus est.

F′. Id est haeretici.

G′. Id est Ecclesiam.

H′. De Simone mago hoc dicitur[s].

165 I′. Quia Christianum se simulavit.

K′. Distributor spiritalium gratiarum.

L′. Quia non ad Dei laudem hoc facere cogitabat, sed ut pecunias sibi acquireret.

143 modo vero tenebrescunt *om.* *C* || 159 dexteram *scripsi :* dextera *CD*

p. Matth. 13, 43 || q. Cf. Matth. 25, 32-33 || r. Mc 1, 24 || s. Cf. Act. 8, 9 s.

1. Le thème du corps du diable *(corpus diaboli)*, auquel fait également allusion la *Par.* 1, 3, se rencontre chez plusieurs auteurs du haut

gloire des impies resplendit ici-bas, mais elle s'obscurcira à l'avenir. Le soleil au contraire resplendit le jour mais n'est pas visible la nuit : car *les justes resplendiront comme le soleil dans le royaume de leur Père*[p], mais ici-bas ils sont mésestimés. De même, la nuit le soleil occupe les régions inférieures, le jour les régions supérieures : les justes sont écrasés ici-bas, mais là-haut ils seront exaltés. La lune désigne les méchants soit parce qu'ils sont froids et appartiennent à la nuit, soit parce que tantôt ils sont en quelque sorte lumineux — lorsque la raison les contraint à reconnaître qu'ils agissent mal —, tantôt ils s'obscurcissent en retournant à leur iniquité.

S. Il rassemblera bons et méchants pour le jugement. Il placera les bons à droite, et les méchants à gauche[q].

T. Les méchants au châtiment, les bons à la gloire.

V. C'est-à-dire lorsqu'il eût choisi les Apôtres et fait ce qui devait l'être avant la Passion.

X. Caché, recouvert par son humanité.

Y. Aussi dit-il : *Nous savons qui tu es, le saint de Dieu*[r].

Z. Lorsqu'il le fit mettre à mort.

A'. Il voulait couper l'Église de sa tête, le Christ.

B'. Par la mort selon la chair, il jeta à terre l'humanité qui masquait et recouvrait la tête du Christ, c'est-à-dire sa divinité ; mais la nature divine demeura intacte.

C'. C'est-à-dire l'épée.

D'. Le corps du diable, c'est-à-dire le peuple infidèle[1], est fendu en deux lorsque les uns, venant à la foi, s'en vont à droite, tandis que les autres, en la persécutant, se ruent vers la gauche.

E'. C'est-à-dire se convertit à la foi chrétienne.

F'. C'est-à-dire les hérétiques.

G'. C'est-à-dire l'Église.

H'. Il s'agit de Simon le magicien[s].

I'. Parce qu'il fit semblant d'être chrétien.

K'. Dispensateur de grâces spirituelles.

L'. Parce qu'il songeait à faire cela non pour la louange de Dieu, mais afin de se procurer à lui-même de l'argent.

Moyen Âge. Voir Y. CONGAR, *L'Église de saint Augustin à l'époque moderne*, Paris 1970, p. 35 ; 46-49.

M′. Hoc ideo dicit, quia vere ab alto corruens interiit.
170 N′. Id est per simoniacam haeresim.
O′. Id est per pecuniam.
P′. De Arrio hoc dicitur, qui prius clam errorem suum quibusdam sussurrabat, sed postea publicavit.
Q′. Id est celari.
175 R′. Christianum se esse profitens.
S′. Sicam dicit gladium, quia cor eius conscius erat nequitiae in Deum.
T′. Haeretici a bonis verbis semper incipiunt.
V′. Id est divinitatem Christi blasphemabat, dicens eum
180 minorem Patre etiam secundum divinitatem.
X′. Id est amici regis.
Y′. Quia huic haeresi tam laici quam clerici resistebant.
Z′. Sancti viri huic errori se opponentes, fidem veram defenderunt, sed ipsi ab Arrianis multa passi vel occisi sunt.
185 A″. Hoc ideo dicit quia intestina vere et omnia interiora eius[t] in latrina ceciderunt.
B″. De Antichristo hoc dicitur.
C″. Id est contra Deum.
D″. Ita *ut etiam ignem de caelo descendere faceret*[u].
190 E″. Ad hoc tendebat ut Christus <non> Deus esse crederetur, sed magus.
F″. In solario caelestis regni.
G″. Quasi clausa fenestra non eum videbat, cum illum regnare permittebat ; sed tunc quasi respicit, cum punire decernit.
195 H″. Hoc ideo dicit quia fulmine percussus, ut aiunt, interibit.

178 verbis *om. C* || 181 *glosam* X' *om. C* || 183 errori : haeresi *C* || 190 <non> Deus *scripsi :* Deus *D om. C*

t. Cf. Sir. 19, 23 || u. Apoc. 13, 13

M′. On dit cela parce qu'il se tua effectivement en tombant d'une hauteur.

N′. C'est-à-dire par l'hérésie simoniaque.

O′. C'est-à-dire l'argent.

P′. Ceci est dit d'Arius ; il commença en effet par chuchoter son erreur à quelques-uns, mais la publia ensuite.

Q′. C'est-à-dire dissimulé.

R′. En se donnant pour chrétien.

S′. L'épée est ici appelée poignard parce qu'en son cœur il avait conscience de sa fourberie envers Dieu.

T′. Les hérétiques commencent toujours par de bonnes paroles.

V′. C'est-à-dire qu'il blasphémait la divinité du Christ, le disant inférieur au Père, même selon la divinité.

X′. C'est-à-dire les amis du roi.

Y′. Parce que laïcs aussi bien que clercs ont résisté à cette hérésie.

Z′. Les hommes saints préservèrent la vraie foi en s'opposant à cette erreur, mais eurent eux-mêmes beaucoup à souffrir des ariens ou furent mis à mort par eux.

A″. Ceci est dit parce que ses intestins et toutes ses entrailles[t] tombèrent effectivement dans les latrines.

B″. Il s'agit de l'antéchrist.

C″. C'est-à-dire « Contre Dieu ».

D″. De telle sorte qu'*il faisait même descendre le feu du ciel*[u].

E″. Il visait ceci : qu'on ne croie pas que le Christ est Dieu, mais bien le magicien.

F″. Dans la chambre haute du royaume des cieux.

G″. Tant qu'il lui permettait de régner, c'était comme si, la fenêtre fermée, il ne le voyait pas ; mais il regarde en quelque sorte lorsqu'il décide de sévir.

H″. Parce qu'il mourra foudroyé, à ce qu'on dit.

XIII

DE VERIS ET FALSIS FRATRIBUS PARABOLA

1. Duo pauperes fratres cuidam patrifamilias pecuniam debebant. Qui cum debitum exigeret, nec ipsi reddere possent, timentes creditoris iram, supplices ad eum ve-niunt, si quid forte remissionis invenire queant [a]. Quibus
5 ipse ait : « Quia paupertate faciente quod mihi reddatis non habetis, habeo, ut ipsi nostis, vineam quamdam optimam : paciscimini mihi, ut eam singulis annis colatis, et a debito vos absolvo. Sed quia et ipsi vos habetis unusquisque vineam vestram (A), haud longe a mea
10 positam (B), in eodem pacto ponite ut numquam amplius vestris vineis, mea neglecta, operam detis. Mea enim vinea talis est ut assiduam exigat culturam. Quia vero hoc modo rei vestrae familiari providendae ulterius spa-tium non habetis, ex domo mea (C) amodo victum et
15 vestitum accipietis. »

Hac igitur conventione suscepta, alter quidem promis-sum fideliter opus fidelius adimplebat, alter vero, uno-quoque mane egrediens ut quasi ad domini sui vineam iret, ad suam veluti furtim divertebat (D) totamque ei
20 operam suam dabat, tanto eam procurans studio ut decore vernaret non minimo.

13-14 non habetis spatium *C*

13

VRAIS ET FAUX FRÈRES : PARABOLE

1. Deux frères pauvres devaient de l'argent à un chef de famille. Il réclamait son dû et ils ne pouvaient le lui rendre ; craignant la colère de leur créancier, ils viennent à lui tout suppliants : peut-être pourront-ils se faire remettre quelque chose...[a] ? Lui leur dit : « Du fait de votre pauvreté vous n'avez pas de quoi me rendre ; or, vous le savez, j'ai une très bonne vigne. Engagez-vous par contrat avec moi à la cultiver année après année, et je vous remets votre dette. Mais puisque vous avez chacun votre vigne (A) située non loin de la mienne (B), stipulez dans ce contrat que vous ne vous occuperez plus jamais de vos propres vignes en négligeant la mienne. En effet, ma vigne est de celles qui exigent une culture incessante. Vous n'aurez donc plus le loisir de pourvoir à votre entretien ; aussi recevrez-vous désormais de ma maison (C) le vivre et le vêtement. »

Cette convention une fois acceptée, l'un d'eux accomplit la tâche fidèlement promise avec plus de fidélité encore. L'autre, qui sortait chaque matin comme pour se rendre à la vigne de son maître, s'en allait furtivement à la sienne (D) et lui donnait tous ses soins, s'en occupant avec tant d'application qu'elle devint fort belle et florissante.

a. Cf. Matth. 18, 23-26

Post multum temporis (E) cum utriusque factum ex ordine perlatum esset, convocatis ad se illis : « Huic, inquit, qui fideliter egit, egregiam illam vineam meam 25 do ; et quia mea suis praetulit, et ego *super omnia bona mea constituam eum*[b]. Seductor vero qui suam tam diligenter vineam, mea neglecta, percoluit, neutram (F) habeat, sed infamis et aerumnosus deinceps permaneat. »

2. Ecce haec est parabola ; eius vero expositio talis 30 est. Paterfamilias Christus est. Duo debitores fratres nos sumus, in electos et reprobos divisi, iuncti quidem origine et pauperes religione. Qui debitores Deo sumus, quia quot peccata fecimus tot debita debemus. Hoc debitum exigimur cum nobis dicitur : *Facite ergo dignos fructus* 35 *paenitentiae*[c]. Sed quis potest de tot et tantis commissis digne satisfacere ? Quid ergo faciemus ? Supplicemus ei si forte remittat debitum. Sed quid respondet nobis ? « Suscipite vineam meam colendam et dimittite vestras, et ego pasco vos et induo. » Quibus verbis designantur 40 illi qui, videntes se reos et culpabiles Deo, irae eius timore perterriti, huic saeculo velut propriae vineae renuntiantes, ad Deum convertuntur eique se servituros, quasi in vinea eius laboraturos profitentes, monasterium ingressi, ecclesiastica stipe aluntur. Sed ad instar duorum 45 fratrum horum, alii ex his devote incepta devotius peragunt ; alii vero specietenus conversi, in Dominica quidem vinea laborare putantur, sed suam potius excolunt, dum sub religionis habitu quae *sua* sunt *quaerunt, non quae Jesu Christi*[d], sanctitatem exterius praetendentes,

32 et *conieci :* sed *CD*

b. Matth. 24, 47 || c. Lc 3, 8 || d. Phil. 2, 21

Longtemps après (E), quand l'un et l'autre eurent mené à bout leur ouvrage, le maître les convoque chez lui : « A celui qui a agi avec fidélité, dit-il, je donne ma vigne, vigne de choix : puisqu'il a préféré mes intérêts aux siens, moi aussi *je l'établirai sur tous mes biens*[b]. Quant à ce fourbe qui a mis tant de soin à cultiver à fond sa propre vigne tout en négligeant la mienne, qu'il n'ait ni l'une ni l'autre (F), et désormais qu'il demeure toujours décrié et accablé de misères. »

2. Voilà la parabole. L'explication en est la suivante. Le chef de famille est le Christ. Les deux frères débiteurs nous représentent nous-mêmes, partagés en élus et réprouvés, unis par l'origine, et pauvres en vie spirituelle. Nous sommes débiteurs de Dieu, et nos dettes envers lui sont au nombre des péchés que nous avons commis. On nous réclame cette dette lorsqu'on nous dit : *Produisez donc de dignes fruits de pénitence*[c]. Mais qui peut satisfaire convenablement pour tant d'offenses, et quelles offenses ! Qu'allons-nous faire ? Supplions-le : si par hasard il nous remettait notre dette ? Que nous répond-il ? « Chargez-vous de cultiver ma vigne et renoncez aux vôtres ; je vous donne nourriture et vêtement. » Ces paroles font allusion aux hommes qui, se voyant débiteurs et coupables envers Dieu, atterrés par la crainte de sa colère, se tournent vers lui en renonçant à ce monde, leur propre vigne, et en faisant profession de le servir, autrement dit d'aller travailler à sa vigne à lui ; une fois entrés au monastère, ils sont entretenus aux frais de l'Église. A l'instar de ces deux frères, les uns commencent par un vrai don d'eux-mêmes, et vont jusqu'au bout en se donnant plus encore. Les autres ne sont convertis qu'en apparence. On croit qu'ils travaillent à la vigne du Seigneur, mais c'est plutôt la leur qu'ils cultivent *en recherchant* sous l'habit religieux *leurs propres intérêts, non ceux de Jésus-Christ*[d]. Extérieurement, ils affichent la

50 cum sint interius saeculares, *similes sepulcris* extra *dealbatis, intus* vero spurcissimis [e]. Paterfamilias ei qui fideliter egit dedit vineam suam, quia Christus bene operantibus dabit vitam aeternam. Subdolus vero ille neutram habuit, quia reprobus quisque et ab hac vita expellitur quam 55 amavit et gloriam Dei non assequitur quam non concupivit. Quod autem paterfamilias, cum fidelem operarium remuneraret, ait : « Et ego *super omnia bona mea constituam eum* », hoc est quod et alibi dicitur : *Amen dico vobis, super omnia bona sua constituet eum* [f].

60 **3.** Etenim electus quisque *super omnia bona* etiam caelestia tunc constituitur, quando supernis civibus iungitur, quia inter illos bona omnium per caritatis communionem fiunt singulorum. Quia enim unusquisque eorum ceteros omnes in nullo minus amat quam seipsum, ideo 65 de gloria eorum in nullo minus gaudet quam de propria. Ergo gloria omnium eius est. Tot igitur habet glorias quot socios. Merito boni viri quoscumque possunt secum ad caelum trahunt, habituri tot beatitudines quot consortes. Cum videris eos passim *praedicare, instare* 70 *opportune, importune* [g], noli mirari : glorias quaerunt, coronas multiplicant, coheredes aggregant, ut eis multiplicatis et hereditas amplificetur. Sibi proficiunt dum alios trahunt, et in ceterorum profectu sua lucra quaerunt.

58-59 hoc est — constituet eum *suo loco inserui : glosa marginalis CD* || 59 sua *scripsi :* m. (= mea) *CD*

e. Matth. 23, 27 || f. Matth. 24, 47 || g. II Tim. 4, 2

1. Les § 3-7 de la *Par.* 13 présentent des parallèles frappants avec les ch. 25-26 du *Proslogion* de S. Anselme (éd. M. Corbin, Paris 1986, p. 118-122) ; ce morceau anselmien est repris de la même façon dans le *Manuale,* texte pseudo-augustinien dont l'attribution est controversée, mais qu'il faut probablement situer à la fin du XIIe siècle (voir les ch. 35-36 : *PL* 40, 966-968).

2. Doctrine particulièrement chère à Aelred de Rievaulx : « Il règne entre les frères une telle unité, une telle harmonie, que ce qui est

sainteté tout en étant intérieurement séculiers, *semblables à des sépulcres blanchis* au-dehors mais parfaitement immondes *au-dedans*[e]. Le maître de maison a donné sa vigne à celui qui a agi avec fidélité, parce que le Christ donnera la vie éternelle aux bons ouvriers. Cet individu fourbe n'a eu ni l'une ni l'autre, parce que le réprouvé se trouve à la fois chassé de cette vie-ci qu'il a aimée, et privé de la gloire de Dieu qu'il n'a pas désirée. Ce que le chef de famille dit en récompensant l'ouvrier fidèle : « Moi aussi, *je l'établirai sur tous mes biens* », l'Écriture le dit également : *Amen, je vous le dis, il l'établira sur tous ses biens*[f].

3[1]. L'élu est en effet établi sur tous les biens, même célestes, du moment qu'il est réuni aux citoyens d'en haut, car entre eux, par une communion de charité, les biens de tous deviennent ceux de chacun[2]. Puisque chacun d'entre eux n'aime pas moins tous les autres qu'il ne s'aime lui-même, il ne se réjouit pas moins de leur gloire que de la sienne propre. La gloire de tous est donc sienne. Il a par conséquent autant de gloires que de compagnons. C'est à juste titre que les hommes bons entraînent au ciel avec eux tous ceux qu'ils peuvent : ils auront autant de bonheurs que d'associés. Les vois-tu partout *prêcher, insister à temps et à contretemps*[g], ne t'étonne pas : ils cherchent des gloires, ils multiplient leurs couronnes, ils réunissent des cohéritiers pour que l'héritage s'accroisse à mesure que ces derniers se multiplieront. En entraînant les autres, c'est à eux-mêmes qu'ils profitent, et ils cherchent leur avantage dans le progrès d'autrui.

à chacun est considéré comme appartenant à tous, et tout à chacun » (*Spec. car.* II, 43 : *CCM* 1, p. 87). Voir à ce sujet C. DUMONT, « Chercher Dieu dans la communauté selon Aelred de Rievaulx », *Coll. Cist.* 34, 1972, p. 14-16 ; « Le personnalisme communautaire d'Aelred de Rievaulx », *ibid.* 39, 1977, p. 133-145.

Habeant, volo, aliam gloriam angeli, aliam archangeli, aliam throni, aliam dominationes, et ceteri similiter ordines ; sed inter ipsos unius eiusdemque ordinis angelos sit alia — si placet — istius gloria, alia illius. Sit alia Michaelis, alia Gabrielis, sicut et Paulus post resurrectionem nos varias habituros glorias insinuat, per similitudinem ita inferens : « *Alia* est gloria (G) *solis, alia* gloria *lunae, alia* gloria *stellarum*[h]. » Habeant quoque aliam Petrus, aliam Paulus, et ceteri omnes sancti. Ego si ibi fuero, quidquid omnes possident et ego possidebo. Possidebo amando quod illi perfruendo, possidebo in illis quod non habuero in me. Sim ibi utinam vel ultimus et omnium minimus ! Quid enim hoc iam ad me, cum qui fuero in me parvus, futurus sim in aliis magnus ; et qui in me inglorius, in aliis innumeras glorias habiturus ? Ero ibi forte *minor inter natos* feminarum, sed in *Iohanne Baptista* non *erit maior* me *inter natos mulierum*[i] !

4. Ecce qualis est caritas, quae tanta nobis bona praestat. Ecce quid perdit qui eam non habet. Et quidem multa eius beneficia iam enumeravi, sed quantum ad ea quae restant, parva sunt quae dixi. Adeamus iam intimum secretarium eius ipsamque ut nobis aperiat invocemus. Dicamus ei : « O beata et gloriosa caritas, regina omnium virtutum, alumna omnium iustorum, mater totius boni, fons totius dulcedinis, ita omnem creaturam naturali concordiae vinculo nectis, <ut> sine tuo vel

99 <ut> *supplevi : om. CD*

h. II Cor. 15, 41 || i. Lc 7, 28

1. Le dynamisme « d'amorisation » cosmique avait été chanté jadis par Empédocle d'Agrigente. Parmi les cisterciens, AELRED DE RIEVAULX lui donne une grande importance : « Le feu est chaud, l'eau fuyante, l'air lumineux, la terre sombre. Ces éléments si contraires entre eux, l'Amour les réunit et les cimente pour former toute la création matérielle, de façon à ce que non seulement le fait d'être ensemble ne présente pour ces réalités aucun inconvénient, mais que le fait de ne pas l'être soit la dissolution d'un assemblage naturel » (*Sermo in Penth.* dans

Je veux bien, autre est la gloire des anges, autre celle des archanges, autre celle des Trônes, autre celle des Dominations, et ainsi de suite pour les autres ordres ; cependant, n'est-ce pas, à l'intérieur même d'un ordre angélique la gloire de l'un diffère de celle de l'autre. Autre serait la gloire de Michel, autre celle de Gabriel, de même que Paul insinue qu'après la résurrection nous aurons des gloires différentes — il met cela en avant au moyen d'une comparaison : « *Autre* est la gloire (G) *du soleil, autre* la gloire *de la lune, autre* la gloire *des étoiles*[h]. » Autre aussi celle de Pierre, autre celle de Paul et de tous les autres saints. Si je suis là-haut, je posséderai, moi, tout ce que possèdent les autres. Je posséderai par l'amour ce dont ils jouiront, je posséderai en eux ce que je n'aurai pas en moi. Puissé-je être là-haut ne serait-ce que le dernier, le plus petit de tous ! Qu'est-ce que cela peut me faire en effet puisque, petit en moi-même, je serai grand en autrui ; sans gloire en moi-même, en autrui j'en aurai d'innombrables ? Là-haut peut-être serai-je *le plus petit des enfants* des femmes, mais en *Jean-Baptiste il* n'*y aura* pas *parmi eux de plus grand que* moi[i] !

4. Telle est la charité, qui nous procure de si grands biens. Voilà ce que perd quiconque ne la possède pas. Je viens certes d'énumérer nombre de ses bienfaits, mais par rapport au reste ce que j'ai dit est peu de chose. Approchons-nous donc maintenant de son sanctuaire intime, invoquons-la pour qu'elle nous ouvre. Disons-lui : « O bienheureuse et glorieuse charité, reine de toutes les vertus, nourrice de tous les justes, mère de tout bien, source de toute douceur, tu lies toute la création d'un lien naturel de concorde[1], de telle sorte que sans ton

Sermones In., éd. Talbot, Rome 1952, p. 112). Voir *Spec. Car.* I, 21, 59 (*CCM* I, p. 37) ; *Spir. amic.* I, 53-56 (*ibid.*, p. 298). A ce sujet, cf. G. RACITI, « L'apport original d'Aelred de Rievaulx à la réflexion occidentale sur l'amitié », *Coll. Cist.* 29, 1967, p. 93-94.

100 quantulocumque munere nihil vivere, nihil durare possit. Potestatis tuae ius inter ipsum Patrem et Filium et Spiritum Sanctum adeo viget ut, cum sint tres, sint et unum. Tu olim Deum ad terram descendere fecisti. Tu cotidie homines ad caelos ascendere facis. Tu merita sanctorum 105 omnium nobis, ut praedixi, communicas : aliorum labores aliis sine labore praebes [j]. Pro his omnibus gratias agimus. Verumtamen universa haec non magni pendimus, nisi ipsius divinitatis nos participes efficias [k]. Sine illa *nihil habemus* ; cum illa *omnia possidemus* [l]. Age iam, quaeso, 110 dic tu ipsa, an hoc quod poscimus, nobis sis factura. »

5. « *Pax vobis*, ait illa, *nolite timere* [m] ; sed magis ex his quae iam vos accepisse cognoscitis, etiam ea quae iam petitis vos accepturos sic conicite. Si boni quique, vel angeli vel homines, in tantum vos amant, ut totius 115 boni participes sui faciant, Deus, cum sit ipsa caritas, multo magis vos amabit, et multo magis vos amando, multo maiora vobis dabit. Si rivuli sic abundant, fons ipse multo amplius superabundabit. Sed hoc notate, quia melior est qui plus amat quam qui minus, et qui largior 120 est quam qui minus. Deus ergo quantum melior est quam illi, tantum plus vos amabit quam illi, et tantum plus vos ditabit quam illi. Illi communicabunt vobis merita sua ; ille se ipsum. *Quomodo* ergo *non cum illo omnia* accipietis [n] ?

125 Ergo ego caritas, quae omnium supernorum civium glorias faciam esse vestras, ut quod illi habuerunt pos-

100 quantulumcumque *C* ‖ possit *scripsi* : potest *CD* ‖ 106 Pro : porro *C* ‖ 108 efficias : efficis $C^{ac}D$ ‖ 121 vos plus *C*

---

j. Cf. Jn 4, 38 ‖ k. Cf. II Pierre 1, 4 ; Hébr. 3, 14 ‖ l. II Cor. 6, 10 ; Cf. I Cor. 13, 2 ‖ m. Lc 24, 36 ‖ n. Rom. 8, 32

---

1. Cf. S. Bernard : « Qu'est-ce donc qui dans la souveraine et bienheureuse Trinité conserve cette unité souveraine et ineffable, sinon la charité ? C'est donc une loi, et la loi de Dieu, que la charité, elle qui

concours, si faible soit-il, rien ne peut vivre ni durer. Ton droit puissant est si fort en vigueur entre le Père, le Fils et l'Esprit-Saint eux-mêmes qu'étant trois ils n'en sont pas moins un[1]. Jadis tu as fait descendre Dieu sur terre. Tous les jours tu fais monter les hommes au ciel. Comme je l'ai dit plus haut, tu nous communiques les biens de tous les saints : aux uns, sans travail de leur part, tu offres les travaux des autres[j]. Nous rendons grâces pour tout cela. Mais nous ne ferons pas grand cas de tous ces biens réunis, si tu ne nous fais pas participer à la divinité même[k]. Sans elle *nous n'avons rien* ; avec elle *nous possédons tout*[l]. Parle maintenant, nous t'en prions, réponds-nous toi-même : feras-tu pour nous ce que nous demandons ? »

5. « *Paix à vous,* dit-elle, *ne craignez pas*[m] ; d'après ce que vous reconnaissez avoir déjà reçu, déduisez plutôt que vous recevrez ce que vous demandez maintenant. Si les bons, anges ou hommes, vous aiment au point de vous rendre participants de tous leurs biens, Dieu, qui est la charité même, vous aimera beaucoup plus et, vous aimant beaucoup plus, vous en donnera de beaucoup plus grands. Si les ruisseaux débordent ainsi, la source même surabondera bien plus encore. Mais, notez-le, celui qui aime davantage est meilleur que celui qui aime moins, et celui qui est plus généreux est meilleur que celui qui l'est moins. Dieu vous aimera donc d'autant plus que tous qu'il est meilleur que tous, et vous enrichira d'autant plus. Eux vous communiqueront leurs mérites, lui son être même. Et *comment avec lui ne* recevrez-vous *pas tout*[n] ?

Moi donc, la charité, qui ferai que soient vôtres les gloires de tous les citoyens d'en haut afin que vous ayez

tient en quelque sorte ensemble la Trinité dans l'unité et la réunit par le lien de la paix » (*Dil* 12, 35 : *SBO* 3, p. 149).

sidendo, vos etiam habeatis amando, nec minus vos delectent omnino bona eorum quam ipsa vestra, eo quod non minus omnino eos amaveritis quam vos ipsos, etiam 130 istud adhuc beneficium vobis superaddo, ut Dei ipsius gloriam faciam esse vestram. Quae utique sicut est maior quam et ipsae vestrae et omnium aliorum, ita plus vos delectabit quam et vestrae et omnium aliorum. Illa enim fons est, aliorum vero vasa sunt de fonte repleta.

135 **6.** Et magna iam quidem sunt quae nunc polliceor, sed multo maiora adhuc vobis facere meditor. Nam constat tunc vos amaturos Deum plus quam vos ipsos et plus quam omnes alios. Ergo plus vos solus delectabit Deus quam vos ipsi et omnes alii, quia quod plus ama-140 mus plus nos delectat. Quia quisque *diliget proximum suum tamquam seipsum*[o], gaudium quod habebit de se et de proximo par erit, nisi quia de proximis tot gaudia habebit quot ipsi erunt.

Sed haec omnia gaudia, quamvis magna, quamvis 145 innumera, si quasi simul iungantur et in una statera ponantur, non adaequabuntur illi uni gaudio quod habebitis de Deo, quia pro modo amoris erit et modus gaudii. Quod si forte cotidiano processu contingat hunc amorem in vobis crescere, consequens erit, ut quantum 150 amor creverit, tantum et gaudium vestrum crescat. Quod vero amor semper crescere habeat, hoc modo probate. Secundum hoc quod scriptum est : '*In quem desiderant angeli* proficere[p]', credibile est omnes supernos cives in

127 etiam *om.* *C* || 151 crescere habeat semper *C* || 153 proficere : prospicere vel proficere *interpolant cum Vulg.* *CD*

o. Mc 12, 33 || p. I Pierre 1, 12

1. Conception proche de la doctrine de l'épectase chez Grégoire de Nysse. Voir J. DANIELOU, *Platonisme et théologie mystique*, Paris 1954, p. 291-307 ; *DSp* 4[1], c. 785-788. Comparer avec S. BERNARD, *SCC* 84, 1

en aimant ce qu'ils possèdent en propre, et que leurs biens ne vous réjouissent pas moins que les vôtres, puisque vous ne les aimerez pas moins que vous-mêmes, je vous ajoute encore un bienfait de plus : je ferai vôtre la gloire de Dieu lui-même. Comme elle est plus grande, et que la vôtre, et que celles de tous les autres, elle vous réjouira plus, et que la vôtre, et que celles de tous les autres. Elle est en effet la source ; celles des autres sont des récipients remplis à la source.

6. Et certes je vous promets déjà là de grandes choses ; mais je médite d'en faire pour vous de bien plus grandes encore. Il est évident qu'alors vous aimerez Dieu plus que vous-mêmes et plus que tous les autres. A lui seul, Dieu vous réjouira donc plus que vous-mêmes et que tous les autres : ce que nous aimons davantage nous réjouit en effet davantage. Puisque chacun *aimera son prochain comme lui-même* [o], la joie qu'il recevra de lui-même et celle que lui donnera son prochain seront identiques, si ce n'est qu'il y aura autant de joies venant du prochain qu'il y aura de 'prochains' !

Mais toutes ces joies, aussi grandes, aussi innombrables soient-elles, si on les réunissait en quelque sorte pour les placer dans une balance, n'égaleraient pas cette unique joie que vous aurez de Dieu, parce que la mesure de la joie sera celle de l'amour. Si d'aventure, il arrive que cet amour croisse en vous par un progrès quotidien, il s'ensuivra qu'autant croîtra votre amour, autant croîtra votre joie. Or que l'amour ait toujours à croître [1], vérifiez-le de la façon suivante. Selon ce qui est écrit : '*En qui les anges désirent* progresser [p 2]', on peut croire que tous

(*SBO* 2, p. 303) ; AELRED DE RIEVAULX, *Inst. inclus.* 33 (*SC* 76, p. 164) ; ISAAC DE L'ÉTOILE, *Serm.* 5, 21 (*SC* 130, p. 158) ; etc.

2. La Vulgate a ici *prospicere*, « regarder », et non *proficere*, « progresser ». Galand aura retouché la citation afin de souligner l'idée de progression, centrale dans tout ce passage.

Dei visione semper magis ac magis crescere, eosque co-
155 tidie dulcedinem quamdam, nondum sibi antea expertam, contemplando haurire, quam eo suavius sentiant quo magis ad interiora penetrant, ita ut numquam sit ullus omnino finis et ad interiora magis penetrandi et eam suavius sentiendi. Haec suavitas quo magis crescet in
160 vobis, eo amor vester magis crescet in Deum ; et quantum amor crescet, tantum crescet et gaudium, quia suavitas pariet amorem et amor gaudium, ita ut par sit incrementum et suavitatis et amoris et gaudii. »

7. Hoc ergo gaudium et aeternum erit et semper cres-
165 cet. Res vero quae numquam finit et numquam crescere cessat, quanta, quaeso, fit ; quanto, rogo, crescit ? Quae est, obsecro, ista enormitas, quae tanta immensitas ? Cuius cor vel viscera capient hoc gaudium ? An forte pleno corde, pleno corpore, plenis omnibus membris et
170 omnibus sensibus, plena omni substantia humana, adhuc restabit gaudium ? Aut si hoc est illud gaudium de quo dicitur bono servo : *Intra in gaudium Domini tui*[q], quaero utrum intraturi sumus in hoc gaudium, an gaudium in nos. Sed quod intraturi sumus in gaudium, testimonium
175 modo prolatum probat. Quod autem gaudium intraturum sit in nos, vide si non probatur hoc alio testimonio quo dicitur : *Iterum autem videbo vos et gaudebit cor vestrum*[r]. Si enim cor gaudebit, cum cor sit intra nos, ergo gaudium erit intra nos. Restat ergo intelligendum quod nos intra
180 gaudium erimus et gaudium intra nos, sicque hoc gau-

166 quanto *scripsi* : quanta *CD*

q. Matth. 25, 21 || r. Jn 16, 22

1. Comparer S. Anselme : « Ce n'est donc pas toute cette joie qui entrera en ceux qui se réjouiront, mais ceux qui se réjouiront entreront

les citoyens d'en haut croissent toujours de plus en plus dans la vision de Dieu, et qu'ils puisent tous les jours dans cette contemplation une douceur dont ils n'avaient pas encore l'expérience et la ressentent avec d'autant plus de suavité qu'ils y pénètrent plus intimement ; de telle sorte que vous ne cesserez absolument jamais ni d'y pénétrer toujours plus intimement ni de la ressentir avec plus de suavité. Autant cette suavité grandira en vous, autant votre amour pour Dieu grandira ; et autant votre amour grandira, autant grandira aussi votre joie, car la suavité engendrera l'amour et l'amour la joie, de sorte que suavité, amour et joie augmenteront de pair. »

7. Donc, et cette joie sera éternelle, et elle croîtra toujours. Or, je vous le demande, quelles proportions atteindra une réalité qui n'a pas de fin et ne cesse de s'accroître ; jusqu'où s'accroît-elle, je vous prie ? Quelle est, je vous en supplie, cette quantité énorme ? Qu'est-ce que pareille immensité ? Se trouve-t-il quelqu'un dont le cœur ou les entrailles puissent contenir cette joie ? Ou peut-être qu'une fois rempli le cœur, rempli le corps, remplis tous les membres et tous les sens, remplie toute la substance de l'homme, il restera encore de la joie ? Ou s'il est question de cette joie dont il est dit au bon serviteur : *Entre dans la joie de ton Seigneur*[q], je demande : entrerons-nous dans cette joie, ou cette joie entrera-t-elle en nous[1] ? Que nous entrerons dans la joie, le témoignage cité à l'instant l'établit ; que la joie entrera en nous, vois si ce n'est pas prouvé par cet autre témoignage : *Je vous reverrai et votre cœur se réjouira*[r]. Le cœur se réjouira, en effet : puisque le cœur est au-dedans de nous, la joie sera au-dedans de nous. Il nous faut donc comprendre que nous serons dans la joie et la joie

tout entiers dans la joie » (*Proslogion* 26 : éd. et trad. M. Corbin, Paris 1986, p. 284-285).

dium et intra nos erit et extra. Ubicumque vero sit, plenum erit, secundum quod dicitur : *Et gaudium vestrum sit plenum*[s]. Forte hoc modo probatur illa sententia modo ante a me prolata, qua dixi pleno toto homine hoc
185 gaudio, adhuc restare gaudium. Nam si hoc gaudium in homine erit et plenum erit, ergo plenus homo erit hoc gaudio. Quod si extra hominem erit, ergo pleno homine hoc gaudio adhuc gaudium supererit. Valde omnino magnum et vere summum est hoc bonum quod audivimus,
190 si tamen sit perpetuum. Ideo secutus, Dominus addidit : *Et gaudium vestrum nemo tollet a vobis*[t]. Ipsi gloria in saecula. Amen.

A. Vinea nostra, vita saecularis ; vinea Christi, vita religiosa vel vita aeterna, quae idem sunt in eo quod unum per aliud
195 habetur, ut Dominus ait : *Haec est autem vita aeterna ut cognoscatis*, et cet.[u].

B. Brevis via de peccato ad veniam, id est dicere ex corde : « Peccavi, mea culpa » ; secundum quod scriptum est : « *In quacumque* hora vel *die* peccator *conversus* ingemuerit, *salvus*
200 *erit*[v]. » Item de bono ad malum facile quis labi potest.

C. Domus Dei coenobia sunt, unde victum habent monachi.

D. *Confitentur se nosse Deum, factis autem negant*[w].

E. Id est in die iudicii.

F. Nec praesentem nec futuram vitam.

205 G. Vel *claritas*.

191 nemo *om.* *C* || 193 religiosa vita *C* || 205 claritas : caritas *C*

s. Jn 16, 24 || t. Jn 16, 22 || u. Jn 17, 3 || v. Éz. 33, 12 ; Act. 2, 21 ; Rom. 10, 13 ; cf. Matth. 24, 36.50 ; 25, 13 || w. Tite 1, 16

en nous, et qu'ainsi cette joie sera à la fois au-dedans et en dehors de nous. Où qu'elle soit, elle sera complète, selon ce qui est dit : *Et que votre joie soit complète*[s]. Peut-être que se trouve ainsi démontrée l'opinion que j'ai avancée plus haut, à savoir qu'une fois l'homme tout entier rempli de cette joie il resterait encore de la joie. Car si cette joie doit être dans l'homme et doit être complète, elle remplira l'homme. Doit-elle être en dehors de l'homme, il restera encore de la joie une fois l'homme rempli de joie. Grand, oui très grand et vraiment souverain ce bien que nous venons d'entendre ! pourvu cependant qu'il soit éternel. Aussi, poursuivant, le Seigneur a-t-il ajouté : *Et votre joie, nul ne vous la ravira*[t]. A lui la gloire dans les siècles. Amen.

A. Notre vigne, c'est la vie séculière ; la vigne du Christ, la vie religieuse ou la vie éternelle, deux réalités identiques en ce sens que l'une présente les caractères de l'autre, selon la parole du Seigneur : *Et ceci est la vie éternelle : que vous connaissiez*, etc. [u]

B. Le chemin qui mène du péché au pardon est court. Il consiste à dire en son cœur : « J'ai péché, c'est ma faute », selon ce qui est écrit : « A l'heure ou *au jour où* le pécheur *converti* gémira, *il sera sauvé*[v]. » De même peut-on glisser facilement du bien au mal.

C. Les maisons de Dieu sont les « coenobia » ; les moines en reçoivent de quoi vivre.

D. *Ils déclarent connaître Dieu, mais leurs actes le démentent*[w].

E. C'est-à-dire au jour du jugement.

F. Ni la vie présente, ni la vie future.

G. Ou *l'éclat*.

XIV

DE INVIDIS ET LUBRICIS PARABOLA

1. Duo homines, unus dives, alter pauper, gravem incurrerant infirmitatem, singuli in uno pedum. Laborabant vero uterque ulcere pessimo, sed valde inter se dissimili. Nam pauperis pes arescebat et siccabatur magis
5 ac magis et turpi quodam livore occupabatur (A). At contra pes divitis solito corpulentior et rubicundior erat, foetidum emittens humorem (B). Itaque medicum (C) ambo pariter adeunt, opem sibi impendi rogantes. Qui quasdam herbas conterens (D) et ulceri apponens et linea
10 zona (E) constringens (F), domum eos remittit (G), spe recuperandae sanitatis data. Interea coepit utrisque os ulceris paulatim minorari et nova cute superducta sanari, vi herbarum foramen ipsum claudente. Cum ecce post paucos dies inclusus morbus, intercutanea sanie tumes-
15 cens, in redivivum ulcus cum acri dolore erumpit *et peior scissura fit*[a]. Itur denuo ad medicum, apponitur rursus idem medicamentum (H) ; sed iterum horaria atque, ut ita dicam, falsa sanitas accedit itemque postmodum rediviva aegritudo succedit.

20 **2.** Quid facerent illi ? Inito tandem concilio, ad alium medicum vadunt ; quid eis acciderit exponunt. Qui dixit

a. Matth. 9, 16

14

ENVIEUX ET IMPUDIQUES : PARABOLE

1. Deux hommes, l'un riche, l'autre pauvre, avaient chacun contracté une grave maladie à un pied. Tous deux souffraient d'ulcères pernicieux, mais très dissemblables. Le pied du pauvre se flétrissait et se desséchait de plus en plus et une hideuse tache livide l'envahissait (A). Le pied du riche, au contraire, était enflé, plus rouge que d'habitude et laissait échapper un liquide puant (B). Aussi vont-ils tous les deux ensemble chez un médecin (C), lui demandant de leur venir en aide. Ayant broyé quelques herbes (D), les ayant appliquées sur l'ulcère et enserré celui-ci (F) d'une bande de lin (E), il les renvoie à la maison (G) avec l'espoir de retrouver la santé. Sur ces entrefaites, la plaie de l'un et l'autre ulcère se met à diminuer un peu et à guérir ; une nouvelle peau poussait dessus et l'ouverture se fermait grâce à la vertu des herbes, quand voici qu'au bout de quelques jours l'abcès renfermé, se gonflant de pus sous la peau, éclate en un nouvel ulcère avec une vive douleur, *et une déchirure encore pire se forme*[a]. On va de nouveau chez le médecin, on applique une seconde fois le même remède (H) ; mais c'est de nouveau une guérison d'une heure, une fausse guérison pour ainsi dire, à laquelle succède pareillement une nouvelle rechute.

2. Que faire ? En fin de compte, ayant tenu conseil, ils vont chez un autre médecin et lui expliquent ce qui

eis : « Nisi radices (I) morbi ab ipso ulceris fundo evulsae fuerint, numquam veram vel perfectam sanitatem recipietis. Evulsio vero ipsa, quia sine dolore non fit, sunt
25 quidam pusillanimes, quos interim ligari oportet (K). » Ad hoc, ille cuius pes sanie profluebat, infirmum pedem praetendens : « Veni, ait, domine, evelle, incide, incende : videbis intrepidum me et securum persistere. Tanto enim taedio ipsius morbi affectus sum, ut nihil dubitem tole-
30 rare, dummodo queam evadere. » Sic huic soluto et alteri ligato, incisis a medico morbi radicibus, et medicaminibus quibusdam post incisionem appositis, ambo plenae redditi sunt sanitati.

Quo circumquaque audito, duo alii aegri ad eum pro-
35 perant, quorum primus nocturnis (L), secundus diurnis (M) febribus laborabat. Priori ergo dulcibus quibusque, secundo vero asperioribus uti saporibus praecepit, et sic ambo sanati sunt.

3. Ut aperiamus iam quid haec significent, sciendum
40 quia fides et operatio quasi duo pedes sunt, quibus ad Deum venitur. Qui ergo fidem rectam habens, opere deficit, quasi uno pede infirmatur. Infirmitas illa quae pauperis pedem exsiccabat et livoris deformitate tingebat, invidia est, quae se habentem facit alienae prosperitatis
45 dolore tabescere et odii livore nigrescere. Qui haec patitur pauper est, quia minorum est maioribus invidere. At contra morbus ille qui pedem divitis corpulentum, rubicundum, humentem et foetidum reddebat, luxuria est, quae carnis et sanguinis fotu et nutrimento gaudet et

23 vel : et *C* ‖ 27 incende, incide *C*

1. Galand de Reigny applique ici à l'envie ce que S. Bernard dit de l'orgueil : « Le Pharisien orgueilleux ... rend grâces, non de ce qu'il est bon, mais de ce qu'il est seul ; non tant des biens qu'il possède, que des maux qu'il voit chez autrui » (*Hum* 17 : *SBO* 3, p. 29). Ceci est cohérent avec sa perspective d'ensemble dans laquelle l'envie, en tant

leur est arrivé. Il leur dit : « A moins qu'on n'arrache du fond même de l'ulcère les racines du mal (I), vous n'obtiendrez jamais de guérison véritable ni parfaite. Mais cette opération ne va pas sans douleur, et certains sont pusillanimes ; il faut les attacher pendant ce temps (K). » A ces mots, celui dont le pied suintait du pus tend ce pied malade : « Viens, sire, dit-il, arrache, entaille, brûle ; tu verras, je resterai tranquille et intrépide. Je suis en effet si dégoûté de ce mal que je n'hésiterais pas à tout supporter, pourvu que je puisse en sortir. » Ainsi, ayant laissé l'un libre et attaché l'autre, le médecin tranche les racines du mal, applique certains remèdes après l'opération, et ainsi tous deux retrouvent une parfaite santé.

La nouvelle s'étant répandue tout à l'entour, deux autres malades viennent chez lui en hâte : le premier souffrait de fièvres nocturnes (L), le second de fièvres diurnes (M). Il prescrit au premier de faire usage de condiments plus doux, au second d'en employer de plus âpres, et ainsi les guérit tous deux.

3. Expliquons maintenant ce que tout cela signifie. Il faut savoir que la foi et les œuvres sont comme les deux pieds avec lesquels on va à Dieu. Celui qui a une foi droite, tout en étant déficient quant aux œuvres, a pour ainsi dire un pied malade. La maladie qui desséchait le pied du pauvre et lui donnait une hideuse teinte livide, c'est l'envie. Quelqu'un en est-il atteint, elle le fait dépérir de douleur du fait de la prospérité d'autrui [1] et devenir bleu et noir de haine. L'homme qui en souffre est pauvre, parce que c'est le propre des plus petits d'envier les plus grands. Au contraire, le mal qui rendait le pied du riche enflé, rouge, humide et puant est la luxure, qui se plaît dans ce qui échauffe et nourrit la chair et le sang et qui

que directement opposée à la charité, occupe *de facto* la première place parmi les vices (voir *supra*, p. 195, n. 1 et *infra*, p. 272-273, n. 1).

50 libidinosi fluxus coinquinatione sordet. Qui haec sustinet dives dicitur, quia divitum est magis quam pauperum luxuriari. Invidiae autem et libidinis morbi tunc tandem bene atque perfecte curari posse noscuntur, cum eorum radices ab ulcerosi cordis fundo abscinduntur. Et quia 55 *cupiditas* huius mundi quasi quaedam pestifera *radix* [b] invidiam gignere solet, abundantia vero luxuriam, quisquis a terrena cupiditate mentem suam purgaverit, hic quasi sapientis medici consilio usus, invidiae peste facile carere poterit ; et quisquis abundantiam cibi et potus et 60 ceterorum carnis fomentorum declinaverit, libidinis ignem cito extinguere valebit.

4. Herbae autem ab illo priore et minoris industriae medico contritae et ulceri appositae, quibus non diuturna sed momentanea sanitas restituitur, Scripturarum prae-65 cepta sunt, quae cum aliquis non bene discretus praedicator quasi terendo exponit, prava quidem saecularium auditorum facta nonnumquam ad tempus compescit ; sed quia ipsorum radices in corde reliquit, se inaniter laborasse postmodum gemit, dum malum quod extinctum 70 putabat reviviscere cernit.

Dum invidus curatur, oportet eum ligari, luxuriosum vero minime ; quia expleta libido, dum quemdam sui horrorem atque foetorem exhibet, cito ei renuntiatur ; invidus vero, nisi timore Dei astringatur, non facile cor-75 rigitur.

b. I Tim. 6, 10

1. Cf. AELRED DE RIEVAULX : « “ La cupidité est la racine de tous les maux ”, de même qu'en revanche la charité est la racine de toutes les vertus. Il s'ensuit qu'aussi longtemps que cette racine venimeuse subsiste dans les entrailles de l'âme, quand bien même on couperait quelques rameaux en surface, il est fatal que, le germe revivant, d'autres

est souillée par le torrent de la débauche. L'homme qui endure ces maux est dit riche, parce que c'est le propre des riches plutôt que des pauvres d'être en proie à la luxure. Il est reconnu d'autre part que ces maux, envie et désir charnel, se guérissent bien et à fond, à condition de retrancher leurs racines du fond du cœur couvert d'ulcères. Or *la cupidité* de ce monde, telle *une racine*[b] pestilentielle, produit l'envie, et l'abondance engendre la luxure. Quiconque purifiera son esprit de la cupidité terrestre en mettant à profit, en quelque sorte, le conseil d'un sage médecin, pourra donc facilement être libre du fléau de l'envie ; et quiconque évitera l'abondance de nourriture, de boisson et d'autres excitants de la chair pourra vite éteindre le feu du désir charnel.

4. Par ailleurs, les herbes broyées et appliquées sur l'ulcère par ce premier médecin moins habile — qui provoquent non pas une guérison durable, mais une guérison d'un moment — sont les préceptes des Écritures. Lorsqu'un prédicateur peu doué de discernement les expose, les broie en quelque sorte, il réprime quelquefois pour un temps les actions mauvaises des séculiers qui l'écoutent. Mais du fait qu'il en a laissé les racines dans leur cœur, il se lamente par la suite d'avoir travaillé inutilement quand il voit revivre le mal qu'il croyait éteint[1].

Lorsqu'on soigne l'envieux, il faut l'attacher ; ce n'est pas le cas pour le débauché. Le désir charnel une fois accompli, en effet, trahit son horreur et sa puanteur, et on y renonce aisément ; l'envieux, lui, ne se corrige pas facilement à moins d'être lié serré par la crainte de Dieu.

pullulent, jusqu'à ce que soit radicalement arrachée la racine même d'où lève cette pousse pernicieuse des vices et qu'il ne reste plus rien » (*Spec. car.* II, 1, 3 : *CCM* 1, p. 66).

Duo illi, quorum alter die, alter febricitabat vero nocte, duo genera hominum sunt. Sunt enim qui adversitatibus mente franguntur et peiorantur ; in prosperitate vero quieto et bono animo sunt. Hi nimirum nocte aegrotant, die convalescunt. Et sunt qui prosperitate inflantur et securiores atque lasciviores efficiuntur ; si vero durius arguantur vel reprimantur, a pravo se opere abstinent. Hi profecto die febricitant, nocte meliorantur. Illi ergo leniter, hi vero severius tractandi sunt.

A. Invidia tabescebat iste.

B. Hunc inquinabat luxuria.

C. Id est praedicatorem.

D. Scripturarum praecepta exponens.

E. Non de lana erat, sed de lino, quod maiori paratur labore, quia paenitentia cor valde affligere debet.

F. Dum paenitentiam iniungit.

G. Domum cordis dicit, iuxta illud : *Redite praevaricatores ad cor*[c].

H. Datur eis iterum paenitentia.

I. Radix invidiae, cupiditas ; radix luxuriae, abundantia.

K. Timor gehennae ligat.

L. Quem adversitas deicit.

M. Quem prosperitas extollit.

c. Is. 46, 8

1. Sur l'interprétation allégorique du travail du lin, voir AELRED DE RIEVAULX, *Inst. inclus.* 26 (*SC* 76, p. 102-104) ; *Serm.* 21 (*CCM* 2 A, p. 174-175).

Ces deux personnes dont l'une était prise de fièvre le jour et l'autre la nuit sont deux sortes d'hommes. Certains ont l'esprit brisé par l'adversité et en deviennent pires, tandis que dans la prospérité ils ont l'âme bonne et paisible. Ceux-ci sont malades la nuit ; le jour ils reprennent des forces. D'autres sont enflés par la prospérité, qui les rend plus insouciants, plus portés à se laisser aller. Mais qu'on les blâme ou qu'on les réprime plutôt durement, et ils s'abstiendront de mal agir. Ceux-ci sont pris de fièvre le jour et vont mieux la nuit. Les premiers doivent donc être traités avec douceur, les seconds avec une certaine sévérité.

A. Il dépérissait d'envie.

B. La luxure le souillait.

C. C'est-à-dire un prédicateur.

D. En exposant les préceptes des Écritures.

E. Elle n'était pas de laine, mais de lin, étoffe dont la préparation exige plus de peine[1], parce que la pénitence doit beaucoup affliger le cœur.

F. En enjoignant une pénitence.

G. Il s'agit de la maison du cœur, selon cette parole : *Prévaricateurs, revenez à votre cœur*[c].

H. On leur donne de nouveau une pénitence.

I. Racine de l'envie : la cupidité. Racine de la luxure : l'abondance.

K. C'est la crainte de la géhenne qui attache.

L. L'adversité l'abat.

M. La prospérité l'élève.

XV

DE DIVERSIS HOMINUM VITIIS

Septem (A) rustici (B) venerunt aliquando ad quemdam sapientem ut eum consulerent, singuli super negotio suo proprio.

XV A De gustu

Primus ergo dixit : « Habeo, domine, quinque filios (C), ex quibus quattuor pascit mihi dominus meus, cuius terram incolo ; quintum vero (D), qui et voracior est et solus expendit plus quam omnes alii, non vult
5 pascere. Ipse vero, quidquid cum omni familia mea laboro, cum cotidie consumat, expleri numquam potest. Unde, quaeso, doce quid agendum mihi sit. »

Ad haec ille respondens : « Tua, inquit, culpa est quod dominus tuus pascere illum sicut alios non vult. Nam
10 cum olim te villicum suum vel custodem (E), si meministi, constituisset, quoddam ei furtum (F) fecisti, unde illum filium tuum pavisti. Unde iusto accidit iudicio, ut

Titulum parabolae XVA posui (*vide l.* 24-25) : *om. CD*

1. Série de paraboles inséparables de leurs gloses.

2. L'idée directrice de cette parabole et de la *Par.* 15 E est développée également par un ouvrage pseudo-bernardin, le *De interiori domo :* « Nul percepteur n'est aussi mauvais pour l'homme que le ventre, lui qui te

15

LES DIFFÉRENTS VICES DES HOMMES [1]

Sept (A) paysans (B) vinrent un jour consulter un homme sage, chacun pour ses propres affaires.

15 A Le goût [2]

Le premier dit : « Sire, j'ai cinq fils (C). Mon seigneur, dont j'habite la terre, m'en nourrit quatre ; mais il ne veut pas nourrir le cinquième (D), qui est plus vorace que les autres et consomme à lui seul plus qu'eux tous. Bien qu'il dévore chaque jour tout le fruit de mon travail et de celui de ma maisonnée, il n'est jamais rassasié. Aussi, je t'en prie, apprends-moi ce que je dois faire. »

L'autre lui répondit : « C'est ta faute si ton seigneur ne veut pas le nourrir comme les autres. Car s'il t'en souvient, il t'avait établi jadis son régisseur, son gardien (E) ; tu l'as volé (F) pour nourrir ce fils-là. C'est donc en vertu d'un juste jugement que celui-là (G)

presse par la levée quotidienne de la faim. Mon père m'a laissé redevable à bien des créanciers ; mais je me suis affranchi de tous. Il en reste cependant un dont nous ne pouvons nous affranchir, à savoir le ventre » (*PL* 184, 535 C).

ille (G) e ceteris avidior esset et pascendus tibi relinqueretur. Sed veniet tempus quando, si bene domino tuo 15 interim servieris, assumet te et omnes filios tuos ad se ipsum et mensae suae assidebit et omnia necessaria ita praeparabit, ut nullius omnino umquam amplius egeas (H). »

A. Septem sunt qui consilium quaerunt, quia in hoc tem- 20 pore, quod septem diebus volvitur, consilio opus est.

B. Rustici sumus quamdiu agrestem et laboriosum huius mundi incolatum[a] tenemus, a superna remoti civitate.

C. Quinque filii nostri quinque sensus corporis sunt, ex quibus cum quattuor per semet ipsos pascantur ; gustum tamen 25 cum multis expensis et cotidiano labore oportet nos pascere.

D. Id est gustum.

E. Scilicet paradisi.

F. Scilicet vetiti pomi.

G. Id est gustus.

30 H. Adam *in paradiso positus ut operaretur et custodiret illum*[b], furatus est pomum, unde hunc filium pavit. Unde dictum est ei : *In sudore vultus tui vesceris pane* tuo[c]. Sed in resurrectione inde liberabimur, caelestis mensae participes effecti.

24 cum : non *C* || 28-29 *Glosas* F. *et* G. *om.* *C*

a. Cf. Ps. 119, 5 || b. Gen. 2, 15 || c. Gen. 3, 19

1. L'option cistercienne pour une implantation en milieu rural, ou du moins à la campagne, veut exprimer concrètement la tension eschatologique entre le déjà-là du Royaume et le pas-encore de la Cité de Dieu. Le thème traditionnel de la fuite au désert se trouve comme réinterprété en fonction de l'idéal cénobitique de la *Règle* de saint

s'avère plus glouton que les autres et qu'on te laisse le soin de le nourrir. Mais si présentement tu sers bien ton seigneur, le jour viendra où il te prendra avec lui, toi et tous tes fils, et te fera asseoir à sa table ; il t'apprêtera tout ce qu'il te faut, de sorte que tu ne manqueras jamais plus de rien (H). »

A. Ils sont sept à demander conseil parce qu'en ce temps-ci, dont le déroulement comporte sept jours, on a besoin de conseil.

B. Nous sommes paysans tant que dure notre exil[a] rural et laborieux en ce monde, loin de la cité d'en haut[1].

C. Nos cinq fils sont les cinq sens du corps. Quatre d'entre eux se nourrissent par eux-mêmes, mais il nous faut nourrir le goût à grands frais et au prix d'un travail quotidien.

D. C'est-à-dire le goût.

E. C'est-à-dire celui du paradis.

F. Il s'agit du fruit défendu.

G. C'est-à-dire le goût.

H. Adam, *placé dans le paradis pour le travailler et le garder*[b], vola un fruit dont il nourrit ce fils. Aussi lui fut-il dit : *A la sueur de ton visage tu mangeras ton pain*[c]. Mais à la résurrection nous serons délivrés de cette malédiction, car nous aurons part à la table du ciel.

Benoît. Comparer l'entrecroisement paradoxal de métaphores par lequel GUILLAUME DE SAINT-THIERRY évoque son passage à l'observance cistercienne : « en entrant sous la nouvelle discipline de ton service, il me semble voir des cieux nouveaux et une terre nouvelle, et voici que pour moi tu fais neuves toutes choses. Enseigne-moi Seigneur, à moi homme rustre, venu de la rusticité du siècle, les mœurs disciplinées de ta cité, et la gracieuse urbanité de ta cour » (*Med. Or.* IV, 17 : *SC* 324, p. 90).

XV B De his qui bona non bona intentione faciunt

Secundus dixit : « Et ego habeo agrum qui, cum a me cultus et seminatus fuerit, laetam quidem profert segetem, sed messionis tempore nec unum ibi granum inveniri potest. Consule ergo me quid inde agam. »

5 Cui talia reddidit heros : « Primum a te quaero qua manu iactes semen in agro. » — « Sinistrarius, inquit, ego sum, domine, et quidquid fere ago, laeva operari soleo. » Tunc ille : « Ideo, ait, labores tuos perdis, quia quidquid sinistra fit, reprobum est (A). »

---

10 A. Tempus messis est finis vitae, ubi nihil boni metet qui hic sinistra intentione seminavit, quia inane est omne opus bonum quod pro terreno fit commodo. De dextero vero semine dicitur : *Et ortum fecit fructum centuplum*[a].

a. Lc 8, 8

15 B De ceux qui font des actions bonnes avec une intention qui ne l'est pas

Le second dit : « Quant à moi, j'ai un champ qui, une fois cultivé et ensemencé, produit certes une belle pousse de céréales ; mais au temps de la moisson on n'y trouve pas un seul grain. Conseille-moi donc : que dois-je faire ? »

Le saint lui répondit : « D'abord, laisse-moi te demander de quelle main tu jettes la semence dans ce champ. » — « Je suis gaucher, sire, et je fais presque tout de la main gauche. » Alors l'autre : « C'est pour cela que tu perds ta peine ; tout ce qu'on fait de la gauche est de mauvais aloi (A). »

A. Le temps de la moisson, c'est la fin de la vie ; qui a semé ici-bas avec une intention gauchie n'y récoltera rien de bon, car toute bonne œuvre accomplie en vue d'un avantage terrestre est sans valeur. Il est dit par contre de la semence jetée de la main droite : *Et ayant levé elle donna du fruit au centuple* [a].

XV C De luxuria et vana gloria

Tertius dixit : « Terra quam colo duorum dominorum est. Sed quia me pauperem tenuemque vident, raro a me quidquam servitii vel muneris exigunt (A). Si forte vero unus ex eis quidquam a me requisierit et ut ab eo me,
5 dato quolibet pretio, redimam coegerit, statim alter quoque, occasione hac accepta, ut ab eo denuo, dato iterato pretio, redimar compellit : ita ut, quia me redimo a priore, ideo oporteat me redimi et ab altero ; itemque quia alter a me pretium exigit, ideo et prior nihilominus
10 exigat. Sicque ambo quidem me tribulant ; verumtamen non pariter, sed vicissim sibi in affligendo me succedentes. »

Respondit ad ista sophista : « Ut te omnino a priore redimas laudo. Sed quia si te ab altero iterum redemeris,
15 mox hac occasione et prior a te redemptionem exiget, differ interim et ab altero redimi eumque ad tempus patere infestum tibi esse et quasi dissimulando eius importunitatem sustine donec, procedente tempore, uterque paulatim quiescat a te (B). »

---

20 A. Rarius peccant pauperes quam divites ; sed quia nec ipsi expertes sunt vitiorum, ideo sequitur.

15 C Luxure et vaine gloire

Le troisième dit : « La terre que je cultive appartient à deux seigneurs. Cependant, me voyant pauvre et homme de peu, ils exigent rarement de moi corvées ou redevances (A). Mais si par hasard l'un d'eux me réclame quelque chose et m'oblige à me racheter à prix d'argent, aussitôt l'autre, saisissant l'occasion, me contraint de me racheter une seconde fois par un nouveau paiement. De sorte que parce que je me rachète auprès du premier, il me faut le faire pareillement auprès de l'autre ; et de même, du fait que l'autre a exigé de moi un paiement, le premier ne l'exigera pas moins. Et ainsi ils me pressurent tous deux, mais pas en même temps : ils se succèdent à tour de rôle pour m'opprimer. »

A cela l'homme savant répondit : « Je te conseille de te racheter tout à fait auprès du premier. Mais étant donné que si tu te rachètes ensuite auprès du second, le premier saisit aussitôt l'occasion pour te rançonner, attends un moment avant de te racheter auprès du second. Laisse-le te harceler pour l'instant et supporte ses vexations sans y faire trop attention, jusqu'à ce que peu à peu, avec le temps, tous deux te laissent en paix (B). »

A. Les pauvres pèchent plus rarement que les riches. Mais ils ne sont pas non plus dépourvus de vices, d'où la suite.

B. Prior dominus luxuria, alter vero vana gloria. A priore redimimur per abstinentiam ; sed quia abstinentes sumus, rursus vana gloria nos infestat. Qui quando et ab illa redimi volumus, 25 abstinentiam relaxamus ; sed quia abstinentiam relinquimus, iterum luxuria nos urget. Sed melius est nos a luxuria per iugem parsimoniam redimi et humanae laudis infestationem interim sustinere, donec ab utroque paulatim liberemur.

24 et *om.* *C*

B. Le premier seigneur est la luxure, l'autre la vaine gloire. Nous nous délivrons de la première par l'abstinence, mais la vaine gloire nous harcèle en retour parce que nous sommes abstinents. Quand nous voulons nous en délivrer également, nous nous relâchons de notre abstinence, et parce que nous avons abandonné l'abstinence, la luxure nous talonne de nouveau ! Mais il vaut mieux nous délivrer de la luxure par des privations ininterrompues et supporter pour un temps d'être harcelés par la louange humaine, jusqu'à ce que peu à peu nous puissions nous libérer de l'une et de l'autre.

XV D De triplici superbia

Quartus dixit : « In agro (A) quem colo mala quaedam herba (B) et segetibus valde contraria frequenter et quasi naturaliter pullulare solet. De qua cum campum, arrepto sarculo, studiose purgavero, reversus invenio eam multo 5 peius et vivacius denuo germinasse. Iratus accipio secundo sarculum, incipio iterum sarire et feralia genimina funditus extirpare, cum ecce, aliquanto tempore interiecto, eodem regressus aspicio — proh dolor ! — pestiferum gramen totam terrae faciem tertio multo horribilius 10 atque deterius quam primo vel secundo occupasse, ita ut iam non proferendis messibus sed supponendis ignibus idonea videatur. »

His dictis, ille subinfert : « Nisi in altum vehementer foderis et in ima terrarum demersas mali germinis radices 15 penitus exstirpaveris, aut vix aut numquam tali clade liberaberis (C). »

A. Id est in corde.

B. Superbia.

C. Mala herba haec superbia est. Aliquis religiosus cum 20 adhuc esset saecularis et in veste pretiosa gloriabatur, superbiae herba in agro cordis pullulabat ; qui conversus, accipiens pauperem habitum, herbam hanc resecavit. Sed si iterum de vili

20 in *om. D*

15 D Le triple orgueil

Le quatrième dit : « Dans le champ (A) que je cultive une mauvaise herbe (B), tout ce qu'il y a de nuisible aux céréales, pullule souvent comme naturellement. Après en avoir débarrassé ce champ avec soin à l'aide d'un sarcloir, je découvre à mon retour qu'elle a repoussé bien pire, et plus vivace. Tout en colère, je prends une deuxième fois le sarcloir, je me mets de nouveau à sarcler et à extirper à fond les funestes pousses. Et voici qu'au bout d'un certain temps, je constate à mon retour — quelle douleur ! — que ce chiendent désastreux a occupé une troisième fois toute la surface du terrain, et c'est bien pis, bien plus affreux que la première ou la deuxième fois : ce champ ne semble plus propre à donner une moisson, on y mettrait plutôt le feu ! »

Quand il a fini de parler, l'autre ajoute : « A moins de creuser énergiquement en profondeur et d'extirper complètement les racines des mauvaises herbes profondément enfouies dans la terre, tu ne te délivreras que difficilement, ou jamais, de ce fléau (C). »

A. C'est-à-dire dans le cœur.

B. L'orgueil.

C. Cette mauvaise herbe est l'orgueil. Prenons un religieux : lorsqu'il était séculier et se glorifiait de ses vêtements précieux, l'herbe de l'orgueil pullulait dans son cœur. Une fois converti, il a retranché cette herbe en prenant un habit pauvre. Mais si

vestitu iactantiam habet, mala herba denuo in peius surrexit. Quod si huic cum ceteris renuntians vitiis perfectus esse coeperit, 25 sed hanc se perfectionem a se ipso habere aut aliis meliorem esse putaverit, iam tertio hoc mortiferum gramen multo nocivius quam primo vel secundo germinavit. Sed fodiat in altum, in ima terrarum demergatur — id est in profunda se humilitate deiciat — ut sic superbiae malum exstirpet.

24 cum : et *D*

ce vêtement ordinaire est pour lui sujet de jactance, la mauvaise herbe a levé une deuxième fois, en pire. S'il renonce à ce vice comme aux autres et commence à être parfait, mais croit tenir cette perfection de lui-même ou s'estime meilleur que les autres, alors cette herbe mortelle a germé une troisième fois, et de façon bien plus nuisible que la première ou la deuxième. Mais qu'il creuse en profondeur, qu'il s'enfonce dans les profondeurs de la terre — c'est-à-dire qu'il s'abaisse par une profonde humilité —, et il extirpera le mal de l'orgueil.

XV E De ingluvie

Quintus dixit : « Cum sint mihi optima quinque paria boum, ex quorum laboribus multos annuatim colligo fructus, omnia devorat et consumit quidem dominus meus, cui sponte dediticium me ipsum feci, nimis credulus
5 ipsi multa bona mihi promittenti meque beatum fore si ei servirem iuranti, cum res potius in contrarium mihi versa sit. »

Doctor ad ista refert : « Ille tuus dominus iners valde et ignavus est. Unde similis pecori, immo deterior est
10 quisquis ei servit. Tu ergo magis eum repugnando tibi subice. Nam si viriliter restiteris, continuo cedet tibi. Sed postquam cesserit, ne omnino fame pereat, pascatur a te deinceps ut servus, non autem habeatur ut dominus (A). »

---

15 A. Quinque iuga boum sunt duo oculi, duae aures, duae nares, duae manus, duo pedes. Horum labore et exercitio inertem dominum ventrem pascimus, qui nobis multa bona promittit, quia quando saturi sumus multa bona nobis esse aestimamus. *Ventri* vero sancti viri *non* ut *domino serviunt* [a],
20 quia non eum deliciose procurant, sed ut servum vili et parco cibo sustentant.

a. Rom. 16, 18

15 E La gloutonnerie

Le cinquième dit : « Bien que j'aie cinq excellentes paires de bœufs, et que je tire tous les ans beaucoup de fruit de leur travail, mon seigneur dévore et dissipe tout. Je me suis volontairement soumis à lui sans condition, trop prompt que j'ai été à le croire : il me promettait de grands biens et me jurait que je serais heureux à son service. La chose a plutôt tourné à mon malheur ! »

Le docteur donna l'avis suivant : « Ton seigneur que voilà est fort oisif et paresseux. Quiconque le sert est semblable à une bête, que dis-je : pire. Soumets-le toi donc plutôt en lui résistant. Si tu lui tiens tête virilement, il te cèdera à l'instant. Une fois qu'il t'aura cédé, nourris-le cependant comme un serviteur pour qu'il ne meure pas tout à fait de faim ; mais n'en fais pas ton maître (A). »

A. Les cinq attelages de bœufs sont les deux yeux, les deux oreilles, les deux narines, les deux mains, les deux pieds. Grâce à leur peine et à leur travail nous nourrissons ce seigneur oisif qu'est le ventre, lequel nous promet de grands biens, car lorsque nous sommes rassasiés nous croyons posséder de grands biens. Les hommes saints, eux, *ne servent pas leur ventre* comme *un seigneur*[a], car ils ne l'entretiennent pas dans les délices : ils le nourrissent comme un serviteur, d'aliments communs et en petite quantité.

XV F De vana gloria

Sextus dixit : « Cum omne meum agriculturae dem studium, congero quidem singulis annis plurimos fructus in horreum meum ; sed illis omnibus congregatis clausoque diligenter ac firmiter ostio, cum postea aliquid
5 mihi sumpturus revertor, nihil penitus horum omnium invenio ; neque tamen ostium apertum est neque foramen aliquod ibi factum. Sed tu mihi quisnam haec auferat, edicito. » Continuo senior respondens : « Ventus, ait, haec tibi tollit. Flatus dispergit quidquid congregas. Aura
10 aufert quidquid confers. » — « Quid igitur, ait ille, faciam ? » — « Sic, inquit, obstrue fissuras omnes, sic rimulas quasque resarci ut nec spiramen incedat per eas, et salva tibi erunt universa (A). »

A. Ventus humani favoris aufert quidquid boni operis pro
15 eo fit. Cui omnes cordis nostri rimas tunc obturamus, cum eius suggestionibus in nullo acquiescimus.

1. Cf. GRÉGOIRE LE GRAND : « En effet, qui rassemble des vertus sans humilité, jette de la poudre au vent » (*Hom. év.* I, 7, 4 : *PL* 76, 1103 A).

15 F La vaine gloire

Le sixième dit : « En consacrant tous mes soins à l'agriculture, j'amasse chaque année de très nombreux produits dans mon grenier ; mais alors que j'ai tout rassemblé et fermé soigneusement et solidement la porte, lorsque je reviens ensuite pour en prendre pour mon usage, je ne trouve absolument rien. La porte n'a cependant pas été ouverte, et aucun trou n'a été fait. Apprends-moi qui donc emporte cela. » Aussitôt l'ancien répond : « Le vent t'emporte cela. Son souffle disperse tout ce que tu rassembles. La brise emporte tout ce que tu apportes. » — « Que dois-je donc faire ? » réplique l'autre. — « Bouche toutes les fissures, répare les petites lézardes pour qu'il n'entre pas le moindre courant d'air, et tous tes biens seront en sûreté (A). »

A. Le vent de l'humaine faveur emporte toute bonne œuvre accomplie en vue de se la concilier [1]. Nous lui bouchons toutes les lézardes de notre cœur en ne consentant aucunement à ses suggestions.

XV G De falsis amicis

Septimus dixit : « Quia horti mei olera talis naturae sunt ut, nisi cotidiana irrigentur aspergine, continuo arescant (A), et me tam continui taedet laboris, si quid remedii nosti, pande ! » — « Hoc est, ait ille, remedium, 5 ut in cacuminibus montium et locis editioribus hortum tibi plantes. Nam quae in vallibus et in inferioribus terrae olera nutriuntur (B), id moris habent, ut assiduo rigatu indigeant (C), montana (D) vero sine omni adaquamine semper virent (E). »

---

10 A. Olera falsi amici sunt, qui absque commodo amare nesciunt. Montana vero olera, id est qui ea *quae sursum sunt sapiunt* [a], gratis amant.

B. Id est qui terrena appetunt.

C. Id est ut *munera diligant* [b].

15 D. Id est sancti viri.

E. Id est amant.

15-16 *Glosas* D. *et* E. *om. C*

15 G Faux amis

Le septième dit : « Les légumes de mon jardin sont d'une variété qui se dessèche aussitôt (A) à moins d'une irrigation et d'un arrosage quotidiens ; et j'en ai assez de ce travail continuel. Si tu connais un remède, apprends-le moi ! » — « Voici le remède, dit l'autre : plante-toi un jardin sur les sommets des monts, en des lieux plus élevés. En effet, les légumes qui poussent dans les vallées et les bas-fonds (B) exigent naturellement un arrosage ininterrompu (C) ; ceux de la montagne (D) restent toujours verts (E) sans aucun apport d'eau. »

A. Les légumes sont les faux amis, qui ne savent pas aimer à moins d'en tirer profit. Mais les légumes de montagne, c'est-à-dire les personnes qui *ont le goût des choses d'en haut*[a], aiment gratuitement.

B. C'est-à-dire les gens qui désirent les biens de la terre.

C. C'est-à-dire *aiment les présents*[b].

D. C'est-à-dire les hommes saints.

E. C'est-à-dire aiment.

a. Col. 3, 2 || b. Is. 1, 23

XVI

DE COLLOQUIO VITIORUM

1. Avaritia et libido. Forte die quadam avaritia libidini obvians (A) : « Quia, inquit, te hilarem laetamque incedere video, dic, rogo, quidnam tibi accidit boni, aut unde venis. » — « Visitatum, ait illa, venio quemdam mihi
5 familiarem acceptissimumque iuvenem, quem nimiae sordibus turpitudinis ita foedavi ut, cum olim industriae, mansuetudinis ceterorumque bonorum morum donis polleret, nunc inter omnes concives suos vilissimus habeatur, fabula et irrisio omni populo factus[a]. Pristinum vero
10 ingenii sui acumen assiduo conversationis meae usu sic hebetavi, ut mentis suae tarditatem modo ipse miretur. Cumque idem quam strenuus antea et laboris patiens fuerit reminiscitur, qui nunc gravi quodam ignaviae pondere obrutus torpet, se ipsum sibi quodammodo sublatum
15 stupet. Cuius episcopatus cuiusve praelationis honore non dignus haberetur, nisi dominationis meae iugo oppressus teneretur ? Nunc vero qui lupanar magis quam ecclesiam

Codd. CDHP — Titulum generale om. HP

1 Avaritia et libido *om. HP* || avaritia[2] : avarus *P* || 2 hilarem te *HP* || 3 rogo : queso *C* || boni accidit *CD* || 4 visitatum : visitatu (-tus *D[ac]*) *CDH* || ait *om.* H || 8 inter : in *C* || 10 sui : eius *P* *om. H* || sic : si *(exp. et del.) H* || 13 fuerit *om. H* || qui *om. H* || 14 obrutus *om. H* || torpet : quod *add. in marg. H* || sibi *om. H* || 17 teneretur : tenetur *P* || qui : quia *P*

a. Cf. Deut. 28, 37 ; III Rois 9, 7

16

COLLOQUE ENTRE VICES[1]

1. Avarice et désir charnel. Un jour, l'avarice rencontre par hasard le désir charnel (A) : « Je te vois, dit-elle, t'avancer de bonne et joyeuse humeur ; dis, je t'en prie, ce qu'il t'est donc arrivé de beau. D'où viens-tu ? » — « Je viens, dit l'autre, de rendre visite à un jeune homme de mes intimes, qui m'est des plus agréables. Je l'ai si bien souillé des ordures d'une obscénité débridée qu'il est tenu pour le plus méprisable de ses concitoyens. Il est devenu la fable et la risée de tout le monde[a], alors qu'autrefois il était riche en dons : activité, douceur et autres bonnes qualités. A force de me fréquenter assidûment, son intelligence pénétrante d'antan en est venue à un tel état d'hébétude que lui-même s'étonne d'avoir l'esprit si lent. Et quand il se souvient combien il était actif et dur à la peine auparavant, lui qui est maintenant engourdi sous le poids d'une lourde paresse, il est stupéfait de se voir en quelque sorte ravi à lui-même. De quel honneur — épiscopat, prélature — ne le jugerait-on pas digne si je ne le tenais accablé sous le joug de ma domination ? Mais on estime maintenant qu'il ne

1. L'apparat scripturaire de cette parabole a pu être enrichi de plusieurs références relevées par R. NEWHAUSER dans l'édition qu'il en a donnée : « The text of Galand of Reigny's " De Colloquio Vitiorum " from his " Parabolarium " », *Mittellateinisches Jahrbuch* 17, 1982, p. 108-119.

frequentare probatur, a meretrice qualibet in nullo iam distare iudicatur (B).

20 Sed quia tibi iam de praeclaris militiae meae actibus quaedam narravi, si quid et tu de tuis factis in promptu habes quod laude dignum videatur, referas volo. »

2. De avaritia. Tum illa arridens : « Habeo, ait, magnum et memorabile facinus quod, recens quidem mihi 25 inceptum, si ad condignum finem perducere potero, *in immensum gloriabor* [b]. Quemdam enim senem peropulentissimum et infinita abundantem substantia, tanta victus sui sollicitudine perstrinxi talique futurae forte quandoque famis formidine perterrui, ut solo pane vivens 30 illoque sicco et taetro, vix se ipsum iam sustentare prae nimia queat inedia et velut alter Tantalus in medio copiarum suarum fame arescat. Et quia quorumdam militum servus est, ad cumulum miseriae suae videt bona sua a dominis suis cotidie diripi et superflue, velit nolit, 35 consumi, quibus ipse tamen prae nimia parcitate non potest uti. Nunc autem ad hoc omnis meus tendit conatus, ut cordis eius faucibus tantam pecuniae sitim inferam, quatenus, nisi nocturnis furtis vicinorum suorum substantias diripuerit, eam nullatenus exstinguere possit. 40 Quod totum ideo facere meditor ut, in ipsius latrocinii perpetratione captus, miseram senectutem suspendio finire cogatur. »

3. De invidia. Cum haec sermocinarentur, ecce invidia per eamdem viam descendit, *macie confecta* [c], facie livida. 45 Cui et dicunt : « Quia nos iam quae nostra sunt retuli-

18 probatur : solet *CD* || 22 quod : quid *P* || 23 De avaritia *om. HP* || Tum illa arridens : tunc illa ait Volo *H* || ait : inquit *HP* || 24 quidem : inquit (?) *P* || 25 inceptum : est sed *add. in marg. H* || in *om. H* || 27 victus : metus *H* || 28 forte *om. HP* || quandoque *om. P* || 29 pane *om. H* || 30 illoque : et *add. P* || taetro : pane *add. in marg. H* || 35 parcitate : rapacitate *H* || 36-37 conatus tendit *HP* || 38 suorum *om. CD* || 40 ideo

diffère en rien d'une quelconque prostituée, lui qu'on voit fréquenter plutôt le lupanar que l'église (B).

Mais puisque je viens de te raconter quelques-unes des actions d'éclat de mes campagnes, je veux que toi aussi tu me rapportes parmi les tiennes un fait digne de louange, si tu en as un tout prêt. »

2. L'avarice. L'autre alors sourit : « J'en ai un, dit-elle : un grand et mémorable forfait, entrepris dernièrement, et dont *je me glorifierai immensément* [b] si j'arrive à le mener à une digne fin. J'ai en effet frappé un vieillard sur-richissime, regorgeant de biens illimités, d'une telle inquiétude pour sa subsistance et l'ai si bien glacé d'épouvante à l'idée d'une possible famine à venir, que ne vivant plus que de pain — et d'un pain sec et détestable ! — il peut à peine se soutenir désormais tant son inanition est excessive. Tel un autre Tantale, il se dessèche de faim au milieu de ses richesses. Et pour comble de misère, il est serf de chevaliers ; tous les jours, bon gré mal gré, il voit ses biens mis à sac et dissipés sans nécessité par ses seigneurs, cependant que lui n'en peut user par excès d'économie. Mais tous mes efforts tendent maintenant à ceci : mettre dans le gosier de son cœur une soif d'argent telle qu'il ne pourra en aucune manière l'apaiser, sinon en pillant les biens de ses voisins à coups de cambriolages nocturnes. Et je médite de faire tout cela pour que, pris en flagrant délit de brigandage, il se voie contraint d'achever sur la potence une vieillesse misérable. »

3. L'envie. Tandis qu'ils discouraient de la sorte, voici que l'envie descend par la même route, *épuisée de maigreur* [c], le visage livide. Ils lui disent : « Nous avons déjà

om. H ‖ in *om. CDH* ‖ 43 De invidia *om. HP* ‖ sermocinarent *P* ‖ 44 confecta macie, livida facie *P* ‖ 45 et : etiam *H* ‖ sunt nostra *C*

b. II Cor. 10, 13.15 ‖ c. Gen. 41, 3

mus, narra et tu quae tua sunt [d] et de tuis nobis fabulam texe virtutibus. »

At illa nihil morata, protenso in sinistram partem digito : « Aspicite, inquit, eminus, in domuncula illa qui-
50 dam moratur rusticus, quem prestigiorum meorum artibus ita dementavi, ut numquam laetetur nisi proximorum detrimento et numquam tristetur nisi eorum commodo, perfecte a me edoctus et *gaudere* cum *flentibus* et *flere* cum *gaudentibus* [e]. Videres eum paene cotidie, relicto
55 opere suo, secus viam sedentem, ut transeuntium quemque si laetum vel felicem videat, statim in *corde suo* illum *maledicat* [f] eique omnia mala imprecetur ; si vero tristem vel lugubrem aspiciat, *protensis in caelum manibus* [g], Deo gratias agat eique adhuc peiora evenire exop-
60 tet. Forte, iter agens, si transierit per sata, dicit : '*Nec ros nec pluvia super vos* descendant [h]'. Si pecudes iuxta pascentes videat, infit : 'Non *crescite* neque *multiplicamini* neque *replete terram.* [i]' Denique tam vehementer formidat ne quis vicinorum suorum prosperetur, ut assiduo timore
65 afflictus, pallidus et *exsanguis effectus* [j] sit malitque perdere multa ut proximus suus amittat vel pauca. Si forte ei divinitus facultas detur uniuscuiuslibet rei impetrandae quamcumque petierit, ita tamen ut socius eius duplum idipsum accipiat, non dubitabit magis eligere amissionem

46 et de tuis nobis : et tuis *P* || 49 aspice *H* || 51 laetetur : sit laetus *H* laetus sit *P* || 54 gaudentibus : flentibus *H* || Videres : videns *HP* || 54-55 relicto opere suo cotidie *H* || 56 felicem : facilem *H* || 58 in : ad *HP* || manibus in caelum *C* || 61 super vos descendant : super vos descendat *D* super vos detur H veniat super vos *cum Vulg.* *P* || 62 infit : dicit *H* || 63 neque : nec *P* || 64 suorum *om.* *P* || ut : non *add.* *H* || 64-65 afflictus timore *C* || 66-67 ei facultas detur divinitus *CD* || 67-68 detur — petierit : detur ut uniuscuiusque rei impetratae quodcumque petierit accipietur *H*

rapporté nos exploits ; toi aussi, raconte les tiens[d], tisse pour nous le conte de tes hauts faits. »

Elle, sans tarder, montrant du doigt la gauche : « Regardez au loin, dit-elle ; dans cette maisonnette demeure un paysan que mes habiles sortilèges ont mis dans un tel état de démence qu'il ne se réjouit jamais sinon du dommage subi par son prochain et ne s'attriste jamais sinon de ce qui tourne à son avantage. Il a parfaitement appris de moi à *se réjouir* avec *ceux qui pleurent* et à *pleurer* avec *ceux qui se réjouissent*[e]. On peut le voir presque chaque jour, son travail abandonné, assis au bord de la route. S'il voit l'un des passants joyeux ou content, *il* le *maudit* aussitôt *en son cœur*[f] et lui souhaite tous les maux. Mais s'il en aperçoit un qui soit triste ou en deuil, il rend grâces à Dieu, *les mains tendues vers le ciel*[g], et souhaite vivement qu'il lui advienne pire encore. S'il fait route et passe d'aventure par des terres ensemencées, il dit : '*Qu'il ne* tombe *sur vous ni pluie ni rosée*[h]'. S'il voit à côté du bétail en train de paître : 'Ne *croissez* pas, ne *multipliez* pas, n'*emplissez* pas *la terre*[i] !' Enfin il craint si fort qu'un de ses voisins ne vienne à prospérer, qu'affligé d'une frayeur incessante, *il est devenu* pâle et *exsangue*[j], et choisirait de perdre de grands biens pourvu que son prochain en perde ne serait-ce que quelques-uns. Si la possibilité lui était donnée par Dieu d'obtenir tout ce qu'il demanderait, à condition cependant que son compagnon reçoive le double, nul doute qu'il choisirait de perdre un œil pour que l'autre perde

d. Cf. Phil. 2, 21 || e. Rom. 12, 15 || f. Ps. 61, 5 || g. II Macc. 3, 20 || h. II Sam. 1, 21 || i. Gen. 1, 28 || j. II Macc. 14, 46

70 unius oculi ut ille utrumque amittat, quam unum auri talentum sibi dari ut ille duo assequatur. »

4. De vana gloria. Nondum illa finierat, et ecce vana gloria eadem via tendebat ; tanta vero levitate ferebatur ut, quasi vento sublata, vix terram tangere videretur. 75 Quae veniens iuxta eas, restitit et unde agerent inquisivit. « De nostris, aiunt, probitatibus multa disseruimus. Quapropter volumus ut et tu de tuis vel compendiose quaedam edicas (C). » Tum illa : « Ars mea, inquit, adeo efficax est, ut nullum hominum genus praetermittat, nisi 80 si quis forte ita impotens et miser est, ut nullis iam huius mundi usibus aptus sit. Militem cum arripuero, ita eum meis legibus subdo, ut propter me per tela et gladios transire non solum non timeat, verum etiam summopere glorietur. Monachum cum reperero, sic mei nonnum- 85 quam iuris efficio, ut quidquid deinceps spiritalis operis egerit, meum sit, nec iam Christi servus, sed meus sit monachus. Clericorum quamplures adeo mihi subicio, ut meum sit et mihi militet quidquid in ecclesia cantant,

71 assequatur duo *CD* ‖ 72 De vana gloria *om.* *HP* ‖ Nondum : cum *in rasura* *H* ‖ et : cum *C* ‖ 73 tendebat : etiam *add.* *H* ‖ 74 tangere videretur : tangeret *H* ‖ 75 unde : quid (unde *H*ac) *H*pc ‖ inquisivit : et illae dixerunt *add. in marg.* *H* ‖ 76 aiunt : autem *H* ‖ 77 tu *om.* *P* ‖ 78 edicas : edifices *H* ‖ 80 forte si quis *P* ‖ huius *om.* *P* ‖ 82 legibus meis *CD* ‖ 83 summopere *om.* *H* ‖ 84 reperero : repperio *P* ‖ 84-85 iuris nonnumquam *H* ‖ 87 subicio : subdo *H* ‖ 88 cantant : cantent *H*pc*P*

---

1. L'envie parcourt en sens inverse les degrés de l'amour esquissés par S. BERNARD dans le *De diligendo Deo* 8, 23-10, 29 (*SBO* 3, p. 138-144) : haine du prochain, haine de Dieu et de son œuvre, haine de soi. Elle apparaît ainsi comme l'anti-charité par excellence. S. BERNARD assigne également à l'envie une place prépondérante parmi les vices en la mettant directement en relation avec le diable : « Nous militons pour la chair en servant les attraits de la gourmandise, en cédant aux aiguillons de la luxure. Nous militons pour le monde en aspirant aux fièvres de l'avarice, en convoitant le sommet des honneurs. Nous militons

les deux plutôt que de se voir donner un talent d'or, de peur que l'autre n'en obtienne deux [1]. »

4. La vaine gloire. Elle n'avait pas encore fini que voici la vaine gloire, allant par le même chemin ; elle se déplaçait avec tant de légèreté que, comme portée par le vent, elle semblait à peine toucher terre. Arrivée à leur hauteur, elle s'arrêta et demanda ce qu'ils faisaient. « Nous avons longuement disserté de nos prouesses, disent-ils. C'est pourquoi nous voulons que toi aussi tu nous dises quelque chose des tiennes, ne serait-ce qu'en résumé (C). » Elle répondit : « Mon art est si efficace qu'il ne laisse de côté aucune catégorie d'hommes, sinon des individus faibles et misérables au point de n'être bons à rien en ce monde. Quand je m'empare d'un chevalier, je le soumets si bien à mes lois que non seulement il ne craint pas de passer pour moi à travers lances et épées, mais qu'il met son point d'honneur à s'en glorifier. Quand je repère un moine, je le fais parfois tomber si complètement en mon pouvoir que tout ce qu'il réalise par la suite en fait d'œuvres spirituelles m'appartient, et que ce moine n'est plus le serviteur du Christ, mais le mien. Je me soumets bon nombre de clercs au point que tout ce qu'ils chantent, lisent, prêchent à l'église est à moi et milite en ma faveur ; de même tout ce dont ils

pour le diable en enviant les progrès des bons, en nous enflant d'un esprit de superbe contre Dieu » (*Sent* II, 2 : *SBO* 6², p. 23). Pour l'opposition entre envie et charité chez Galand, voir aussi *supra*, p. 195, n. 1 et p. 240-241, n. 1. Des recherches psychologiques et sociologiques modernes ont également souligné le caractère essentiellement destructeur de l'envie, mis en relief de façon si saisissante dans cette *Par*. 16, 3. Contrairement à l'émulation, qui peut être facteur de progrès et à laquelle les Pères de l'Église et du monachisme ont parfois fait appel (voir A. DE VOGÜÉ, *La communauté et l'abbé dans la Règle de saint Benoît*, Paris 1961, p. 356-357), l'envie pousse moins à égaler ou à partager le bonheur d'autrui qu'à l'anéantir ; elle ne saurait être que stérile et dévastatrice.

legunt, praedicant, quidquid in scholis disputant seseque
90 argumentando alterutrum lacerant et diversas circumeundo regiones discere student. Quid multa ? Reges et principes et tyranni et *omnis militia eorum*[k] mihi servit, mihi obnoxia est. Audis bella et certamina hac illacque fieri, exercitus moveri, castra metari, urbes obsideri,
95 caedes mutuas patrari : causa mei haec omnia fiunt, instinctu meo universa haec aguntur. »

5. De ingluvie. Adhuc illa loquebatur, cum ecce appropinquantem ad se cernunt ingluviem, facie hilarem, motu levem, sermone loquacem. Quae proclamans ait : « Quae
100 vos ? Aut quare hic vos ? » Respondent : « Notae et familiares tuae sumus. Ideo autem hic stamus ut gesta nostra vicissim narrantes alterutrum congratulemur. Quare opere pretium est te quoque verbi symbolum dare et artificii tui genus pandere. » — « Mene ? » inquit.
105 « Temet », aiunt. « Utique, parata sum », inquit. « Meum, inquit, quippe officium gratum cunctis acceptumque est. Quem enim gulae appetitus non illecebret ? Quem enim non saporum dulcedo oblectet ? Non monachus, non anachoreta ullus muneris mei expers est. Qui cum ceteros
110 sensus facile subigant, se gulae illecebris saepe superari queruntur. De saecularibus vero quid dicam ? Quorum quam plures ita illexi dulcibusque obsequii mei vinculis irretivi, ut antea tunicam suam vel camisiam vendant vel impignorent, quam non *cotidie splendide* cenent[l] ac *vini*
115 copia *aestuent*[m] ! Quanti ad summam inopiam ex magnis

90 alterutrum argumentando *P* || circueundo *HP* || 94 fieri : urbes moveri *add. H* || castra metari *om. HP* || 96 universa haec : haec omnia *CD* || 97 De ingluvie *om. HP* || 98 cernunt ad se *D* || 102 gratulemur *H* || 105 inquit, parata sum *P* || 106 inquit *om. HP* || 107 illecebret : -cebri *H* || enim *om. HP* || 109 ullus : nullus *H* || 110 subigunt *H* || 112 quam *om. HP* || dulcibusque : dulcisque *H* || vinculis : modulis *H* || 114 ac : vel *H*

---

k. Is. 34, 4 || l. Lc 16, 19 || m. Is. 5, 11

disputent dans les écoles, se déchirant les uns les autres à coups d'arguments, et tout ce qu'ils s'appliquent à apprendre en parcourant diverses contrées. Pourquoi m'étendre ? Rois, princes, tyrans et *toutes leurs armées*[k] me servent, relèvent de moi. Entends-tu qu'ont lieu ici et là guerres et combats, mouvements de troupes, campements, sièges de villes, massacres réciproques ? tout cela se fait à cause de moi, tous ces événements ont lieu à mon instigation. »

5. La gloutonnerie. Elle parlait encore, quand ils voient approcher la gloutonnerie : visage gai, geste facile, parole abondante. Elle s'écrie : « Qui êtes-vous ? pourquoi êtes-vous ici ? » Ils répondent : « Nous sommes des personnes de ta connaissance, tes intimes ! Nous stationnons ici pour raconter nos exploits à tour de rôle et nous en féliciter mutuellement. C'est pourquoi il est utile que tes paroles à toi aussi justifient de ton identité, et que tu nous révèles quel est ton métier. » — « Moi ? » — « Toi. » — « D'accord, dit-elle, je suis prête ! Mon office est bienvenu de tous, agréé de tous. Qui n'est captivé par l'instinct de gourmandise ? Qui n'est séduit par la douceur des saveurs ? Aucun moine, aucun anachorète qui soit privé de mes services. Alors qu'ils soumettent facilement les autres sens, ils se plaignent d'être souvent vaincus par les séductions de la gourmandise[1]. Et que dire des séculiers ? Combien n'en ai-je pas charmés, enlacés dans les douces chaînes de mes complaisances, au point qu'ils vendraient ou engageraient leur tunique ou leur chemise plutôt que de renoncer à dîner *magnifiquement tous les jours*[l] et à *s'échauffer* à force *de vin*[m] ! Que de proprié-

1. Ce caractère irréductible de la gourmandise est souligné par JEAN CASSIEN : « Ainsi, nous pouvons déraciner les vices surajoutés à la nature ; mais de rompre tout pacte avec la gourmandise, c'est chose impossible » (*Conl.* 5, 19 : *SC* 42, p. 211-212).

possessionibus, gula dominante, redacti sunt ! Quot stupra, incestus, adulteria patrata, itemque seditiones homicidiaque commissa ! Vidimus saepe potatores ex taberna acceptis vulneribus redeuntes sanguinem pro vino
120 recompensasse, nonnullos vero ibidem interfectos pocula morte sua comparasse. Denique quidquid laborant agricolae, quidquid opifices diversi, totum fere meum est. Paucis se induunt, cetera omnia gulae sunt. »

6. De ira. His finitis, aspiciunt iram haud longe ad-
125 stantem, oculis torvam, facie ignitam, voce clamosam secumque de quibusdam olim sibi illatis iniuriis nescio quid querentem. Ad quam conversae : « Iungere, aiunt, nobis. Nam huic collationi nostrae neque tua debet oratio deesse. Sed mitigato, quaesumus, paululum spiritu lo-
130 quere ne, solito utens fragore, auditores horrisona fuges voce. » Illa protinus indignata : « A meis, inquit, iniuriis incepistis ! Sed *iuro per caelum, iuro per terram*[n], properabo hanc meam iniuriam quantocius ultum iri, sicut et quemdam adversarium meum nuper ulta sum ! Qui cum
135 esset iuvenis praedives valde multamque habens familiam, cum tanta eam mansuetudine ac moderamine regere solebat, ut nemo adversus eum murmuraret, nullus de eo quereretur. Nunc autem, me eum de die in diem stimulante, ita in eos efferatus est ut alios caedens, alios
140 convicians, omnes pariter fugarit. Causas vero in iudicio forte dicturus, ita per me subita quadam commotione turbatur, ut minari potius vel insanire videatur quam

116 stuprum *H* ‖ 117 homicidia *H* ‖ 119 vino : uno *H* ‖ 120 nonnullos : non *H* ‖ 124 De ira *om. HP* ‖ 128 oratio : omnia *H* ‖ 129 mitigato : irrigato *H* ‖ spiritu paululum *P* ‖ 132 incepistis : inceptis *H* ‖ 133 quantocius ultum iri : quanto citius ultum iri *P* ulcisci quam totius *H* ‖ 134 quemdam : quondam (?) *H* ‖ 135 valde multamque : multam *H* ‖ 136 eam : eum *HP* ‖ 136-137 regere solebat : regebat *HP* ‖ 137 murmuret *D* ‖ 138 quereret *H* ‖ eum *om. H* ‖ 139 eos *om. H* ‖ 140 fugaret *HP* ‖ 141 subita : subdita *P*

taires de grands biens ont été réduits au comble du dénuement sous l'empire de la gourmandise ! Que de viols, d'incestes, d'adultères perpétrés, que de rixes, que d'homicides ! On voit souvent des buveurs revenir blessés de la taverne, ayant payé le vin de leur sang ; quelques-uns s'y font tuer et achètent ainsi leurs verres au prix de leur mort. Enfin presque tout le travail des cultivateurs et des différents artisans m'appartient. Ils s'habillent de peu ; tout le reste est pour la gourmandise. »

6. La colère. Ces discours achevés, ils aperçoivent non loin de là la colère : les yeux farouches, le visage en feu, la voix criarde, elle proférait je ne sais quelles plaintes au sujet d'injures reçues autrefois. Se tournant vers elle : « Joins-toi à nous ! disent-ils. Ton discours ne doit pas manquer non plus à notre conférence que voici. Seulement, nous t'en prions, parle sur un ton un peu plus calme, de peur que par ton fracas habituel tu ne fasses fuir les auditeurs, effrayés au bruit horrible de ta voix. » Aussitôt indignée : « Vous commencez par m'injurier ! Mais *je le jure par le ciel, je le jure par la terre*[n] ! je tâcherai de me venger de cette injure au plus vite, comme je me suis vengée dernièrement d'un de mes adversaires ! C'était un jeune homme fort riche et doté d'une nombreuse domesticité ; il la gouvernait avec tant de douceur et de modération que personne ne murmurait contre lui, personne ne se plaignait de lui. Mais, aiguillonné par moi jour après jour, il est maintenant devenu si sauvage envers eux qu'il les a tous fait fuir, frappant les uns, insultant les autres. Quand d'aventure il doit exposer sa cause dans un procès, je l'agite si bien d'une émotion subite qu'il a plutôt l'air de lancer des menaces ou de

n. Jac. 5, 12

orare et ius suum in iniustitiam multotiens convertat. Quid plura ? Ira tortus et confectus, iam senuit ; iuvenile
145 caput canis coopertus faciemque rugis deformatus, vix inveniens qui cum eo habitare aut sibi velit dato etiam magno pretio servire, cum nulli ferme homini pacifice loqui possit, universis odibilis, cunctorum detractionibus expositus, et ut citius de super terram auferatur omnibus
150 pariter imprecantibus. Quot bella et seditiones per iracundiam sibi ipse concitavit, quot inimicos et implacabiles adversarios sola lingua sua acquisivit ! »

7. De accidia. Ira sic ceteras alloquente, ecce accidia, quae *huc illucque vagabunda* [o] deambulabat, a longe eas
155 prospiciens, occurrit gaudens, fassa diu se quaesisse cum quibus loqueretur et, quia nunc reperisset, vehementer laetari. Cui illae aiunt : « Quidnam tantopere habes dicere ? » — « Nihil, inquit, habeo, sed quibuslibet sermunculis tempus occupare quaero. Nisi enim vel confabu-
160 lando vel deambulando diem duxero, taedio morior. Soleo mirari siquando sola fui :

Quisnam solem fixerit caelo ?

Quae rerum natura stellas subduxerit orbi ?

Silere vero, tormentum duco ; stare in loco, languorem
165 deputo. Manibus vero quidquam operari numquam fuit mihi cordi [p]. Verbositas me pascit, somnus delectat, corporis vel mentis vagatio iuvat. Rumores audire, novas

143 iniustitiam : iustitiam *HP* || convertat multotiens *H* || 144 iam senuit *om. H* || 149 aufereatur *C* || omnibus *om.* H || 150-151 Quot ... quot : quod ... quod *P* || 153 De accidia *om. HP* || ceteras : ceteros *CDH* || 154 vagabunda : vitabunda *H* || a : de *H* || 155 fassa : falsa *H* || quaesisse se *H* || 157 laetari : -retur *P* || habes : habeas *H* || 158 sermunculis : serviun- *P* || 162 fixerit : fixit *D* || 163 subduxerit : -duxit *CD* || 164 duco : deputo *C* || 165 deputo : duco *C* || vero : *om. H* || quidquam : quicquid *H* || fuit : sum *H*

perdre la tête que de plaider, et qu'il change souvent son droit en injustice. Pourquoi m'étendre ? Tordu, épuisé par la colère, il est déjà vieilli ; sa tête de jeune homme s'est couverte de cheveux blancs, il a le visage défiguré par les rides. Même en payant cher, c'est à peine s'il trouve quelqu'un pour demeurer avec lui ou pour le servir ; car il ne peut parler amicalement à personne, ou à peu près. Tous le haïssent ; il est en proie à la détraction générale, et tous prient pareillement pour qu'il soit ôté de la terre au plus vite. Combien de guerres et de discordes ne s'est-il pas lui-même suscitées, combien d'ennemis, d'adversaires implacables ne s'est-il pas acquis par sa langue seule ! »

7. L'acédie. Comme la colère les haranguait, voici que l'acédie, qui *vagabondait ça et là*[o], les aperçoit de loin. Elle accourt enchantée, et leur déclare avoir longtemps cherché à qui parler, et se réjouir avec véhémence d'avoir maintenant trouvé. « Qu'as-tu donc de si important à dire ? » lui demandent-ils. « Rien, réplique-t-elle ; mais je cherche à tuer le temps en papotages, peu importe lesquels. Car si je ne passe la journée à bavarder ou à me promener, je meurs d'ennui. Chaque fois qu'il m'est arrivé d'être seule, je me suis étonnée :

Qui donc a pu figer le soleil dans le ciel ?
Quelle cause naturelle a pu soustraire les étoiles à leurs révolutions ?

Garder le silence me fait l'effet d'une torture ; rester en place ? il faudrait être malade ! Quant à travailler de mes mains, cela n'a jamais été selon mon cœur[p]. Le verbiage m'est un festin, le sommeil un délice ; vagabonder ou divaguer, voilà qui me donne des forces ! Entendre des racontars, voir du nouveau, quel bonheur à mes yeux !

o. I Sam. 23, 13 || p. Cf. Prov. 21, 25 ; Lc, 16, 3

res videre, beatum puto. Vellem cotidie fieri mutationes dominorum, innovationes legum, translationes institutio-
170 num, ut his mutationibus taedii levamen qualemcumque caperem. Enimvero odi quidquid diu durat, horreo si quid in eodem perseverat [q]. His institutionibus ego magistra discipulos meos instruo, talibus disciplinis mihi acquiescentes instituo. Praecipue autem eremitas atque
175 solitarios inquietare contendo. Coenobitae vero, quia modo legendo, modo manibus operando, modo divinum officium celebrando diem ducunt, non facile in manus dicionis meae incidunt. Nam saeculares quosque et qui spiritalis nil agunt operis impugnare dedignor (D). »

180 **8. De tristitia**. Dixerat, et versa ad occidentem videt tristitiam a longe venientem. Quae facie in humum deiecta, ad maxillam manum tenens, profunda trahebat suspiria, lugubres quasdam querelas intra fauces volvens et nescio cui repressa voce maledicens. Huic appropin-
185 quanti illae aiunt : « Quia fortuna te nostro interesse colloquio concessit, eia ! sodes, respira, quaesumus, paululum et, ob nostrae reverentiam praesentiae, faciem

168 fieri *om.* *P* || 169 innovationes : invocationes *H* || 171-172 si quid : siquidem *H* || 174 instituo : constituo *H* || 176 modo[2] *om.* *H* || divinum modo *CD* || 177-178 in manus dicionis meae : in manibus meis *CD* || 180 De tristitia *om.* *HP* || versa ad occidentem : reuersa ad o. *P* ad o. reuersa *H* || 181 humum : humeris *H* || 183 intra : inter *H* || 185 interesse : inter se *H* || 185-186 colloquio interesse *P* || 187 reverentiae praesentiam *H*

q. Cf. Job. 14, 2

1. Galand se fait ici l'écho de la méfiance des cisterciens à l'égard de la vie érémitique. Le traité d'AELRED DE RIEVAULX adressé à sa sœur recluse débute par une satire haute en couleur qui ne vise en principe que les recluses dévoyées, mais où perce une certaine réticence vis-à-vis de la vie solitaire en tant que telle (*Inst. inclus.* 2-3 : *SC* 76, p. 44-48 ; voir l'Introduction, p. 12-13). Cette réticence est plus nette encore chez S. BERNARD, *Circ* 3, 6 (*SBO* 4, p. 286-287) ; *Ep* 115 (*SBO* 7, p. 294-295) ; *SC* 64, 4 (*SBO* 2, p. 168). Voir à ce sujet, J. LECLERCQ,

Je voudrais qu'il y ait tous les jours changements d'autorité, législation nouvelle, modifications dans les institutions, afin d'obtenir grâce à ces mutations quelque remède à mon ennui. Car j'ai en horreur tout ce qui dure ; j'abhorre de voir quelque chose rester dans un même état [q]. De cette doctrine, moi, leur maîtresse, j'instruis mes disciples ; à ces disciplines je forme ceux qui me sont dociles. J'ambitionne surtout de troubler ermites et solitaires [1]. Les cénobites, eux, ne tombent pas facilement entre mes griffes, car ils passent la journée tantôt à lire, tantôt à travailler de leurs mains, tantôt à célébrer l'office divin [2]. Et je dédaigne de m'attaquer à de quelconques séculiers et aux gens qui n'entreprennent rien au plan spirituel (D). »

8. La tristesse. Ayant parlé, elle se tourne vers l'occident et voit venir de loin la tristesse. Le visage baissé vers la terre, la main à la mâchoire, elle poussait de profonds soupirs, ressassant au fond de sa gorge des plaintes lugubres et maudissant je ne sais qui d'une voix contenue. Comme elle approchait, ils lui disent : « Puisque la chance a permis que tu participes à notre colloque, allons, de grâce ! reprends un peu haleine, nous t'en prions ; par égard pour notre présence, prends un

Témoins de la spiritualité occidentale, Paris 1965, p. 316-321 ; G. CONSTABLE, « Cluny, Cîteaux, la Chartreuse », dans *Studi su San Bernardo di Chiaravalle nell'ottavo centenario della canonizzazione,* Roma 1975, p. 99-104.

2. Le rôle de l'alternance des occupations dans la lutte contre l'acédie a été signalé en particulier par AELRED DE RIEVAULX, *Inst. inclus.* 9 (*SC* 76, p. 62-68) ; *Serm.* 21 (*CCM* 2 A, p. 174) ; voir C. DUMONT, « L'équilibre humain de la vie cistercienne d'après le Bienheureux Aelred de Rievaulx », *Coll. Ord. Cist. Ref.* 18, 1956, p. 177-189. Mais cet enseignement apparaît également chez S. BERNARD : « La diversité des saintes observances chasse complètement l'ennui et l'acédie » (*Ep* 78, 4 : *SBO* 7, p. 204) ; voir aussi *Sent* I, 30 (*SBO* 6^2, p. 17-18) ; *Div* 12, 3 (*SBO* 6^1, p. 129).

quantulumcumque exhilara ac quibus eruditionibus discipulos tuos et tu instruas paucis edissere verbis. » His
190 illa subiungens : « Qui mihi, inquit, oboediunt, omnes sibi adversitates, aut olim illatas, aut quae nunc inferuntur, aut quae etiam aliquando inferri possunt, ante mentis suae oculos reducunt, ut ex earum contemplatione, velut ex quadam lignorum copia, tristitiae ignem in semetipsis
195 nutriant. Quidquid eis evenit, vel adversum ducunt vel minus iusto utile. Omnes ferme homines suspectos habent ac sibi velle nocere putant. Bono et simplici animo quis eis loquitur, at illi *insidias* arbitrantur *et, cum pax sit*[r], suspicantur bellum. Semper alienas segetas uberes, pro-
200 prias vero tenues lamentantur. Semper vicinorum armenta fecunda, sua autem sterilia esse mentiuntur. Mala sibi quolibet casu illata, aestimatione sua et malignis quibusdam coniecturis maiora semper faciunt quam sint. Si post tribulationis noctem prosperitatis eis dies illuces-
205 cere coeperit, ne quid inde consolationis accipiant, se potius deceptum iri autumant, sicut et nos, verbi gratia, quando plenilunium est, nonnumquam, cum aurora apparere coeperit, lunae splendorem, non diei adventum esse putamus. His et similibus fomentis sequaces meos
210 doloris flammam in semet ipsis alere doceo et de reliquo semper peiora exspectare moneo. »

9. De curiositate. Vix illa sermonem compleverat, et ecce curiositas adest improvisa, vehementer et importune

188 quantulamcumque *H* ‖ 189 instruas : instituas *HP* ‖ verbis *om. HP* ‖ 191 inferuntur : aufe- *H* ‖ 192-193 oculos mentis suae *P* ‖ 196 iusto : ducunt *add. H* ‖ 197 quis : qui *HP* ‖ 198 sit *om. H* ‖ 199 alienas : vicinorum *H* ‖ 200 vicinorum : vinorum *H* ‖ 202 illata : allata *H* ‖ 205 consolationis : solationis *H* ‖ 206 deceptum iri autumant : decepturum iri autumant *P* decepturi aestimant *H* ‖ 207 plenilunium : plenissimum *H* ‖ 210 semetipsos *H* ‖ 212 De curiositate *om. HP*

r. Job 15, 21

air un peu plus gai, et dis-nous en peu de mots de quelles connaissances toi, de ton côté, tu instruis tes disciples. » — « Ceux qui m'obéissent, enchaîne-t-elle, se remettent sous les yeux de l'esprit toutes les adversités qui les ont atteints autrefois, ou qui les atteignent actuellement, ou qui pourraient les atteindre un jour, pour les contempler et mettre ainsi du bois en abondance sur le feu de leur tristesse. Tout ce qui leur arrive, ils l'estiment soit malheureux, soit moins profitable que de juste. Ils tiennent à peu près tous les hommes pour suspects et croient qu'ils veulent leur nuire. Quelqu'un leur parle-t-il dans un esprit bienveillant et sans duplicité, ils y voient *une embûche, et en temps de paix*[r] soupçonnent la guerre. Toujours ils se plaignent que les récoltes d'autrui sont abondantes, les leurs maigres. Toujours ils affirment mensongèrement que les troupeaux des voisins sont féconds, les leurs stériles. Des maux leur arrivent-ils par un hasard quelconque, ils les estiment toujours plus grands qu'ils ne le sont, et les font tels à coups de conjectures perverses. Après la nuit de l'adversité, le jour de la prospérité se met-il à poindre pour eux ? de peur d'en recevoir quelque consolation, ils pensent plutôt s'abuser, de même que, par exemple, au temps de pleine lune, quand l'aurore commence à luire, on croit parfois que c'est l'éclat de la lune et non la venue du jour. A qui me suit, j'apprends à nourrir en lui-même la flamme de la douleur au moyen de ces aliments et d'autres semblables, et quant au reste je l'engage à s'attendre toujours à pire. »

9. La curiosité[1]. Elle avait à peine achevé son discours, et voici que la curiosité se présente à l'improviste, de-

1. Au sujet du vice de la curiosité chez les auteurs médiévaux, voir R. NEWHAUSER, « Towards a history of human curiosity : a prolegomenon to its medieval phase », *Deutsche Vierteljahrsschrift für Literaturwissenschaft und Geistesgeschichte* 56, 1982, p. 559-575.

perquirens cur ibi convenissent aut quid inter se tracta-
215 rent. Contra una ex illis pro omnibus respondens : « Immo, ait, tu ipsa, quia cuius officii sis multos latet, potestatis tuae ius paucis edicito. » At illa : « Meum, inquit, est rumoribus audiendis vacare et quidquid ubicumque fit, magnum vel modicum, etiam nihil ad me
220 pertinens, etiam nihil commodi habens, perscrutari ac discere. Omne ingenium meum in occultis et dubiis cognoscendis semper exerceo, non solum eorum quae sunt *in terra*, sed etiam quae *in caelo* et *in mari et in omnibus abyssis*[s]. Huic studio etiam omnes sensus corporis mei
225 dediti sunt, ut oculi discernere cupiant varietates colorum, aures sonorum, gustus saporum, manus lenium ab asperis, nares foetentium a bene olentibus. Denique ipsa etiam humani corporis abdita et visu horribilia, vel quae nosse fas non est, penetrare iuvat (E). Talibus nugis dum
230 mentes hominum occupo, a veri et utilis inquisitione averto ut, cum superflua quaerunt, necessaria relinquant et tempus aeternae vitae acquirendae datum, in non profuturis expendant. Quid quod aliorum peccata, propriis neglectis, eos discutere facio ? Quae quo magis
235 insequuntur, eo plus suorum obliviscuntur seseque in comparatione aliorum sanctos arbitrantur, dum non faciunt forte quod illi vel illi, cum ipsi quaedam alia forsitan peiora committant. »

10. De superbia. Superbia, his adhuc inter se loquen-
240 tibus, superveniens et quid loquerentur agnoscens : « Cur, ait, o miserae, opera vestra quasi iactando profertis cum,

217-218 Meum, inquit, est : meum est, inquit *P* inquit meum est *H* || 219 fit : sit *H* || 220 etiam : et *P* *om. CD* || commodi : modici *H* || 220-221 perscrutari ac discere : perscrutor ac disco *P* || 222 quae : qui *P* || 226 lenium : levium *H* || 227 bene olentibus : benevolentibus *H* || 228 corporis humani *P* || 230 mentem *H* || veri et utilis : vera et utili *CD* || 232 vitae : ute *H* || 234 facio : faciam *P* || 237-238 forsitan quaedam alia *P* || 238 peiora *om. H* || 239 De superbia *om. HP* || inter se adhuc *HP* || 240-241 Cur — profertis *om. H*

mandant instamment et mal à propos pourquoi ils s'étaient réunis là et de quoi ils discutaient entre eux. A quoi l'un d'eux répond au nom de tous : « Toi-même, apprends-nous plutôt brièvement en vertu de quoi tu exerces ton pouvoir ; beaucoup ignorent en effet ta fonction. » Elle : « Il m'appartient de m'occuper à écouter les rumeurs, à tout scruter, à m'informer partout de tout, grandes ou petites affaires, même si elles ne me regardent en rien, même si elles n'ont aucun intérêt. En tout temps, je mets tout mon génie à connaître les aspects occultes et incertains de ce qui est non seulement *sur la terre,* mais également *au ciel* et *dans la mer et dans tous les abîmes*[s]. Je consacre aussi à cette activité tous les sens de mon corps : mes yeux désirent discerner des différences de couleurs, mes oreilles des variations de son, mon palais des variétés de saveurs, mes mains distinguer le doux du rugueux, mes narines les mauvaises odeurs des bonnes. Enfin j'aime pénétrer même les secrets du corps humain, horribles à voir, qu'il est interdit de connaître (E). En occupant les esprits des gens à de pareilles futilités, je les détourne de rechercher le vrai et l'utile, afin qu'en poursuivant le superflu ils laissent là le nécessaire et dépensent en inutilités le temps qui leur est donné pour gagner la vie éternelle. Que dire encore de ceci, que je leur fais enquêter sur les péchés d'autrui en négligeant les leurs ? Plus ils les poursuivent, plus ils oublient les leurs et s'estiment saints par comparaison, quand il leur arrive de ne pas tomber dans les mêmes fautes que ceux-ci ou ceux-là, alors qu'eux, peut-être, en commettent de pires encore. »

10. L'orgueil. Comme ils parlaient encore entre eux, survient l'orgueil et, saisissant ce qu'ils disaient : « Pourquoi donc, misérables, mettez-vous vos œuvres en avant

s. Ps. 134, 6

ad mearum comparationem virtutum, nihil existimari debeat quidquid dicitis ? Quis enim, nisi ego, Luciferum de caelo proiecit ? Quis hominem de paradiso ? Denique
245 ego fons et origo totius mali, ego *initium omnis peccati*[t]. Saeculares viri me sibi familiarem, religiosi vero habent omnino suspectam. Quorum perfectio non me terret, sanctitas non expellit, sed magis ad pugnandum accendit. Quo quisque fuerit religiosior, eo ego ei sum infestior.
250 Virtutes quae vos, o ignavae, praecipites fugant, me magis ad bellandum inflammant. Ipsa sanctitas mihi materia est pugnandi, perfectio ipsa occasionem nonnumquam mihi praebet superandi. » Haec ea loquente, ceterae omnes territae siluerunt et tamquam dominae et reginae
255 suae cesserunt. Sicque feralis ille cuneus solutus est (F).

A. Nota quod avaritia libidini dicitur obvia, id est opposita, quia haec quaerit expendere, illa parcere et restringere. Et tamen in decipiendo nobis concordant. Vitia mutuo loquuntur magis re quam verbis seque ad nocendum nobis provocant, quia vere
260 ut virtus virtute proficit, sic vitia in corde hominis alia ex aliis incrementum roburque percipiunt. Unde et dicitur : *Et clamabit pilosus alter ad alterum*[u], quia vitium vitio incitamentum quoddam promotionemque ministrat.

B. Secundum illud : *Qui adhaeret meretrici unum corpus cum*
265 *ea efficitur*[v].

242 mearum comparationem : comparationem earum *H* || 243 debeant *H* || 243-244 nisi ego ... de caelo : de caelo nisi ego *P* || 244 de caelo proiecit : deiecit *H* || 245 omnis : totius *C* || 246 familiarem : habent *add. P* || 247 omnino : me *add. P* || 249 infestior : infectior *H* || 250 o *om. P* || me : ne *H* || 252 pugnandi est *CP* || 256-263 *Glosam* A. *om. HP* || 257 haec : hoc *C* || 264-265 *Glosam* B. *dixtinxi et suo loco posui : in textu inserunt codd.* || cum ea *om. HP*

comme pour vous faire valoir, alors qu'à côté de mes hauts faits on doit compter pour rien tout ce que vous racontez ! Qui donc a précipité Lucifer du ciel, sinon moi ? et l'homme du paradis ? En un mot, c'est moi la source et l'origine de tout mal ; c'est moi *le commencement de tout péché*[t]. Les séculiers m'ont pour intime ; les hommes religieux, eux, me tiennent pour tout à fait suspect. Leur perfection ne m'effraie pas, leur sainteté ne me chasse pas ; elles me donnent au contraire plus d'ardeur au combat. Plus quelqu'un est religieux, plus je m'acharne contre lui. Les vertus qui vous font fuir tête baissée — lâches que vous êtes ! — excitent ma flamme guerrière. La sainteté même m'est matière à combattre ; la perfection même m'offre parfois l'occasion d'une victoire. » A ces paroles, tous les autres se turent épouvantés et plièrent devant lui comme devant leur seigneur et leur roi. Et ainsi ce funeste rassemblement se dispersa (F).

A. Note que l'avarice est dite ren-contrer le désir charnel (c'est-à-dire être à l'encontre de lui) parce que le second cherche à dépenser, la première à épargner et à se serrer la ceinture. Et cependant ils s'accordent pour nous tromper. Les vices se parlent entre eux en actes plus qu'en paroles, s'excitent mutuellement à nous nuire, car de fait, de même qu'une vertu en fait progresser une autre, de même dans le cœur de l'homme les vices reçoivent l'un de l'autre accroissement et vigueur. Aussi est-il dit : *Et les satyres poilus s'appelleront l'un l'autre*[u]. Le vice procure en effet au vice accroissement et progrès.

B. Selon cette parole : *Qui s'unit à la prostituée devient un seul corps avec elle*[v].

t. Sir. 10, 15 ‖ u. Is. 34, 14 ‖ v. I Cor. 6, 16

C. Sed cur vitia alia rogant alia dicere sua facta ? Quia vitiosi quique alii aliorum peccata libenter auscultant, ut vel eorum exemplo semet ad peiora provocent, vel ex illorum comparatione culpas suas excusare seu quoquomodo levigare
270 queant. Denique libentius hoc quod magis diligunt quam aliquid aliud audiunt.

D. Hinc est quod artifices vel opifices huius saeculi suo operi tota die vel etiam nocte sine ullo taedio instare videmus. Cum vero psalmis, hymnis, vigiliis et orationibus intendimus,
275 inimico instante, cito vel taedio afficimur vel cogitationibus impedimur.

E. Sicut Nero de matre sua fecit.

F. Superbia efficiente feralis cuneus solvitur, quia eius instinctu vitia ipsa a se dissident, ut ingluvies ab hypocrisi, ira a
280 vana laetitia, avaritia a luxuria, et cetera. Sic inter superbos semper iurgia sunt.

266-276 *Glosas* C. *et* D. *om. HP* || 266 Quia : nisi *add. C* || 267 quique : quicque *C* || 272-273 operi suo *D* || 277 *Glosam* E. *in textu inserit H om. P* || sua matre *C* || 278-281 *Glosam* F. *om. HP* || 280 Sic *conieci* : sed *CD*

C. Pourquoi les vices se réclament-ils mutuellement le récit de leurs exploits ? Parce que les gens vicieux écoutent tous volontiers les péchés les uns des autres, soit afin de s'exciter par leur exemple à faire pire, soit pour être en mesure d'excuser par comparaison leurs propres fautes ou de les alléger quelque peu. Bref, ce qu'ils aiment davantage leur est plus agréable à entendre que toute autre chose.

D. De sorte qu'on peut voir artisans et ouvriers de ce monde assidus à leur ouvrage tout au long du jour, sinon la nuit de surcroît, et ce, sans le moindre ennui. Mais nous appliquons-nous à la psalmodie, au chant des hymnes, aux veilles et à la prière ? aussitôt, talonnés par l'ennemi, nous sommes envahis de dégoût ou empêtrés dans nos pensées.

E. Comme fit Néron avec sa mère.

F. Ce funeste rassemblement se disperse sous l'impulsion de l'orgueil parce que ce dernier met la discorde entre les vices eux-mêmes, par exemple entre gloutonnerie et hypocrisie, entre colère et joie creuse, entre avarice et luxure, etc. Ainsi, entre orgueilleux il n'y a jamais que des querelles.

XVII

DE MIRACULIS (A) QUAE HOC TEMPORE FIUNT

Frater quidam interrogavit senem dicens : « Quare et hoc tempore antiqua non fiunt miracula, ut et *caeci videant* et *surdi audiant* et *claudi ambulent*[a] *?* » Respondit ille : « Immo hodie et *caeci vident* et videntes caecantur[b] ;
5 et *surdi audiunt* et audientes obsurdescunt ; et *claudi ambulant* et cursores claudicant. » — « Quomodo ? » inquit. Respondit denuo : « *Caeci vident* (B), quando simplices et idiotae, mortis et inferni horrorem attendentes, a peccato cavent. Videntes caecantur (C), quando *sa-*
10 *pientes huius saeculi*[c] neque mortis neque inferni timore corriguntur. *Surdi audiunt* (D), quando qui pravas suggestiones respuunt divinorum praeceptorum vocem in corde recipiunt. Audientes surdi fiunt (E), quando e converso qui diabolo oboediunt Christi praecepta
15 contemnunt. *Claudi ambulant* (F), quando qui in saeculi huius via adversitatibus sibi obviantibus non proficiunt, ad Deum conversi, bene operando currunt. Cursores claudicant (G), quando qui in hoc mundo prosperantur a bono opere ipsa prosperitate retardantur. »

a. Matth. 11, 5 || b. Cf. Jn 9, 39 || c. I Cor. 3, 18

---

1. Cf. *RB,* Prol. 49 : « Mais en avançant dans la vie religieuse et la foi, " le cœur se dilate et l'on court sur la voie des commandements " de Dieu (*Ps.* 118, 32) avec une douceur d'amour inexprimable. »

17

MIRACLES (A) QUI ONT LIEU DE NOS JOURS

Un frère interrogea un vieillard en ces termes : « Pourquoi les miracles d'antan n'ont-ils plus lieu de nos jours : *aveugles qui voient, sourds qui entendent, boiteux qui marchent*[a] ? » L'autre répondit : « Bien au contraire, aujourd'hui *des aveugles voient* et des voyants deviennent aveugles[b] ; *des sourds entendent* et des gens qui entendent deviennent sourds ; *des boiteux marchent* et des coureurs boitent. » — « Comment cela ? » L'autre répondit une deuxième fois : « *Des aveugles voient* (B) quand des gens simples et incultes considèrent l'horreur de la mort et de l'enfer et se gardent du péché. Des voyants deviennent aveugles (C) quand *les sages de ce monde*[c] ne se laissent corriger ni par la crainte de la mort, ni par celle de l'enfer. *Des sourds entendent* (D) quand ceux qui refusent d'entendre des suggestions mauvaises accueillent dans leur cœur la voix des préceptes divins. Des gens qui entendent deviennent sourds (E) quand, au contraire, ceux qui obéissent au diable méprisent les préceptes du Christ. *Des boiteux marchent* (F) quand des gens qui ne progressent pas sur le chemin de ce monde à cause des adversités qu'ils y rencontrent se tournent vers Dieu et courent par leurs bonnes actions[1]. Des coureurs boitent (G) quand ceux qui prospèrent en ce monde sont empêchés par cette prospérité même de bien agir. »

20 A. Scilicet spiritalibus.

B. De his caecis scriptum est : *Dominus illuminat caecos* [d]. Item : *Et claudit oculos suos ne videat malum* [e].

C. De talibus ait Dominus : *Duces caeci* [f]. Item : *Si caecus caeco ducatum praestat, ambo in foveam cadunt* [g].

25 D. De his surdis erat qui dixit : *Ego autem tamquam surdus non audiens et sicut mutus non aperiens os suum* [h]. Item : *Qui obturat aures suas ne audiat sanguinem* [i].

E. De his vero surdis scriptum est : *Furor illis secundum similitudinem serpentis et sicut aspidis surdae et obturantis aures* 30 *suas* [j].

F. De his claudis dicitur : *Tunc saliet sicut cervus claudus* [k].

G. De his vero dicitur : *Et claudicaverunt a semitis suis* [l].

20 *Glosam* A. *om. C* || 21 caecos *om. C*

d. Ps. 145, 8 || e. Is. 33, 15 || f. Matth. 23, 16 || g. Matth. 15, 14 || h. Ps. 37, 14 || i. Is. 33, 15 || j. Ps. 57, 5 || k. Is. 35, 6 || l. Ps. 17, 46

A. Spirituels, bien sûr.

B. Il est écrit au sujet de ces aveugles : *Le Seigneur illumine les aveugles*[d]. Et encore : *Et il ferme les yeux pour ne pas voir le mal*[e].

C. Le Seigneur dit des gens de cette sorte : *Guides aveugles*[f]. Et encore : *Si un aveugle guide un aveugle, ils tombent tous deux dans un trou*[g].

D. Il était de ces sourds-là, l'homme qui a dit : *Mais moi, comme un sourd qui n'entend pas, comme un muet qui n'ouvre pas la bouche*[h]. Et encore : *Qui se bouche les oreilles pour ne pas entendre le cri du sang*[i].

E. Il est écrit de ces sourds-là : *Leur fureur ressemble à celle du serpent, de la vipère sourde qui se bouche les oreilles*[j].

F. Il est dit de ces boiteux-là : *Alors le boiteux bondira comme un cerf*[k].

G. Il est dit de ceux-là : *Et ils boitilleront, s'éloignant de leurs sentiers*[l].

XVIII

QUAE SIT REGINA OMNIUM VIRTUTUM

1. Omnes virtutes convenerunt aliquando in unum[a], ut ex semet ipsis unam sibi in reginam eligerent. Et primum quidem, ut fieri solet, diversae diversa (A) super hoc sentiebant negotio. Aliae enim humilitatem tali di-
5 gnam honore dicebant, eo quod ipsa grato internae cuiusdam suavitatis ac dulcedinis sapore religiosorum quorumque tam actus quam sermones condiat ac temperet et acceptari ab omnibus faciat, ipsosque in bono permanere ac perseverare statu, blando cotidianae ins-
10 tructionis suae hortamento edoceat. Astruebant ergo quidquid boni sine illa fit non solum nihil valere, sed etiam maximo ipsi operanti detrimento fore ipsamque potissimum omnium custodem ac nutricem virtutum esse scalamque quamdam qua ipsum petatur caelum, sicut e
15 contrario per superbiam inde ruitur, dicente Domino : *Omnis qui se exaltat humiliabitur et qui se humiliat exaltabitur*[b].

Codd. CDH

Tit. : De virtutibus, quaenam earum esset regina *H*

2 in *om. CD* || 3-4 sentiebant super hoc *H* || 4 Aliae : humilitas *rubr. in marg. add. H* || 7 quorumque : quoque virorum *H* || 7-8 ac temperet et : et contemperet ac *H* || 12 ipsi operanti : operante *H* || 13 esse virtutum *C* || 16 se[1] *om. H* || 16-17 et qui — exaltabitur *om. CD*

a. Cf. Ps. 2, 2 || b. Lc. 18, 4

18

QUELLE EST LA REINE DE TOUTES LES VERTUS ?

1. Les vertus se réunirent [a] toutes un jour pour se choisir parmi elles une reine. Et comme il arrive d'habitude, au début les différentes vertus étaient d'avis différents (A) là-dessus. Les unes en effet disaient l'humilité digne d'un pareil honneur, car elle équilibre tant les actions que les paroles du religieux, les assaisonne d'une saveur bienvenue de suavité, de douceur intérieure et les fait accueillir par tous ; quant à lui-même, l'exhortation caressante dont elle l'instruit quotidiennement lui apprend à demeurer dans l'heureux état qui est le sien et à y persévérer. Tout bien accompli sans humilité, affirmaient-elles donc, non seulement ne vaut rien mais tourne au plus grand détriment de son auteur. Et surtout, elle est la gardienne et la nourrice de toutes les vertus [1]. C'est une échelle qui fait monter au ciel même [2], d'où l'on tombe au contraire par l'orgueil. Le Seigneur dit en effet : *Quiconque s'exalte sera humilié, et quiconque s'humilie sera exalté* [b].

1. Cf. S. BERNARD : « Efforcez-vous à l'humilité, car elle est le fondement et la gardienne de toutes les vertus ; suivez-la à la trace, car elle seule peut sauver vos âmes » (*Nat* I, 1 : *SBO* 4, p. 245).
2. Cf. *RB* 7, 1. 6-7.

Aliae autem pro varietate intellectus sui rei publicae suae summam prudentiae attribuendam contendebant, 20 propterea quod illa, tamquam quaedam iurisperita et totius magistra disciplinae, a cunctis percolatur sapientibus, cum ipse Salomon se eam *super salutem et omnem pulchritudinem dilexisse* et *pro luce illam habuisse* ac *sibi omnia bona pariter cum illa venisse* testetur [c]. Dicebant 25 ergo eam interiores oculos perlustrare, Scripturarum clausa reserare, quaestionum nodos dissolvere ; sic parvulos lactare ut etiam adultis congruum ministret cibum [d], perfectis quoque apponat ubi ingenium exercere valeant. Sine qua, quidquid est, brutum vel caecum dici potest ; 30 cui vero adest, perspicax et illustre.

2. Sed nec defuere in illo virtutum coetu qui huius certaminis palman virginitati conferendam censerunt, idcirco quod haec virtus angelorum sit propria et spiritalis. Cumque de caelo in terram olim descendisset, primam 35 sibi et praecipuam sedem in corde beatae semperque virginis Mariae constituerit, unde et *Dominus* incarnandus *elegit eam in habitationem sibi* [e]. Post illam vero in mentibus innumerabilium utriusque sexus virginum, tamquam in praeclarissimis quibusdam templorum suorum [f] aditis, 40 inhabitaverit et inhabitando divinis eos conspectibus repraesentari dignos fecerit, ut scriptum est : *Adducentur regi virgines post eam* [g] (B). Asserebant ergo nihil hac virtute inter homines honestius, sicut ex opposito nihil libidine turpius, cum haec eadem in Scripturis turpitudo 45 ipsa vocetur [h]. Nihil etiam in futuro saeculo Christo

18 Aliae : prudentia *rubr. in marg. add.* *H* || sui *om.* *H* || 19 prudentiae : suae *add.* *D* || attribuendum *H* || 20 quaedam *om.* *H* || 21 a : ac *H* || 23 illam : eam *H* || 24 venisse : inve- *H* || 25 perlustrare : illus- *H* || 26 resarare *H* || 27 ut : ubi *H* || 28 ubi *om.* *H* || 31 defuere : virginitas *rubr. in marg. add.* *H* || 34 Cumque : cum *D* et cum *H* || 34-35 praecipuam sibi et primam *CD* || 35 semperque *om.* *H* || 36 unde : tantum *H* || 37 eam *om.* *H* || 43 inter homines *om.* *H* || 45 ipsa *om.* *CD*

D'autres, quant à elles, l'entendaient autrement. Elles soutenaient que dans leur république la plus haute place devait être attribuée à la prudence, honorée de tous les sages en qualité de jurisconsulte et de maîtresse de toute discipline : Salomon lui-même témoigne l'*avoir aimée plus que santé et que toute beauté, l'avoir eue pour lumière,* attestant qu'*avec elle lui sont venus tous les biens*[c]. Elle purifie le regard intérieur, disaient-elles ; elle ouvre les passages fermés des Écritures, défait les nœuds des problèmes ; elle allaite les tout-petits, fournit aux adultes également une nourriture appropriée[d] et donne aux parfaits aussi de quoi exercer leur intelligence. Sans elle, tout ce qui existe peut être dit aveugle, dépourvu de raison. Est-elle là, au contraire, tout être est clairvoyant et éclairé.

2. Il ne manquait pas non plus de vertus dans cette assemblée pour estimer qu'il fallait accorder à la virginité la palme de cette joute, étant donné que c'est une vertu propre aux anges, une vertu spirituelle. En descendant autrefois du ciel sur la terre, elle a établi son premier et son principal siège dans le cœur de la bienheureuse Marie toujours vierge : aussi *le Seigneur,* devant s'incarner, *se l'est-il choisie pour demeure*[e]. Ensuite elle a habité les cœurs de vierges innombrables des deux sexes, sanctuaires très excellents de ses temples[f], et en y demeurant les a rendus dignes de se présenter aux regards de Dieu, comme il est écrit : *Après elle des vierges sont menées au roi*[g] (B). Il n'y a chez les hommes rien de plus honorable que cette vertu, affirmaient-elles ; à l'opposé, il n'est rien de plus honteux que le désir charnel, si bien que l'Écriture appelle ce dernier « honte » tout court[h 1]. Rien non plus

c. Sag. 7, 10-11 || d. Cf. I Cor. 3, 1-2 ; Hébr. 5, 12 || e. Ps. 131, 13 || f. Cf. I Cor. 6, 19 || g. Ps. 44, 15 || h. Cf. Éphés. 5, 4

1. Cf. *Ex.* 20, 26 ; *Lév.* 18 ; 6-7 ; 20, 17 ; etc.

propius ac familiarius virginitate adhaerere, secundum quod scriptum est : *Hi sequuntur agnum quocumque ierit*[i]. Sicut etiam e contrario nihil in die iudicii ita dignum confusione, ardore et foetore ut libidinis opprobrium.
50 Unde et quaedam ex ipsis abstinentiae quoque virtutem summa laude praeferebant, eo quod sollicita custos fidissimaque comes virginitatis sit ceterarumque virtutum sedula nutrix. Quae a novitiis sic est incipienda, ut etiam a perfectis non sit relinquenda, praecipue cum parsimo-
55 niae bonum non solum in cibis, verum etiam in ceteris corporeis rebus sit tenendum ; nec tantummodo gustus sed et alii sensus nostri ab illicitis quibusque sint arcendi, quatenus oculos nihil lascivum delectet aspicere, aures nihil vanum audire, manus nihil molle vel suave palpare,
60 nares nihil odoriferum olere, os quoque nihil otiosum loqui, denique cor ipsum nihil inutile cogitare.

3. Cum igitur virtutes taliter pia inter se altercatione, aliae aliam praeferendo disceptarent, una ex ipsis, nomine prudentia, cuius et supra mentio facta est, stans in medio
65 et manu silentium indicens (C), sic ait : « Quia nostra, ut video, disputatio super proposito negotio hucusque habita multipartita dissidet varietate, bonum mihi videtur, si vestrae placet sanctitati, unam ex nobis eligere, cuius solius industriae electionis huius arbitrium commit-
70 tamus ut, quod ipsa inde dixerit, ceterae omnes unanimiter sequantur. » Cumque sese huic sententiae libenter acquiescere cunctae respondissent, illa protenso in dex-

46 ac familiarius virginitate : familiaris virginitati *H* || 48 etiam *scripsi :* enim *CD* *om. H* || nihil : Rachel *H* || 49 ut libidinis opprobrium : in opprobrium libidinis *H* || 50 abstinentiae : abstinentia *rubr. in marg. add. H* || quoque *om. H* || 51 eo *om. CD* || 52 ceterarumque : ceterarum etiam *CD* || 53 novitiis : iudiciis *H* || 57 quibusque : quibuscumque *H* || 60 os quoque : osque *H* || 64 prudentia : prudentia loquitur *rubr. in marg. add. H* || 66 proposito : posito *H* || 70 quod *om. H* || 71 Cumque : cum enim *H*

dans le siècle futur ne doit s'attacher de plus près ni plus intimement au Christ, selon ce qui est écrit : *Ceux-ci suivent l'agneau partout où il va*[i]. En revanche, au jour du jugement rien ne sera aussi digne de la honte, du feu et de la puanteur que le désir charnel, ce déshonneur.

C'est pourquoi quelques-unes mettaient en avant la vertu d'abstinence, lui décernant les plus hautes louanges. Elle est en effet la gardienne attentive, la plus sûre compagne de la virginité, la nourrice diligente des autres vertus. Les novices doivent entreprendre de la pratiquer, tout comme les parfaits n'ont pas à la délaisser, cela d'autant plus que le bien de la sobriété doit s'observer non seulement dans le manger, mais également en tout ce qui concerne le corps. Il nous faut tenir tous nos sens, et non le seul goût, à l'écart des sensations illicites. But : que les yeux se plaisent à ne rien voir de déréglé, les oreilles à ne rien entendre de creux, les mains à ne rien palper de doux ni de délicat, les narines à ne rien renifler de parfumé, la bouche à ne rien dire de superflu, enfin le cœur lui-même à ne rien méditer d'inutile.

3. Comme les vertus discutaient donc de la sorte — sainte dispute ! — exprimant leur préférence pour l'une ou pour l'autre, l'une d'elles, du nom de prudence, dont on a fait mention ci-dessus, se dressa au milieu et, imposant d'une main (C) le silence, parla ainsi : « A ce que je vois, notre discussion sur la question proposée a fait apparaître jusqu'ici des avis multiples, divers et discordants. Il me semble donc bon, s'il plaît à votre sainteté, de choisir l'une d'entre nous et de confier la décision quant à cette élection à sa seule activité, de sorte que dès qu'elle aura parlé toutes les autres suivent à l'unanimité. » Et comme toutes répondaient acquiescer volontiers à cette manière de voir, elle dit en montrant

i. Apoc. 14, 4

teram partem (D) digito : « Ecce, inquit, hic est consors et commilito nostra, nomine discretio, et quae non par-
75 vae, inter ipsas nostri ordinis provectiores, semper habetur auctoritatis. Ipsa, si iubetis, huius rei arbitra iudexque constituatur. » — « Constituatur ! » omnes aiunt.

4. Tum discretio, prius siquidem ab aliis satis rogata, surgens et humiliato capite paululum demorata (E), quasi
80 loqui verecundans seu ut attentiores redderet auditores, summo ab omnibus facto silentio cunctorumque auribus ad eius verba erectis, huiusmodi tandem habuit orationem : « Laudo quidem, dilectissimae, quod de consororibus vestris tam bene omnes sentitis et unamquamque
85 fere earum regali dignam honore censetis. Sed quo plures ad hoc regimen idoneae vestris occurrunt obtutibus, eo maiori opus est providentia discernere quae potissimum eligenda sit, ne ipsa nos copia, ut dicitur, inopes faciat. Quod enim modo hanc, modo illam quodam egregio et
90 quasi singulari laudationis vestrae praeconio attollitis, benevolentiae est ; quod vero illam quae ceteris omnibus iure praecellat non discernitis, simplicitatis. Nunc ergo quae sit ipsa, secundum parvitatis meae sensum, audite.

73 est *om.* *H* || 76-77 arbitra iudexque : arbitrio iudex *H* || 77 aiunt omnes *H* || 78 discretio : discretio *rubr. in marg. add.* *H* || satis *om.* *H* || 81 cunctorum *H* || 84 vestris : nostris *H* || 85 earum fere *H* || censetis : consentitis *H* || quo : quoque *H* || 86 vestris : nostris *H* || obtatibus *H* || 89 egregio quodam *H* || 90 vestrae : vestro *H* || 92 non discernitis : discernentis *H* || 93 sensum : intellectum *H*

1. Le *Parabolarium* reflète ici le droit monastique de son époque ; au XIIe siècle, en effet, le compromis semble avoir été le mode d'élection le plus communément utilisé. Voir G. LE BRAS, *Institutions ecclésiastiques de la chrétienté médiévale* (FLICHE et MARTIN, *Histoire de l'Église*, t. 12), Paris 1959, p. 451, n. 28 ; G. DE VALOUS, *Le monachisme clunisien*, Ligugé - Paris 1935, t. 1, p. 89 s. Cette procédure, qui consiste à s'en remettre au choix d'une personne ou d'un petit groupe reconnus comme

du doigt la droite (D) : « Voici notre collègue et compagne d'armes, appelée discrétion ; on lui reconnaît toujours une autorité non médiocre parmi les membres de notre ordre, même les plus avancés. Si vous l'ordonnez, qu'elle soit établie arbitre et juge en cette affaire[1]. » — « Qu'elle le soit ! » disent-elles toutes.

4. Alors, après s'être bien laissée prier, la discrétion se leva. Tête baissée, elle fit d'abord une petite pause (E), comme si la timidité l'eût retenue de parler, ou afin de rendre son auditoire plus attentif. Puis, au milieu du plus profond silence et tandis que toutes tendaient l'oreille à ses paroles, elle prononça enfin le discours suivant : « J'approuve certes, bien-aimées, que vous ayez toutes si bonne opinion de vos consœurs et les jugiez presque toutes dignes des honneurs de la royauté. Mais plus il s'en présente à vos regards qui sont aptes à gouverner, plus il faut mettre de soin à discerner laquelle il faut choisir de préférence, de peur que l'abondance même ne nous réduise à l'indigence, comme on dit[2]. En effet, que vous éleviez aux nues tantôt l'une, tantôt l'autre à force d'extraordinaires et insignes louanges, c'est de la bienveillance. Mais que vous ne discerniez pas laquelle surpasse de droit toutes les autres relève de la naïveté. Écoutez maintenant : je vous dirai qui elle est, au sentiment de ma petitesse.

plus qualifiés, est en harmonie avec la *RB* (64, 1) : « on prendra toujours pour règle d'instituer celui que se sera choisi toute la communauté unanime... ou même une partie de la communauté, si petite soit-elle, en vertu d'un jugement plus sain ». Dans la perspective monastique, en effet, il s'agit de découvrir la volonté de Dieu, qui ne coïncide pas nécessairement avec celle d'une majorité. Voir C. FRIEDLANDER, « Galland de Reigny et la vie commune », *Coll. Cist.* 39, 1977, p. 109 ; J.B. MAHN relève également « la répugnance du Moyen Âge pour le principe majoritaire » (*L'Ordre Cistercien et son gouvernement,* Paris 1945, p. 67).

2. Cf. OVIDE, *Métam. 3,466.*

Amor Dei omnibus virtutibus, omnibus gratiis, omni-
95 bus bonis merito praefertur. In cuiuscumque hominis cor illa advenerit, ceterae quoque virtutes conveniunt et velut filiae matrem sequuntur. Vitia vero eam, velut omnino sibi contrariam, statim fugiunt atque ab ea tamquam arida ab igne ligna consumuntur. Peccata quoque prae-
100 terita, etiam gravia, etiam multa in eius delentur adventu, sicut scriptum est : *Remittuntur ei peccata multa, quoniam dilexit multum*[j]. Amor Dei in homine non potest esse falsus, non potest esse vitiosus, non potest esse vacuus vel infructuosus.

105 **5.** Nam quod superius de humilitate atque prudentia ceterisque quibusdam virtutibus laudando protulistis, sciendum quod humilitas in multis potest esse hominibus nec pura nec perfecta, quia plures aut conscientia delictorum aut paupertatis sive tribulationis cuiuslibet adver-
110 sitate oppressi sese humiliant, adeo ut humilitatem non semper in bono Scriptura accipiat, ut ibi : *Humiliavit in terra vitam meam*[k]. Denique et aliquis potest et humilis videri et nonnullis tamen vitiis foedari. Amori vero Dei cum vitiis nulla societas aut consensus esse potest[l]. Itaque
115 humilitas, nisi amoris Dei adminiculo fulciatur, vel nulla vel minima virtus est. De prudentia quoque, cuius supra meministis, nihilominus dicendum est quia, nisi amoris huius, de quo agimus, velut olei cuiusdam alimento impinguetur, fumare potest potius quam lucere et inflare
120 potius quam prodesse. *Prudentia enim carnis,* sicut legitur,

94 Dei : amor dei in regem eligitur *notam marg. add. H* ‖ 95 merito : iure *H* ‖ 97 matrem filiae *H* ‖ eam : omnia *H* ‖ omnino *om. H* ‖ 100 etiam ... etiam : et ... et *H* ‖ deletur *H* ‖ 102-103 non potest esse falsus *om. H* ‖ 103 vitiosus : otiosus *H* ‖ 106 ceteris virtutibus quibusdam *H* ‖ 109 sive : suae vel *H* ‖ 111 Scripturarum accipiant *H* ‖ 112 et ... et *om. H* ‖ 114 consensus : confessus *H* ‖ 116 est : esse potest *H* ‖ 117

L'amour de Dieu est mis à juste titre au-dessus de toutes les vertus, de toutes les grâces, de tous les biens. Cette vertu survient-elle dans le cœur d'un homme, les autres vertus s'y rassemblent également et la suivent comme des filles leur mère. Quant aux vices, ils la fuient aussitôt comme leur ennemie absolue, et sont consumés par elle comme bois sec au feu. Sa venue efface aussi les péchés passés, même graves, même nombreux, comme il est écrit : *De nombreux péchés lui ont été remis, parce qu'elle a beaucoup aimé*[j]. L'amour de Dieu chez l'homme ne peut être ni faux, ni vicieux ; il ne peut être vide ni sans fruit.

5. Quant à ce que vous avez avancé plus haut à la louange de l'humilité, de la prudence et de quelques autres vertus : il faut savoir que l'humilité peut n'être chez beaucoup d'hommes ni pure ni parfaite. Bien des gens s'humilient en effet, soit parce qu'ils ont conscience de leurs fautes, soit parce que l'adversité les accable : pauvreté ou tribulation quelconque. A tel point que dans l'Écriture le mot 'humilité' n'est pas toujours pris en bonne part, comme en ce passage : *Il a humilié ma vie jusqu'à terre*[k]. Enfin on peut paraître humble et être malgré tout souillé par quelques vices, tandis qu'entre l'amour de Dieu et les vices il ne peut exister aucune association, aucun accord[l]. Aussi, à moins d'être soutenue, étayée par l'amour de Dieu, l'humilité n'est pas une vertu ou l'est à peine. Il faut en dire autant de la prudence dont vous avez fait mémoire plus haut : à moins d'être nourrie comme d'une huile de l'aliment de cet amour, elle peut fumer plutôt qu'éclairer et être source d'enflure plutôt que d'utilité. *La prudence de la chair, en*

meministis : quoque memineritis *H* || est *om. H* || 118 quo : qua *H* || olei *om. H* || 119 potius quam lucere potest *H* || 120 potius : magis *H*

j. Lc 7, 47 || k. Ps. 142, 3 || l. Cf. II Cor. 6, 14.16

mors est[m]. Prudentia, sine Dei amore, talentum Domini sui in terram novit abscondere, non lucrando multiplicare[n]. Novit alios despicere, non aedificare. Amat suum exercere ingenium non in consulendis simplicibus sed
125 decipiendis, non ut ignaros erudiat, sed ut incautos seducat.

6. Virginitas etiam, quam inter praecipua bona numerare paulo ante studuistis, attendendum est, nisi huius divini amoris auxilio vegetetur, ad quam nullam utilita-
130 tem cultores suos etiam usque ad mortem observata deducat, cum et gentiles quidam philosophi caelibem duxerint vitam et perpetuae custodes fuerint virginitatis, et in templo Dianae vel Vestae virginum chori nefandis antiquitus deservierint sacrificiis. Virginitas, sine aliis bo-
135 nis, plangenda potius quam laudanda. Virginitas, sapienti non usa consilio, quam sit inutilis, *fatuae* probant *virgines,* quibus caelestis *clausa est ianua*[o]. Quia vero abstinentiae etiam virtutem quasi egregium quiddam ac praecellens praedicastis, notandum quod parsimonia, nisi Dei
140 regatur amore, affligere potest, prodesse non potest. Abstinere enim quemquam a cibis et non a vitiis, quid est aliud quam et hic et in futuro perire et ante aeternos cruciatus iam se ipsum cruciare ? Et cum ad custodiam castitatis seu ceterarum virtutum abstinentiae soleamus

128 est *om.* *H* || 129 amoris *om.* *H* || 131 quidam *om.* *H* || 135 laudanda : est *add.* *H* || 137 Quia : que *H* || 138 etiam *om.* *H* || 138-139 praedicatis ac praecellens *H* || 139 quod : quia *CD* || 141 quamquam *H* || non *om.* *H* || 142 et hic : hoc *H* || 143 custodiam : custiam *H*

---

m. Rom. 8, 6 || n. Cf. Matth. 25, 24-28 || o. Matth. 25, 1-2.10 ; cf. 25, 1-13

effet, comme nous lisons, *c'est la mort*[m]. Sans amour de Dieu, la prudence ne sait que cacher le talent de son Seigneur dans la terre, non le multiplier en lui faisant produire du bénéfice[n]. Elle sait mépriser autrui, non l'édifier. Elle aime exercer son intelligence à tromper les simples au lieu de les conseiller, à séduire qui n'est pas sur ses gardes plutôt qu'à former les ignorants.

6. Il nous faut remarquer que, dûment observée, la virginité également — elle qu'il y a quelques instants vous auriez voulu compter parmi les biens supérieurs — ne vaut à ses partisans qu'un avantage nul et les conduit même à la mort, si elle n'est vivifiée par le secours de cet amour divin. D'une part, en effet, des philosophes païens ont vécu dans le célibat et gardé la virginité perpétuelle ; d'autre part, dans l'antiquité des chœurs de vierges étaient consacrés au service de sacrifices impies dans les temples de Diane ou de Vesta. La virginité sans les autres biens est à plaindre plus qu'à louer. *Les vierges sottes* à qui *la porte* du ciel *a été fermée*[o] démontrent par leur exemple combien la virginité sans sage réflexion est inutile. Et puisque vous avez prôné aussi l'abstinence comme vertu excellente et éminente, il faut noter qu'à moins d'être régies par l'amour de Dieu les privations peuvent abattre ; elles ne peuvent être utiles. S'abstenir de nourriture et non de vices, qu'est-ce en effet sinon périr aussi bien ici-bas que dans le siècle futur, et se tourmenter soi-même dès maintenant en devançant les tourments éternels[1] ? De plus, on s'applique à l'abstinence en vue de garder la chasteté ou les autres vertus ;

1. Voir S. BERNARD : « Ne pouvions-nous trouver de voie pour ainsi dire plus supportable vers l'enfer ? S'il nous fallait y descendre, pourquoi n'avoir pas au moins choisi cette voie où beaucoup s'engagent, à savoir la voie large qui conduit à la mort, pour passer de la joie, et non de l'affliction, à l'affliction ? » (*Apo* I, 2 : *SBO* 3, p. 82).

145 operam dare, si aliae desint virtutes, iam haec superflua est quae nihil custodit.

7. Dei amor his omnibus caret periculis, quia neque sine ceteris virtutibus potest esse neque vitiosum quodlibet in se recipere. Quoniam iam divinus amor non esset 150 si aut benefacere negligeret aut pravum omne non devitaret. Quinimmo si virtutum aliquam forte contingerit a rectae intentionis tramite vel paululum, ut saepe fit, deviare, Dei amor illico ei occurrit, illico reprehendit, corrigit ac viae denuo reddit. Si earum quaelibet ali- 155 quando remissius agere et negligentiae somno opprimi coeperit, statim divinus ardor expergefacit, stimulat, instigat et in solitam reformat diligentiam. Sicque fit ut per eam et negligentes excitentur et diligentes ad maiora promoveantur. Igitur quia haec virtus maioribus pariter 160 et minoribus adest, quia et in se ipsa ardet et alias ad bene operandum accendit, quia circa se nihil remissum patitur, nihil tepidum, quia sine hac virtutes ceterae inopes sunt, haec eadem aliarum omnium regimen ac magisterium meo suscipere digna est iudicio. »

165 **8.** Postquam discretio assedit (F), ceterae omnes eius dicta approbare, laudare, admirari coeperunt et semet ipsas vehementer reprehendere quod umquam aliter hac de re sensissent. Exstructoque cum festinatione throno regali ac multiplicibus ornamentis decorato, assumentes

147 neque *om. H* || 148 quodlibet vitiosum *H* || 149 recipere : reperire *H* || 150 negligeret : negligunt *H* || pravum : parvum *H* || devitarent *H* || 164 digna est suscipere *H* || 165 assedit : ascendit *H* || 165-166 dicta eius *H* || 166 coeperunt *om. CD* || 167 reprehendere vehementer *H* || numquam *H*

---

1. L'une des paraboles de S. Bernard aborde le même thème : « toute la cour céleste accompagne Charité ... Ils viennent et descendent au camp. Par la vertu et la liesse de sa présence tout se rassérène, les

si ces vertus font défaut, l'abstinence sera superflue, n'ayant rien à garder !

7. L'amour de Dieu ne court aucun de ces risques, car il ne peut exister sans les autres vertus ni rien accueillir en lui-même de vicieux : ce ne serait plus un amour divin, s'il négligeait de faire le bien ou s'il n'évitait pas tout mal. Plus encore : s'il arrive par hasard à l'une des vertus de dévier ne serait-ce qu'un peu du chemin de l'intention droite — et cela se produit souvent —, l'amour de Dieu accourt aussitôt au-devant d'elle ; aussitôt il la reprend, la corrige et la remet dans la bonne voie. Si l'une quelconque d'entre elles se met à agir plutôt nonchalamment et à se laisser accabler par le sommeil de la négligence, aussitôt cette divine ardeur la réveille, l'aiguillonne, la stimule et la rétablit dans l'attention diligente qui lui est habituelle [1]. Ainsi cette ardeur réveille-t-elle les négligents en même temps qu'elle pousse les sujets diligents à de plus grands progrès. Donc, attendu que cette vertu est également présente chez les plus grands et chez les plus petits ; qu'à la fois elle brûle elle-même et enflamme autrui à bien agir ; qu'elle ne souffre autour d'elle rien de relâché ni de tiède ; attendu enfin que sans elle les autres vertus sont dénuées de force, selon mon jugement, c'est elle qui est digne d'assumer le gouvernement et le magistère sur toutes les autres. »

8. Une fois que la discrétion se fût assise (F), les autres sans exception se mirent à approuver, à louer et à admirer ses dires et à se reprocher vivement d'avoir jamais été d'un autre sentiment. Ayant dressé en hâte un trône royal et l'ayant richement orné, elles prirent

émotions s'apaisent, les troubles se calment. La lumière est rendue aux malheureux, la confiance aux timides. Espérance, au bord de la fuite, Force, presque accablée, reviennent en public ; toute la milice de Sagesse reprend du tonus » (*Par* I, 6 : *SBO* 6^2, p. 266).

170 Dei amorem, cum hymnis et laudibus eum super illum imposuerunt (G) eidemque deinceps subiectae et oboedientes cum omni timore et reverentia [p] fuerunt. Et quia amor masculino genere profertur, cum virtutes ceterae feminina nuncupatione nominentur, pro amoris nomine 175 caritatis vocabulum, a « caro » derivatum, ibidem ei indiderunt ac sic illum de cetero vocari statuerunt, eo quod vere carus et prorsus pretiosus sit habendus. Qui ubi regnum et principatum omnium est adeptus virtutum, quae unicuique earum officia attribuerit, audite.

180 **9.** Dilectionem proximi, utpote consanguineam suam germanam (H), secundam a se esse constituit, eamque ceteris omnibus post se dominari, quasi quamdam urbis suae (I) praefectam, voluit. Prudentiam atque discretionem consiliarias suas fecit. Sollicitudinem et diligentiam 185 civitatis portarias esse et aditus (K) omnes caute observare vigilumque seu excubiarum curam habere praecepit. Sapientiam et meditationem dapiferas esse variisque et optimis ferculis (L) commilitones pascere et ut filia earum predicatio convivas ad cenam vocandi usum haberet 190 ordinavit. Eruditionem atque studium cibos ipsos coquere (M) et praeparare monuit. Memoriam thesauris suis (N) praefecit. Disciplinae et compunctioni reorum ulciscendorum officium delegavit ; sed ut compunctio sponte paenitentes et filios delinquentes corriperet, dis- 195 ciplina vero plebeios quosque servos et manzeres seu degeneres puniret. Castitatem et abstinentiam atque oboedientiam in exterioribus laborare, pietatem vero, misericordiam devotionemque in interioribus atque pe-

171 eidemque : eisdeque *H* || 172 reverentia et timore *H* || 173 genere : nomine *H* || 177 ubi : vero *H* || 179 attribuerint *H* || 181 constituit esse *H* || 182 dominari : denomi- *H* || 183-184 Prudentiam — fecit *om. H* || 185 et *om. H* || 186 vigilum *H* || 188 commilitanes *H* || 190 ipsos : ipsorum *H* || 193 ut *om. H* || 195 quosque : quoque *H* || 197-198 laborare — interioribus *om. per hom. H*

l'amour de Dieu, l'y placèrent (G) avec hymnes et louanges et lui manifestèrent désormais soumission et obéissance en toute crainte et révérence [p]. Et puisque « amour » est du masculin alors que les autres vertus sont désignées par des noms féminins, elles changèrent à l'instant même ce nom d'« amour » en celui de « charité », dérivé de « cher », et décidèrent de l'appeler dorénavant ainsi, car cet amour est vraiment cher et sa possession sans prix. Apprenez maintenant quelles fonctions il donna à chacune des vertus lorsqu'il eût obtenu règne et primauté sur elles toutes.

9. La charité établit la dilection envers le prochain, sa cousine germaine (H), au second rang après elle, et voulut qu'elle commandât après elle à toutes les autres en qualité de prévôte de sa ville (I). Elle prit pour conseillères la prudence et la discrétion. Elle prescrivit à la sollicitude et à l'attention diligente d'être portières de la cité, d'en surveiller prudemment toutes les entrées (K) et de s'occuper des veilleurs et des sentinelles. Elle disposa que la sagesse et la méditation seraient réfectorières, serviraient à leurs compagnes d'armes des plats variés et excellents (L), et que leur fille, la prédication, aurait pour fonction d'appeler les convives au repas. Elle engagea l'instruction et l'étude à faire cuire (M) et à préparer les aliments. Elle préposa la mémoire à la garde de ses trésors (N). Elle confia à la discipline et à la componction la charge de punir les coupables : la componction ferait s'amender de leur propre mouvement les repentants, les fils fautifs, tandis que la discipline châtierait les vulgaires esclaves et les bâtards ou dégénérés. Elle donna l'ordre à la chasteté, à l'abstinence, à l'obéissance de travailler au-dehors, et à la piété, à la miséricorde, à la dévotion

p. Cf. Hébr. 12, 28

netralibus degere iussit. Benignitatem, mansuetudinem et
200 spiritalem laetitiam cubicularias (O) suas fore statuit.
Patientiam scutum et arma sua portare (P) praecepit.
Largitatem rerum suarum dispensatricem statuit. Indulgentiam et remissionem amicas suas et familiares vocavit.
Simplicitatem sibi semper adesse curavit, per quam res-
205 ponsa cunctis interrogantibus (Q) daret. Pacem et
concordiam iura subiectis gentibus tradere rogavit. Dei
timorem novitiis quibusque sive rudibus praeesse mandavit et ut tirones instruere atque erudire curaret. Fidem
exercitus sui ducem ac in bello signiferam (R) esse dedit.
210 Post illam quoque spem collocavit. Providentiae vero
exercitum circuire, acies ordinare, suis in locis singulos
constituere iniunxit. Sane contemplationem speculam ascendere et imminentia quaeque a longe prospicere hortata
est, sed et actionem in posterioribus manere et ultimum
215 tenere locum (S) deputavit.

10. His ita dispositis, omnes in unum convocavit et
stans in editiori loco tali beatam cohortem oratione (T)
gratificavit.

« Solent, dilectissimae, reges terrae iura suis dare su-
220 biectis, leges instituere, praecepta imponere, quibus et
bonos in quietis diuturnitate pacificando conservent et
malos a laesione bonorum terrendo coerceant. Nostra
vero lex amor est. Ius nostrum benevolentia est. Prae-

201 sua *om.* *H* || 205 daret interrogantibus *H* || 206 tradere : dare *C* curavit vel *add.* *H* || 207 sive : sine *H* || 209 ducem : ducere *H* || 211 ordinare : iussit *add.* *H* || suis : suisque *C*[pc] *(in marg.)* || 214 in : ibidem *H* || 217 editore *H*

1. Cf. S. Bernard : « Elle [la charité] est donc la loi éternelle, créatrice et modératrice de l'univers. Par elle toutes choses sont faites avec poids, mesure et nombre, et il n'y a rien au monde qui ne soit soumis à une loi, puisque la loi de toutes choses n'est pas elle-même sans une loi qui n'est cependant pas autre qu'elle-même et par laquelle, si elle ne s'est pas faite, elle se gouverne cependant » (*Dil* 12, 35 : *SBO* 3, p. 149-150). Adam de Perseigne : « C'est une loi que l'amour, qui lie

de passer leur temps à l'intérieur, aux endroits les plus retirés. Elle décida que la bonté, la douceur et la joie spirituelle seraient ses femmes de chambre (O). Elle prescrivit à la patience de porter ses armes et son bouclier (P). Elle institua la libéralité intendante de ses biens. Elle nomma l'indulgence et le pardon ses amies et ses intimes. Elle prit soin d'avoir toujours auprès d'elle la simplicité pour donner réponse par elle à quiconque l'interrogerait (Q). Elle demanda à la paix et à la concorde d'établir des lois pour les peuples sujets. Elle chargea la crainte de Dieu de diriger les novices ou non-dégrossis et d'avoir soin de former et d'instruire les débutants. Elle donna à la foi d'être chef de son armée et porte-étendard (R) à la guerre, et plaça l'espérance après elle. Elle enjoignit à la prévoyance de faire la ronde dans l'armée, de la ranger en bataille, de fixer à chacun sa place. Elle exhorta la contemplation à monter à la tour pour guetter de loin les réalités qui approchent, tandis qu'elle destinait l'action à rester à l'arrière-garde et à occuper la dernière place (S).

10. Les choses étant ainsi réglées, elle les convoqua toutes à se réunir et, se tenant en un lieu plus élevé, gratifia leur cohorte bienheureuse du discours suivant (T).

« Bien-aimées, les rois de la terre donnent des codes de droit à leurs sujets, fixent des lois, imposent des prescriptions. D'une part, ces mesures maintiennent les bons dans une tranquillité durable en leur assurant la paix ; d'autre part, elles retiennent les méchants de nuire aux bons en leur inspirant de la crainte. Or notre loi, c'est l'amour [1]. Notre droit, c'est la bienveillance. Nos

et oblige, et qui, détruisant tout mal, est lui-même quasi indestructible. Car " la charité ne périt jamais " » (*Ep.* 3 [à l'Abbé de Turpenay], 32 : *SC* 66, p. 89). Voir aussi ISAAC DE L'ÉTOILE, *Serm.* 31, 18-21 (*SC* 207, p. 200-202).

cepta nostra sunt benefacere, servire, dare omnibus tam
225 bonis quam malis, ut his beneficiis et bonos in pace et
benevolentia nostri iugiter retineamus et malos a laesione
nostra retrahamus et tali eos ultione a malefaciendo
compescamus. Qui tamen si nec sic nos laedere desierint,
illis quidem laesionis malum imputabitur. Nobis vero erit
230 pro lucro et grandi prorsus commodo cedet si modo
bonum eis pro malo semper reddere[q] meminerimus ; nec
iam inimici sed maximi amici et coadiutores nostri erunt,
dum nobis occasionem coronae caelestis promerendae
praebebunt. Ergo sicut reges huius saeculi suos sibi hostes
235 bellando subigere atque in suum contendunt servitium
redigere, ita et nos tolerando et bene faciendo nostros in
famulatum nostrum retorquemus inimicos, dum per eorum saevitiam et a malis quae commisimus purgamur et
bonis caelestibus donamur.

240 **11.** Eant ergo illi, parent arma, currus et equos quaerant, exercitus congregent, milites instruant, ferro induti,
armis onusti huc illucque discurrant[r], vociferatione, ululatu ac tubarum clangore[s] nubes ipsas pulsent, mutuis
sese vulneribus lanient, cruoris rivos currere faciant : nos
245 in domibus nostris sedentes, vel in cubilibus iacentes ac
multa cum pace et mentis quiete degentes, multo melius
quam illi pugnamus et longe excellentius quam illi triumphamus. Postquam enim haec omnia fecerint, postquam urbes et castella subverterint et multas sibi gentes
250 et regna subiugaverint[t], si qualiter contra vitia sua dimicent interroges, turpiter eos abs quolibet eorum etiam
minimo superari invenies, in tantum ut peccatum illud

225 ut : in *H* || 226 retineamus : teneamus *H* || 228 Qui tamem *om.* *H* || 230 modo : vero *H* || 234 praebebunt : praebent *H* || 237 nostrum *om.* *H* || 238 malis quae *om.* *H* || 244 sese : se *CD* || lanient : lavent *H* || 247 quam illi[2] *om.* *H* || 251 abs : a *H* || etiam : in *add.* *H*

q. Cf. Matth. 5, 44 ; Rom. 12, 17-21 ; I Thess. 5, 15 || r. Cf. Jug. 15, 5 || s. Cf. Nombr. 10, 7 || t. Cf. Jér. 1, 10

prescriptions consistent à faire le bien, à servir, à donner à tous, bons et méchants. Grâce à ces bienfaits, les bons resteront toujours en paix avec nous et ne laisseront pas de nous vouloir du bien, tandis que nous dissuaderons les méchants de nous nuire et que ce genre de vengeance les retiendra de mal faire. Si même dans ces conditions ils ne cessent pas de nous faire du tort, c'est assurément à eux que le dommage sera imputé. Quant à nous, cela tournera à notre profit et à notre très grand avantage, pourvu seulement que nous nous souvenions de toujours leur rendre le bien pour le mal[q]. Ils ne seront plus nos ennemis mais nos très grands amis, nos auxiliaires, puisqu'ils nous fourniront l'occasion de gagner la couronne céleste. Donc, de même que les rois de ce monde cherchent à se soumettre leurs ennemis à force de guerres et à les réduire en servitude, c'est en supportant nos ennemis et en leur faisant du bien que nous ferons d'eux nos serviteurs : car grâce à leur méchanceté nous sommes à la fois purifiés du mal que nous avons commis et enrichis des biens du ciel.

11. Qu'ils aillent donc, qu'ils préparent leurs armes ; qu'ils se cherchent des chars et des chevaux ; qu'ils rassemblent des armées, équipent des soldats ; qu'ils courent ça et là[r], bardés de fer et chargés d'armes ; qu'ils fassent vibrer les nuages de leurs cris, de leurs hurlements et du son de leurs trompettes[s] ; qu'ils se déchirent mutuellement de blessures, fassent couler des ruisseaux de sang ! Quant à nous, assis dans nos maisons ou étendus sur nos lits et vivant dans une grande paix et tranquillité d'esprit, nous combattons beaucoup mieux qu'eux et nous triomphons de façon bien plus remarquable, car après qu'ils ont fait tout cela, détruit villes et châteaux et soumis nombre de peuples et de royaumes[t], leur demandes-tu comment ils luttent contre leurs vices, tu découvriras qu'ils se laissent vaincre honteusement par

quod pauperes quique et rustici facillime queunt evincere, illi, si eos perquiras, fateantur nullo modo se posse
255 evadere. Quid igitur ? Illi his omnibus laboribus suis poenam acquirunt aeternam, nos cum iucunditate et laetitia spiritali caelestem lucramur gloriam.

12. Item reges et principes thesaurizant sibi thesauros auri et argenti, gemmarum, aromatum ; congregant sibi
260 vasa pretiosa, vestes peregrinas, ornamenta exquisita ; multiplicant possessiones, familias, divitias. Nos, pro his omnibus delectamur in testimonio bonae conscientiae [u], in sanctitate innocentis vitae, in puritate voluntatis bonae. Multiplicamus familiam bonorum morum, divitias sanc-
265 torum operum, thesauros spiritalium cogitationum. Illi volunt habere quam plures servos et ancillas, qui eis ad cunctos nutus oboediant et in omni cura et delectatione carnis obsequantur. Nos gloriosius, ad Salvatoris exemplum, malumus ministrare quam ministrari [v], subici quam
270 praeesse, oboedire quam iubere. Pro delectatione vero carnis, in spiritalibus gloriamur deliciis, dum nos delectat Scripturarum profunda reserare et veritatis notitiam ab imo elicere, dum divinis laudibus et hymnis libet magnam diei partem noctisque occupare et in vocis melodia inter-
275 nam dulcedinem quaerere, dum placet etiam angelorum conversationem mentis perquisitione indagare et gloriae ad quam suspiramus vel umbram aliquam seu ultima quaedam vestigia perscrutari, dum in ipsius divinitatis maiestatem mens audet aliquando oculum figere et ex
280 illa inaestimabili suavitate quidpiam vel tenuiter gustare.

253 quique : quibus *H* ‖ 255 Illi : illis *C* ‖ 262 omnibus *om. CD* ‖ in *om. CD* ‖ 263 puritate : innocentis vitae *add. H* ‖ 264 morum : meorum *H* ‖ 269 malumus : volumus *CD* ‖ 270 praeesse : subesse *H* ‖ 272 profunda reserare : investigare profunda *CD* ‖ 275 etiam *om. H* ‖ 276 conversationem : -tionis C^{ac} -tiones C^{pc} meritis perquisitionem *H* ‖ 279 maiestate *CD*

n'importe lequel d'entre eux, même le moindre ! Interrogés, ils finissent par s'avouer totalement incapables d'échapper à des péchés dont viennent très facilement à bout les pauvres et les paysans. Quoi donc ? Tout ce labeur leur vaut un châtiment éternel ; nous, nous gagnons la gloire du ciel avec joie et allégresse spirituelle.

12. Rois et princes se constituent des trésors d'or et d'argent, de pierres précieuses, d'aromates ; ils rassemblent vases de grand prix, vêtements exotiques, parures raffinées ; ils accumulent possessions, domestiques, richesses. Au lieu de tout cela, nous trouvons notre plaisir dans le témoignage d'une bonne conscience[u], dans la sainteté d'une vie innocente, dans la pureté d'une volonté bonne. Nous multiplions nos domestiques, les bonnes mœurs, nos richesses d'œuvres saintes, nos trésors de pensées spirituelles. Eux veulent avoir bon nombre de serviteurs et de servantes qui obéissent au moindre signe et se plient à leurs désirs quant à tous les soins et plaisirs de la chair. Nous, plus glorieusement, nous préférons à l'exemple du Sauveur servir plutôt qu'être servis[v], nous soumettre plutôt que diriger, et obéir plutôt que commander. Au lieu des plaisirs de la chair, nous nous glorifions des délices spirituelles : nous nous délectons à dévoiler les profondeurs des Écritures, et à tirer de leur fond la connaissance de la vérité ; nous trouvons notre contentement à consacrer une grande partie de la journée et de la nuit à la louange divine et aux hymnes, et à rechercher dans la mélodie du chant une douceur intérieure ; nous aimons à scruter par l'esprit la manière de vivre des anges, et à sonder ne serait-ce qu'une ombre ou les traces les plus lointaines de la gloire à laquelle nous aspirons, lorsque parfois l'esprit ose fixer l'œil sur la majesté de la divinité même et goûter ne serait-ce qu'un petit quelque chose de cette inestimable douceur.

u. Cf. II Cor. 1, 12 ; I Pierre 3, 16.21 || v. Cf. Matth. 20, 28

13. Absit enim ut religiosus quisquam carnali qualibet iucunditate suam patiatur mentem resolvi et quod Deo debet carni attribuat, ut videlicet a spiritali dulcedine mentis intuitum avertens, ad corporea illum lenocinia
285 retorqueat, cum tam multa et varia nobis spiritalia bona divina praeparaverit providentia, in quorum mirifica delectatione mens die nocteque detineatur humana, sicut scriptum est : *Multa fecisti tu, Domine, Deus meus, mirabilia tua*[w]. Sunt qui has animae delicias cum tanta
290 vorant aviditate, ut ingestae copiae superabundantia aliter cohiberi vel digeri non queat nisi per crebros ructus foris erumpat et inclusus fervor per oris digestionem evaporet. Ut vero quod nunc dixi apertioribus repetam verbis, sunt qui tanto geminae caritatis repleantur fer-
295 vore, ut vis ipsa amoris eos compellat aliis praedicare et spiritalem dulcedinem, qua pleni sunt, eis communicare, ne quam forte invidiae labem contingat eos incurrere[x], si datam sibi a Deo gratiam ceteris neglexerint impertiri, praecipue cum velint omnes secum ad Deum trahere et
300 vehementer doleant dum quosdam vident in bono opere negligentes esse. Nihil quippe melius quam et Deum ardenter amare et alios adducere ad illum, qui vivit et regnat... »

Hac completa oratione benedictioneque data, valedi-
305 cens eis in viam pacis[y] (U) omnes abire praecepit.

A. In corde fit aliquando talis dubitatio et eiusdem dubitationis solutio.

281 ut *om.* *H* || quisquam : quisque *H* || 283 attribuat : tribuat *H* || 285 nobis et varia *H* || 287 detineatur : reti- *H* || 292 fervor *om.* *H* || 296 eis : aliis *CD* || 298 sibi *om.* *H* || 300 vident : videntur *H* || 302 ardenter amare deum *CD* || 306-348 *Glosas* A.-H. *om.* *H*

w. Ps. 39, 6 || x. Cf. Sag. 7, 13 || y. Cf. Lc 1, 79

13. Loin de nous, en effet, qu'un religieux laisse son esprit se relâcher dans une joie charnelle, quelle qu'elle soit, et donne à la chair ce qu'il doit à Dieu en détournant le regard de son esprit de la douceur spirituelle pour le retourner vers les faussetés matérielles ! puisque la providence divine nous a préparé des biens spirituels si nombreux, si divers, dont l'esprit humain se délecte prodigieusement jour et nuit, comme il est écrit : *Tu as multiplié tes merveilles, Seigneur mon Dieu*[w]. Il en est qui dévorent si avidement ces délices de l'âme qu'ils ne peuvent contenir ni digérer les surabondantes richesses qu'ils ont ingérées sinon en les laissant éclater au-dehors par de fréquents renvois, en permettant à l'ardeur intérieure de s'évaporer par la bouche. Et pour évoquer en termes plus clairs ce que je viens de dire : il en est que l'ardeur de la double charité remplit si bien que la violence même de l'amour les oblige à prêcher aux autres et à leur communiquer la douceur spirituelle dont ils sont pleins, de peur d'encourir la souillure de l'envie[x] en négligeant de faire part à autrui de la grâce que Dieu leur a donnée. Ceci surtout du fait qu'ils veulent entraîner tout le monde avec eux vers Dieu[1], et s'affligent vivement lorsqu'ils voient certains se montrer négligents dans les bonnes œuvres. Rien de meilleur que d'aimer ardemment Dieu et d'attirer les autres à celui qui vit et règne... »

Ayant achevé ce discours et donné la bénédiction, elle leur recommanda en les congédiant de s'en aller toutes dans le chemin de la paix[y] (U).

A. C'est dans le cœur qu'une pareille hésitation se produit parfois et c'est là qu'elle se résout.

1. Cf. *supra*, *Par*. 13, 3.

B. Post beatam Mariam, quamvis et de primitiva Ecclesia intelligi possit.

310 C. Tunc prudentia cordi nostro extensa manu silentium indicit et ad discretionem consulendam nos mittit cum, auxilii sui ope nobis adhibita, irrationabilium cogitationum nostrarum tumultum sedat et in omnibus quae agendis ponimus discretionis medium suadet tenendum.

315 D. Discretionem inter potiores virtutes notabiliter esse ostendit.

E. Tunc discretio in corde nostro surgit, quae prius quasi sedebat vel potius dormiebat, cum ea in quibus indiscreti eatenus fuimus ad rectitudinis normam dirigere studemus. In mora
320 vero loquendi, levitatis vitio carere signatur ; eius vero locutio in corde fit. Morosa etiam locutio ex cordis magis videtur prodire profundo.

F. Discretio menti nostrae assidet, cum nobis ea quae suggerit placent et quae indiscrete eatenus gessimus displicent.

325 G. Tunc Dei amorem throno regali imponimus, cum eum ceteris virtutibus praeeminere sentimus.

H. Quia filii duorum fratrum vel duarum sororum vocantur consanguinei germani, videamus quomodo hae duae dilectiones, id est Dei et proximi, consanguineae germanae sint. Cogitatio
330 qua Deum esse creatorem et gubernatorem nostrum et bonorum omnium quae habemus pensamus gignit in nobis et nutrit dilectionem Dei. Cogitatio vero qua omnes homines conditionis eiusdem et naturae unius esse consideramus parit in nobis dilectionem proximi. Hae autem duae cogitationes iure sorores
335 dicuntur vel quia ex uno naturae utero ambae nascuntur, vel quia utraque pariter amicitiae in se vim habere probatur. Ex quibus videlicet duobus cogitationibus quia istae duae dilectiones, ut dictum est, oriuntur, ideo ipsae merito consanguineae germanae dicuntur. Sed quia earum matres ostendimus, de
340 patribus nil dicemus ? Insunt igitur naturaliter homini duo pietatis affectus, unus quo ad Deum, alter quo ad proximum

310-314 *Glosam* C. *distinxi : cum glosa* B. *in unum coniugunt CD* ‖ 311 indicit : dicit *D* ‖ cum *om. C* ‖ 312 ope : opere *C* ‖ 327-348 *Glosam* H. *post glosam* T. *transponit D* ‖ 328 duae *scripsi :* vere *CD* ‖ 337 istae : isti *D* ‖ 339 quia : que *D*

B. A la suite de la bienheureuse Marie, quoiqu'on puisse l'entendre également de l'Église primitive.

C. La prudence étend la main pour imposer silence à notre cœur et nous envoie consulter la discrétion lorsqu'en nous offrant son secours elle calme le tumulte de nos pensées irraisonnables et nous persuade de nous en tenir dans toutes nos actions au juste milieu de la discrétion.

D. Elle montre que la discrétion est à ranger incontestablement parmi les vertus supérieures.

E. La discrétion se lève dans notre cœur, elle qui était auparavant assise ou plutôt endormie, lorsque nous nous appliquons à ordonner selon la droite norme ce en quoi nous manquions jusque-là de discrétion. Sa lenteur à parler signifie qu'elle est dépourvue du vice de légèreté ; son discours a lieu dans le cœur. En outre, un débit posé manifeste mieux que les paroles émanent des profondeurs du cœur.

F. La discrétion s'assoit dans notre esprit lorsque nous agréons ce qu'elle nous suggère et désapprouvons nos actions jusque-là dépourvues de discernement.

G. Nous plaçons l'amour de Dieu sur un trône royal lorsque nous reconnaissons qu'il l'emporte sur toutes les autres vertus.

H. On appelle cousins germains les fils de deux frères ou de deux sœurs : voyons donc en quel sens ces deux dilections, celle de Dieu et celle du prochain, sont cousines germaines. La pensée en vertu de laquelle nous voyons en Dieu notre créateur et notre providence, le créateur et la providence de tous nos biens, engendre et nourrit en nous la dilection envers Dieu. La pensée en vertu de laquelle nous considérons que tous les hommes ont même condition et même nature, elle, enfante en nous la dilection envers le prochain. Or c'est à bon droit que ces deux pensées sont dites sœurs, soit parce qu'elles naissent toutes deux de l'unique matrice de la nature, soit parce qu'il est avéré que toutes deux sont des forces d'amitié. Puisque, comme on l'a dit, nos deux dilections sont issues de ces deux pensées, c'est à juste titre qu'elles sont appelées cousines germaines. Mais sous prétexte que nous avons indiqué leurs mères, ne dirons-nous rien de leurs pères ? Deux sentiments d'affection respectueuse nous sont naturellement innés : l'un nous pousse à honorer Dieu, l'autre le prochain. Or rien ne s'oppose à ce

colendum incitatur. Hos vero duos affectus fratres vocare nil obest, vel quia una ambos mater natura profert, vel quia pietatis insigne simul uterque praefert, quia autem et ipsi has duas, de 345 quibus agimus, dilectiones in nostris generant cordibus. En earum tam patres quam matres, hos duos videlicet fratres duasque sorores, unde et ipsas iam vocare consanguineas, has germanas potes.

I. Urbs vero eius perfecti cuiuslibet cor est.

350 K. Aditus cordis vel quinque sensus corporis.

L. Verbum Dei cibus est animarum. In una eademque Scriptura plures aliquando sententiae dicuntur, sicut ex una carne diversa fiunt.

M. Diligenter Scripturas investigare et discutere est quasi 355 hos cibos excoquere.

N. De his thesauris scriptum est : *Divitiae salutis sapientia et scientia* [z].

O. Cubiculum : cor intellige.

P. Patientia ministrat sanctis viris tolerantiae scutum ; quo- 360 rum etiam arma sunt reddere bona pro malis [a], ab eadem patientia eis praeparata.

Q. Non enim de illis erat de quibus scriptum est : *Labia dolosa in corde et corde locuti sunt* [b], id est duplici corde.

R. Quia fides prima virtus est.

365 S. Quia circa terrena versatur.

T. In corde fit talis exhortatio.

U. Cum ea quae propria caritatis sunt meditamur, tunc quasi ceteras virtutes caritas alloquitur. Cum vero quae castitatis, humilitatis, abstinentiae sunt vel ceterarum virtutum co- 370 gitamus, tunc quasi vale dicto coetuque soluto unaquaeque virtus viam suam tenet ; sed viam utique pacis [c], quia nulla a caritate discordat nisi quae vera virtus non est.

349 *Glosam* I. *in textu inserunt codd.* ‖ 350 *Glosam* K. *in textu locat H* ‖ sensus : sensuum *H* ‖ 351-364 *Glosas* L.-R. *om. H* ‖ 358 cor : corde *C* D^{ac} ‖ 364 prima virtus est fides *C* ‖ 365 *Glosam* S. *in textu locat H* ‖ 366-372 *Glosas* T.-U. *om. H* ‖ 367 quae propria *scripsi :* quae proprie *C* proprie quae *D* ‖ 368 vero : ergo *C*

que l'on nomme frères ces deux sentiments : soit parce qu'une mère unique, la nature, les produit tous deux ; soit parce que tous deux présentent ensemble ce caractère d'affection respectueuse ; ou encore parce qu'ils engendrent également en nos cœurs les deux dilections dont nous parlons. Voilà donc leurs pères et leurs mères : deux frères et deux sœurs. Aussi peut-on les appeler cousines, et cousines germaines.

I. Quant à sa ville, c'est le cœur de n'importe quel parfait.

K. Les entrées du cœur, ou les cinq sens du corps.

L. La parole de Dieu est la nourriture des âmes. Dans un seul et même passage de l'Écriture on découvre parfois de nombreux sens ; c'est comme préparer des plats différents à partir d'une même viande.

M. Scruter et fouiller attentivement les Écritures, c'est pour ainsi dire faire cuire ces aliments.

N. Il est écrit de ces trésors : *Richesses du salut : sagesse et connaissance*[z].

O. Chambre : entends le cœur.

P. La patience présente aux hommes saints le bouclier de l'endurance ; leurs armes, apprêtées par cette même patience, consistent à rendre le bien pour le mal[a].

Q. Elle n'était pas en effet de ceux dont il est écrit : *Les lèvres trompeuses ont parlé d'un cœur puis d'un autre cœur*[b], c'est-à-dire d'un cœur double.

R. Parce que la foi est la première vertu.

S. Parce qu'elle s'occupe du terrestre.

T. Ce genre d'exhortation a lieu dans le cœur.

U. Lorsque nous méditons ce qui est propre à la charité, c'est comme si la charité exhortait les autres vertus. Quand nous songeons à ce qui relève de la chasteté, de l'humilité, de l'abstinence ou des autres vertus, c'est alors comme si, une fois le congé donné et l'assemblée dispersée, chaque vertu allait son chemin : chemin de paix[c], bien entendu, car à moins de n'être pas une vraie vertu, aucune n'est en désaccord avec la charité.

z. Is. 33, 6 || a. Cf. Matth. 5, 44 ; Rom. 12, 17-21 ; I Thess. 5, 15 || b. Ps. 11, 3 || c. Cf. Lc 1, 79

XIX

DE FIDE ET IDOLATRIA

1. Cum olim idolatria, religione Christiana crescente, de templis suis exclusa fuisset, ambulabat huc et illuc, *quaerens requiem nec inveniens*[a] ; cum ecce videt fidem obviam sibi venientem. Cui et dixit (A) : « Tune es illa
5 sacrilega, illa raptrix, illa latro, illa seductrix quae ante non multos annos advena et nuda et extremae vilitatis dedecore foedata, nescio unde ad nos veniens antiquae possessionis meae ius invasisti, quam a progenitoribus meis ab ipso obtinueram mundi initio ? Ex quo enim
10 quidam ex nostris primae feminae dixit : *Eritis sicut dii*[b], nonne iam tunc deorum pluralitas ostendebatur et idolorum cultura designabatur ? Tu vero paulatim furtiva quadam subreptione mundum occupans, pro multis diis unum, pro longaevis recentem, pro prioribus iuniorem
15 introducere conaris. Tu divinitatem meam mihi abstulisti, tu quae tua dare praeciperis, mea mihi templa et sacrificia ademisti et quae hospites suscipere a Christo tuo iuberis[c], me non dico de <mea> domo sed de toto fere mundo

11 tunc *om. C* ‖ 15-19 Tu divinitatem — mundo expulisti *transposui (vide l.* 40-41.45-46.50) : tu divinitatem meam mihi, tu templa et sacrificia — mundo expulisti et quae tua dare praeceperis, mea mihi abstulisti *CD* ‖ 18 <mea> *supplevi (vide l.* 50) : *om. CD*

a. Lc 11, 24 ; cf. IV Rois 4, 35 ‖ b. Gen. 3, 5 ‖ c. Cf. Matth. 25, 35

19

FOI ET IDOLÂTRIE

1. Jadis l'idolâtrie, chassée de ses temples par la croissance de la religion chrétienne, allait et venait çà et là, *cherchant le repos et n'en trouvant pas*[a]. Et voici qu'elle voit la foi venir à sa rencontre ! Elle lui dit (A) : « Est-ce toi cette sacrilège, cette ravisseuse, cette voleuse, cette séductrice, venue chez nous il y a quelques années je ne sais d'où, étrangère, nue, déshonorée par l'indignité d'une bassesse extrême, et qui as attaqué l'antique droit de propriété que j'avais exercé depuis le temps de mes aïeux, bien plus : depuis l'origine même du monde ? En disant en effet à la première femme : *Vous serez comme des dieux*[b], l'un des nôtres ne manifestait-il pas la pluralité des dieux, ne désignait-il pas le culte des idoles ? Mais toi, occupant peu à peu le monde en t'y insinuant furtivement, tu entreprends d'introduire un seul dieu au lieu de plusieurs, un dieu tout frais à la place de divinités d'âge vénérable, un dieu tout récent à la place d'autres fort anciens ! Tu m'as enlevé ma divinité ! Toi qui prescris de donner tes biens, tu m'as arraché mes temples et mes sacrifices. Enfin, toi qui as reçu de ton Christ l'ordre de recevoir les hôtes de passage[c] [1], tu m'as chassée, je ne dis pas de ma maison, mais presque du monde entier !

1. Le devoir d'hospitalité fait l'objet d'une insistance toute particulière dans la *RB* : voir le ch. 53, 1-2.

expulisti. Ut autem cetera nunc omittam, tu quae, multis
20 diis abiectis, unum solum recipis, nonne, dic mihi, in
omni genere rerum magis valent plures res quam una
tantum ? Quis non malit plures nummos habere quam
solummodo unum ? »

2. Ad haec fides modesto vultu et mansueto sermone
25 respondens : « Licet, inquit, *margaritae ante porcos* non
sint ponendae [d], ne forte tamen qui haec tua audierint
verba scandalizentur, putantes me propositae quaestiun-
culae tuae non posse respondere, scito quia qui plures
sunt, *dii non sunt* [e]. Qui vero unus solus est, verus Deus
30 est. Ratio namque habet nihil maius Deo posse esse.
Quod si multi dii sunt, tunc unusquisque eorum separa-
tim habet potentiam suam vel divinitatem. Potest ergo
intelligi esse aliquam rem vel personam omnibus illis
maiorem, quae videlicet omnes potentias illorum seu
35 dominationes sola obtineat. Cum igitur haec talis potestas
maior sit omnibus illis, sequitur ut iam non sint dii.
Deinde et hoc sequitur ut potestas illa quae omnem
dominationem, omnem divinitatem, omnem potentiam
sola possidet, verus Deus sit. Hic est plane, hic est Deus
40 quem colo. Quod vero dixisti me abstulisse tuam tibi
divinitatem : quod numquam habuisti, nemo potest tollere tibi ! Quae ergo numquam Deus fuisti, nihil tibi
subripui. Quod si numquam Deus fuisti, numquam ergo
templum habuisti, cum solius Dei sit vel templum habere
45 vel sacrificium suscipere. Falsum ergo dixisti me tua tibi
templa vel sacrificia ademisse. Quod autem Deus non sis,
facile ex ipsis verbis tuis iam probari potest, quibus
quaereris me tibi vim intulisse. Ridiculus Deus, cui iniuriam nuda et advena, vilis persona irrogare praevalet !

26 sint : sunt *C*

---

d. Matth. 7, 6 || e. Jér. 5, 7 ; 16, 20 ; Bar. 6, 14 *e.a.*

Or, pour ne rien dire maintenant du reste, toi qui rejettes le grand nombre des dieux pour n'en admettre qu'un seul, dis-moi donc s'il n'est pas vrai que dans tout ordre de réalités plusieurs choses valent mieux qu'une seule ? Qui ne préfère avoir plusieurs pièces de monnaie plutôt qu'une seulement ? »

2. Le visage tranquille, la foi répondit d'un ton calme : « On ne doit pas déposer de *perles devant les porcs* [d] ; cependant, de peur de scandaliser qui aurait entendu tes paroles et me croirait incapable de répondre à la pauvre petite question que tu soulèves, sache que ceux qui sont plusieurs *ne sont pas des dieux* [e]. Celui au contraire qui est seul et unique, voilà le vrai Dieu. Car la raison tient qu'il ne peut rien exister de plus grand que Dieu. S'il y a de nombreux dieux, chacun possède indépendamment son pouvoir et sa divinité. On peut donc concevoir qu'il existe une réalité ou une personne plus grande qu'eux tous, possédant bien entendu à elle seule tous leurs pouvoirs ou souverainetés. Puisqu'une telle puissance est plus grande qu'eux tous, il s'ensuit qu'ils ne sont plus des dieux. Il s'ensuit encore que cette puissance, qui seule possède toute souveraineté, toute divinité, tout pouvoir, est le vrai Dieu. Il l'est manifestement. C'est lui le Dieu que j'adore. Quant à t'enlever ta divinité, comme tu l'as dit, personne ne peut t'enlever ce que tu n'as jamais eu ! Donc, puisque tu n'a jamais été Dieu, je ne t'ai rien dérobé. Que si tu n'as jamais été Dieu, tu n'as jamais eu de temples, puisqu'il appartient à Dieu seul d'avoir des temples et de recevoir des sacrifices. Tu as donc affirmé faussement que je t'avais arraché tes temples et tes sacrifices. Maintenant d'ailleurs, on peut facilement prouver d'après tes propres paroles que tu n'es pas Dieu : tu te plains que je t'ai fait violence ! Dieu bien ridicule à qui un personnage nu, étranger, de basse condition arrive à faire du tort ! Tu m'accuses enfin de t'avoir

50 Denique accusas me de tua te domo vel mundo expulisse, sed noveris *ignem aeternum, qui paratus est diabolo et angelis eius*[f], tuum vel domicilium vel mundum fore ! »

His verbis illa confusa, fidei sanctae maledicens et convicians, aufugit.

---

55 A. Tales contentiones si non verbis tamen rebus factae sunt, quamvis et verbis aliquando fieri potuerint.

55 contentione *C*

chassée de ta maison et du monde : mais sache que tu auras pour domicile et pour monde *le feu éternel préparé pour le diable et ses anges*[f] ! »

Confondue par ces paroles, l'autre s'enfuit, maudissant et insultant la sainte foi.

A. Si de pareilles luttes n'ont pas eu lieu en paroles, elles se sont cependant produites dans les faits, quoiqu'elles aient pu parfois avoir lieu en paroles également.

f. Matth. 25, 41

XX

DE INOBOEDIENTIA ET OBOEDIENTIA

1. Dum inoboedientia die quadam, comitante secum superbia, huc illucque vagabunda, pro mentis suae libitu ferretur, forte offendit oboedientiam iniuncto sibi operi instantem ; et primo diu eam cum quodam dedignationis
5 fastu aspectans *caputque suum super eam movens*[a] et quasi miserando exprobrans (A), talem tandem prorupit in vocem : « O miserrima omnium, quae nec ad horam tui iuris esse permitteris, quae quasi asinus stimulo agitatus semper urgeris ; cui una necdum expleta oboedientia,
10 statim alia atque alia a magistro tuo sine ulla interpositione superponitur et quod solo fit ab eo intuitu cupiditatis, fingitur fieri causa religionis ! O nimis decepta, quae sub tanto laborum pondere deprehensa prorsus oppressum iri et quantocius mori habes, cum neque loqui neque
15 dormire neque penitus pedem movere nisi iussa possis ! Nonne me vides ex toto liberam, omnino immunem, ubilibet pergentem, quod placet facientem, nec *Deum nec hominem timentem*[b] *?* »

2. Ad haec illa, subridens et stultam illam sua semet
20 voce iudicantem, semet damnantem admirans, maxime cum ipsa iactando proferret quod potius plangendo

14 quantocius *D (varia lectio inter lin.)* : quae totiens *CD (in textu)*

---

a. Job 16, 5 || b. Lc 18, 2.4

20

DÉSOBÉISSANCE ET OBÉISSANCE

1. Un jour que la désobéissance, accompagnée de l'orgueil, vagabondait ça et là au gré de son caprice, elle rencontra par hasard l'obéissance, assidue à une tâche à elle enjointe. Elle la regarda d'abord avec morgue et dédain, *hochant la tête sur elle* [a] ; enfin, faisant mine de s'apitoyer, elle éclata en paroles de reproche (A) : « Ah ! toi, la plus malheureuse des créatures ! on ne te permet pas une heure d'indépendance ; comme un âne harcelé par l'aiguillon, on te presse sans arrêt. Tu n'as pas fini de t'acquitter d'une obédience qu'aussitôt ton maître t'en rajoute une autre, puis une autre encore, sans aucune interruption : et on s'imagine qu'il existe un motif religieux à ce qu'il fait uniquement dans une vue de cupidité ! Ah, plus dupe qu'il n'est permis ! prise au piège d'une telle masse de travaux, il te faut succomber et mourir au plus vite, puisque tu ne peux ni parler ni dormir ni remuer un pied sans en avoir reçu l'ordre ! Ne me vois-tu pas totalement libre, tout à fait indépendante, allant où cela me chante, faisant ce qui me plaît, *ne craignant* ni *Dieu ni homme* [b] ? »

2. Souriant et s'étonnant d'entendre cette imbécile se juger et se condamner elle-même de sa propre bouche — d'autant plus qu'elle étalait avec jactance ce dont elle aurait plutôt dû se plaindre et se lamenter ! — l'autre

conqueri debuisset, ait sic : « Hac via per quam, ut ipsa fateris, ambulas et angelus de caelo et homo cecidit de paradiso. Hanc qui tenent, *filii Belial*[c], acephali vel apos-
25 tatae vocantur. Sic liberi sunt boves pascuales qui victimae reservantur et ad iugulandum deputati sunt ; iugales vero usque ad senium durare videmus. Et cum illi cum laetitia mactentur, isti planguntur cum propria morte obeunt. Sic magister puerorum quos plus diligit emendat
30 et corripit, quos vero negligit libertati suae relinquit. Sic medicus desperatos aegros atque irremediabiliter languentes a nullis prohibet cibis, sanabiles vero seu recuperabiles a quampluribus compescit. Sic etiam Deus quos reprobat vel abicit potestati propriae dimittit, *quem* vero
35 *diligit Dominus corripit, flagellat autem omnem filium quem recipit*[d]. Tua ergo libertas signum est tuae damnationis, tua immunitas testis est tuae reprobationis. Mortem tuam iactando pronuntias, ad infernum ridendo festinas. »
40 Ad haec verba inoboedientia pudore perfusa conticuit eamque talem incepisse disputationem sero paenituit.

A. Despectus iste fit in cogitatione superbientium vel inoboedientium ; fit nonnumquam et in verbis.

42 inobentium *C*

c. Deut. 13, 13 *e.a.* || d. Hébr. 12, 6

1. Grégoire le Grand : « Sont fils ceux qui se soumettent en vue de leur formation à des pères spirituels. Lorsqu'ils dédaignent par orgueil de suivre les conseils de ces mêmes pères, ils sont appelés avec raison fils de Bélial : car ils se font les imitateurs de l'esprit apostat qui par l'orgueil est tombé du ciel » (*In I Reg.* II, 77 : *CCL* 144, p. 160 ; cf. IV, 214 : *ibid.*, p. 415-416). Yves de Chartres : « Ceux-là ne doivent en

répondit ainsi : « C'est en suivant le chemin où tu marches, tu l'admets toi-même, que l'ange est tombé du ciel et l'homme du paradis. Ceux qui le suivent sont appelés *fils de Bélial*[c], acéphales ou apostats[1]. C'est ainsi que sont libres les bœufs à l'engrais qu'on réserve pour l'abattoir et qu'on destine à être égorgés ! Quant aux bœufs de trait, on les voit vivre vieux ! Et tandis qu'avec joie on envoie les premiers à la boucherie, on pleure les seconds lorsqu'ils meurent de leur belle mort. Ainsi le maître punit et corrige les enfants qu'il aime davantage ; ceux dont il ne se soucie guère, il les laisse à leur liberté. Ainsi le médecin n'interdit aucun aliment dans les cas désespérés, ni aux malades incurables ; quant aux gens susceptibles de guérir, de se remettre, il leur en défend un bon nombre ! Ainsi Dieu aussi abandonne à leur propre pouvoir ceux qu'il réprouve ou rejette ; mais *celui qu'il aime, le Seigneur le corrige ; il fouette tout fils qu'il agrée*[d]. Ta liberté est donc signe de ta damnation, ton indépendance témoigne que tu es parmi les réprouvés. Tu prononces avec jactance ton arrêt de mort, et te hâtes en riant vers l'enfer ! »

A ces mots, la désobéissance se tut, couverte de honte et se repentant trop tard d'avoir engagé pareil débat.

A. Cette attitude de mépris advient dans la pensée des orgueilleux ou désobéissants ; elle s'exprime parfois aussi en paroles.

aucun cas être tenus pour clercs ou prêtres qui ne sont gouvernés par l'autorité et la prévoyance d'aucun évêque. La coutume primitive de l'Église appelait de tels gens acéphales, c'est-à-dire sans tête » (*Décret.* VI, 301 : *PL* 161, 506 D). Au sujet des clercs « acéphales », ISIDORE DE SÉVILLE s'exprime ainsi : « Ne craignant rien, ils recherchent la faculté de se livrer à la volupté ; tels des brutes, ils sont menés par leur indépendance et leur désir » (*Eccles. offic.* II, 3, 2 : *PL* 83, 779 A).

XXI

DE SIMPLICITATE ET FALLACIA

1. Quia multi sunt ita fastidiosi et accidiae vitio occupati ut lectioni vacare vix possint, si vero fabulosum aliquid vel eatenus inauditum legerint seu audierint, statim propter rei novitatem aures adrigunt, narremus et 5 nos fabulam, sed quae aedificationem magis quam vanitatem contineat.

2. Fallacia simplicitati cum sit semper inimica, quadam vice venit ad eam et, existimans quod eam facile decipere praecipue circa fidei subtilitatem (A) possit, ait ad eam 10 sic : « Quia credis in Patrem et Filium et Spiritum Sanctum, vide ut hos tres aequaliter colas et venereris ne, si forte alium alio plus honoraveris, contempti iram merito incurras et ille forsitan cui magis servieris non te possit *de manibus* alterius *liberare*[a], maxime cum non facile 15 possit agnosci quis eorum fortior sit. »

3. Ad haec simplicitas pia quidem et sancta indignatione commota respondit : « Cum semper fallas, hic non iam me sed te ipsam fallis, dumque me decipi putas, ipsa

9 possit : posset C^{pc}

---

a. Dan. 3, 17

21

SIMPLICITÉ ET FOURBERIE

1. On peut voir bien des gens en proie à l'ennui ou à l'acédie, jusqu'à pouvoir à peine vaquer à la lecture[1]. Mais viennent-ils à lire ou à entendre une histoire ou une nouvelle quelconque ? sur-le-champ — puisqu'il y a du nouveau ! — les voilà qui dressent l'oreille. Racontons donc nous aussi une histoire, mais qui renferme plus d'édification que de futilité.

2. La fourberie, toujours ennemie de la simplicité, vint une fois chez elle et, croyant pouvoir la tromper facilement, surtout à propos des subtilités de la foi (A), lui parla ainsi : « Tu crois au Père, au Fils et à l'Esprit-Saint ; veille à les adorer et à les vénérer également tous les trois. Si par hasard tu honorais l'un plus que l'autre, tu risquerais d'encourir la colère de celui que tu aurais méprisé, et celui que tu aurais servi davantage ne pourrait peut-être pas te *délivrer des mains*[a] de l'autre, d'autant plus qu'il n'est pas facile de savoir lequel d'entre eux est le plus fort. »

3. Animée d'une juste et sainte indignation, la simplicité répondit : « Tu trompes toujours ; mais en l'occurrence ce n'est plus moi que tu trompes, mais toi-même.

1. Cf. *RB* 48, 23 : « Si quelqu'un est négligent et paresseux au point de ne pas vouloir ou pouvoir apprendre ou lire... »

deciperis. Ego enim non immemor dominici praecepti,
20 ubi ait : *Estote prudentes sicut serpentes et simplices sicut columbae*[b], ita credo in Patrem et Filium et Spiritum Sanctum, ut fatear non tres deos esse sed unum solum Deum, ut scriptum est : *Dominus Deus tuus, Deus unus est*[c]. Cumque hae tres personae sint unus tantummodo
25 Deus, non potest serviri alteri plus altero, nec potest alius offendi pacato altero. »

4. Tum illa subintulit : « Forsitan, ut dicis, aequales sunt, sed potestate quidem, non tempore. Quis enim vidit umquam patrem aliquem et filium eius coaevos ? » Hinc
30 simplicitas : « Obmutesce, ait, pessima ! Neque enim Deus aut tempori subiacet, aut crescere vel minui potest. Cresceret vero Deus Pater si ei Filius aliquando adderetur quem semper non habuisset. Filium quippe non adoptivum dico, sed sibi consubstantialem (B). Denique nec
35 pater dici potest qui filium non habet. Ergo sicut Deus Pater semper fuit, ita et Filius semper fuit. »

Tum fallacia, bis iam a simplicitate confusa, se quidquam amplius apud eam efficere posse desperans, mirata quod sic iam simplicitate polleret ut et prudentiae acu-
40 mine vigeret, discessit.

A. Verum est quod fallaces quique simplices circumvenire solent. Hoc vero genus deceptionis maxime haereticorum est.

B. Non enim duae substantiae Pater et Filius, sed una est substantia sicut unus Deus.

26 paccato *C* || 39 iam sic *D* || 43 enim : sunt *C*

Croyant m'abuser, tu t'abuses toi-même. Je n'oublie pas en effet le précepte du Seigneur qui dit : *Soyez prudents comme des serpents et simples comme des colombes* [b] ; je crois au Père, au Fils et à l'Esprit-Saint en confessant qu'ils ne sont pas trois dieux, mais un seul Dieu, comme il est écrit : *Le Seigneur ton Dieu est un Dieu unique* [c]. Et puisque ces trois personnes ne sont qu'un seul Dieu, on ne peut servir l'une plus que l'autre, ni en offenser une tout en apaisant l'autre. »

4. La fourberie ajouta alors : « Peut-être sont-elles égales, comme tu le dis, mais en puissance, certes, et non dans le temps. Qui a jamais vu un père et son fils être du même âge ? » — « Tais-toi, peste ! rétorqua la simplicité. Dieu n'est pas soumis au temps, il ne peut pas non plus croître ni diminuer. Or Dieu le Père croîtrait si, à un moment donné, un Fils qu'il n'aurait pas toujours eu venait s'adjoindre à lui. Je parle bien sûr non d'un fils adoptif, mais du Fils qui lui est consubstantiel (B). Enfin on ne peut dire père qui n'a pas de fils. Donc, de même que Dieu le Père a toujours existé, de même le Fils a toujours existé. »

Alors la fourberie, confondue deux fois déjà par la simplicité et désespérant de parvenir à quelque chose, s'en alla, étonnée de la voir aussi douée sous le rapport de la prudence et de la finesse que riche de simplicité.

A. Il est exact que les fourbes abusent les simples. Cette sorte de tromperie est surtout le fait des hérétiques.

B. Le Père et le Fils ne sont pas deux substances : la substance est une comme Dieu est un.

b. Matth. 10, 16 || c. Deut. 6, 4

XXII

DE PRAELATIONE ET SUBIECTIONE

1. Congregatis aliquando virtutibus in unum (A), ut de quibusdam negotiis et maxime de impugnatione sive insidiis frequenter sibi a vitiis illatis tractarent, providentia intulit sic : « Cum multis et variis nostri nos adversarii
5 infestent modis et per nostrorum portas castrorum, modo vi aperta, modo occultis irrumpere tentent insidiis, hos duos praecipue ingressus cautius custodiri iubete, id est aditum subiectionis et praelationis. In primo enim murmurationem et detractionem (B), in altero vero super-
10 biam et iram (C) experta sum nobis amplius sive specialius insidiari. His ergo tam infestis hostibus quae iam potissimum virtutes opponendae sint discernite. »

His autem tacentibus ceterisque haesitantibus, discretio ait : « Si sanctitati vestrae placet, per subiectionis viam
15 gradientes patientia et spes protegant et conservent ; praelationis vero iter tenentibus ego et humilitas (D) in periculis aderimus. »

2. Quod dictum cum omnibus placuisset, iterum statuerunt ut per praelationis callem paucissimi ingrederen-

1. Observations analogues chez AELRED DE RIEVAULX, *Serm.* 17 (*CCM* 2 A, p. 136-137).

22

SUPÉRIORAT ET SUBORDINATION

1. Les vertus s'étant un jour réunies en un même lieu (A) pour s'occuper de plusieurs affaires et surtout des assauts et embûches que les vices leur faisaient souvent subir, la prévoyance proposa ceci : « Nos adversaires nous harcèlent de bien des façons différentes. Ils tâchent de faire irruption par les portes de nos camps tantôt de vive force, tantôt au moyen d'embûches cachées. Ordonnez donc de garder deux issues avec un soin particulier : l'entrée de la subordination et celle du supériorat. J'ai constaté en effet à l'expérience qu'à la première c'est surtout le murmure et la détraction (B) qui nous dressent des embuscades, et à l'autre l'orgueil et la colère [1] (C). Discernez quelles vertus il faut par conséquent opposer de préférence à ces ennemis si acharnés. »

Comme les unes se taisaient et que les autres hésitaient, la discrétion dit : « S'il plaît à votre sainteté, que la patience et l'espérance protègent et gardent ceux qui s'avancent par le chemin de la subordination. Quant à ceux qui suivent la voie du supériorat, l'humilité et moi (D) serons avec eux dans les dangers. »

2. Cette proposition ayant plu à tout le monde, on décréta de nouveau que très peu de gens entreraient par le sentier du supériorat, et ceux-là seulement qui ne

20 tur et qui tantummodo alias transire non possent, quod haec via periculosior sit et insidiis inimicorum patentior. Subiecti vero expeditissimi et ab omni saecularis curae vel proprietatis incederent onere vacui. Praelati autem *non sibi* sed subiectis *viverent*[a] et toti eorum saluti ades-
25 sent. Subiecti, si propriis voluntatibus interfectis Deoque sacrificatis solam magistri sui voluntatem in se vivere arbitrentur, iuxta martyres (E) locum sibi a Deo in caelo parari considerent. Praelati vero, si *non quae sua sunt sed quae* subiectorum ardenter et perfecte *quaerant*[b], post
30 apostolos (F) se collocandos crederent.

Cum haec et alia quaedam utilia disposuissent, alterutrum valedicentes discesserunt.

A. Id est in cor alicuius perfecti.

B. Saepe enim praelatus quaedam agit dispensatione aliqua
35 quae subiecti putant fieri temeritate sola.

C. Improvido cuique praelatio est causa superbiae, superbia vero irae.

D. Nihil sic necessarium praelatis quam discretio et humilitas : humilitas ad se ipsos custodiendos, discretio ad alios
40 regendos.

E. Genus magni longique martyrii est non suo sed alterius nutu quemquam vivere.

F. Apostoli laboraverunt Ecclesiam aedificando, isti vero laborant custodiendo.

a. II Cor. 5, 15 || b. Phil. 2, 4.21 ; I Cor. 13, 5

1. Cf. *RB* 64, 18-19.

2. Sur la relation entre obéissance et martyre, voir JEAN CASSIEN : « La patience et la fidélité rigoureuse avec lesquelles les premiers persévèrent dévotement dans la profession qu'ils ont une fois embrassée, n'accomplissant jamais leurs volontés, en fait tous les jours des crucifiés au monde et des martyrs vivants » (*Conl.* 18, 7 : *SC* 64, p. 21). Au sujet

pourraient passer autrement ; ce chemin est en effet plus dangereux et plus exposé aux embûches de l'ennemi. Les subordonnés, eux, marcheraient très légèrement équipés, libres de tout fardeau de soucis mondains ou de propriété. Quant aux supérieurs, *ils vivraient non pour eux-mêmes*[a] mais pour leurs subordonnés et se consacreraient tout entiers à leur salut. Les sujets considéreraient que Dieu leur préparait au ciel une place à côté des martyrs (E) si, mettant à mort leurs volontés propres et les sacrifiant à Dieu, ils estimaient que la volonté de leur maître vivait seule en eux. Les supérieurs, eux, croiraient qu'ils seraient placés après les Apôtres (F) s'*ils cherchaient* ardemment et à fond *non leurs intérêts mais ceux*[b] de leurs subordonnés.

Après avor arrêté ces dispositions et d'autres mesures utiles, elles prirent congé l'une de l'autre et se séparèrent.

A. C'est-à-dire dans le cœur d'un parfait.

B. Souvent le supérieur pose en vertu d'une disposition quelconque des actes que les subordonnés croient être le fait de l'irréflexion pure.

C. Chez une personne mal préparée, le supériorat est cause d'orgueil, et l'orgueil de colère.

D. Rien n'est aussi nécessaire aux supérieurs que la discrétion et l'humilité : l'humilité pour se garder eux-mêmes, la discrétion pour gouverner autrui[1].

E. C'est une sorte de martyre — grand et de longue durée ! — que de vivre non selon sa volonté mais selon le commandement d'autrui[2].

F. Les Apôtres ont travaillé à construire l'Église ; eux travaillent à la garder.

de la vie monastique considérée comme une sorte de martyre quotidien et prolongé, voir les témoignages rassemblés par J. LECLERCQ, *La vie parfaite*, Paris 1948, p. 148-160.

XXIII

DE LARGITATE ET AVARITIA

1. Cum avaritia largitati naturaliter contraria sit, tam illam quam omnes sibi acquiescentes eiusque praeceptis oboedientes vehementer oderat, praecipue quia eos videbat cunctis acceptos universorum ore laudari, se vero
5 suosque econtra contemptui et odio (A) haberi. Assumptisque tribus filiabus suis, id est furto, rapina, fraude, coepit castra illius circuire (B), si forte parte ex aliqua posset irrumpere et militum eius quempiam corrumpere et in partis suae sortem transferre. Explorata vero quo-
10 dam die reginae illorum, id est largitatis, absentia, ingressa est ad eos et, speciem consulendi sive commonefaciendi praetendens, allocuta est eos (C) dicens : « Qui vivendi praecepta subiectis praebet humanae imbecillitatem naturae metiri debet ne, si nimis alta tradiderit,
15 frangat potius quam iuvet. Fragilis res homo : nisi multis fulciatur adminiculis pluribusque abundet remediis, cito deficit. Noverat hoc Deus, qui tot et tanta usibus humanis creavit subsidia. Quod si tu, o homo, quae tibi Deus ad tuas tuorumque necessitates explendas dedit
20 prodegeris et effuderis, merito postmodum egebis. Et cum egueris, qui modo te laudant et liberalem vocant, tunc

10 reginae : regione *C*^{pc}

---

1. Cf. *RB* 64, 12 (voir *supra*, p. 67, n. 2).

23

LIBÉRALITÉ ET AVARICE

1. Étant naturellement opposée à la libéralité, l'avarice la haïssait ainsi que tous ceux qui l'écoutaient et obéissaient à ses préceptes, d'autant plus qu'elle les voyait bienvenus de tous et entendait toutes les bouches proclamer leurs louanges, tandis qu'elle et les siens étaient au contraire méprisés et haïs (A). Prenant trois de ses filles, vol, rapine et fraude, elle se mit à rôder autour de son camp (B) : si d'aventure elle arrivait à y pénétrer de quelque côté, à corrompre l'un quelconque de ses soldats et à le faire passer à son parti... Un jour, s'étant assurée de l'absence de leur reine — c'est-à-dire de la libéralité —, elle entra chez eux et leur adressa la parole, disant sous couleur de conseil ou d'avertissement (C) : « Qui trace à ses subordonnés une ligne de conduite doit mesurer la faiblesse de la nature humaine, de peur qu'en leur enseignant des préceptes trop élevés il ne les brise au lieu de leur être utile [1]. L'homme est chose fragile : à moins d'être étayé par bien des appuis et pourvu de secours en abondance, il défaille vite. Dieu savait cela, lui qui a créé à l'usage des hommes tant de ressources, et de si grandes. Si toi, ô homme, tu prodigues et dissipes ce que Dieu t'a donné pour satisfaire tes besoins et ceux des tiens, c'est à bon droit qu'ensuite tu connaîtras le besoin. Et quand tu seras dans la gêne, ceux qui maintenant te louent et te disent généreux riront de toi et te

irridebunt, tunc dorsum tibi vertent, tunc te sero paenitebit, tunc planges quod mihi non credideris. Cave ergo tibi ! Nescis quae fames super terram ventura, quae bella
25 et seditiones movendae, quis languor et quam diuturnus te oppressurus. Melius est ut te tunc alii rogent, quam tu illos. »

Cum haec loqueretur, ecce largitas repente superveniens et quid illa loqueretur agnoscens exclamat :
30 « Fuge (D), fuge, pessima ! Tace, obmutesce, insana ! Parcitas haec tua et timor suspicionis huius *tecum sit in perditione* [a]. Mei enim quo largius dabunt eo amplius Deo donante abundabunt. Si vero parcere et restringere coeperint, et Deus statim suam retrahet manum et vere tunc
35 egebunt. »

Talibus verbis avaritia auditis, perpendens se nihil efficere posse : « Fac, inquit, ut libet. Ego pro bono dicebam (E). Vale ! » Egressaque ait secum : « Atat, quanto terrore hac loquente concussa sum, misera ! Paene
40 perii (F). »

2. Post dies aliquot, largitas explorans ubinam avaritia latitaret, cognovit eam olim occupasse cor hominis cuiusdam, haud longe manentis, pecuniosissimi quidem, sed adeo parcissimi ut paene facilius ei oculum extorqueres
45 quam obolum, quippe cum a se ipso vix elicere aliquid ipse posset ; sed pannosus, vilis, abiectus tristisque incederet, cum tamen et senex esset et solus degeret, neque uxorem scilicet neque filios habens. Cuius cor cum largitas induratum et inveteratum nec facile corrigi posse
50 persensisset — multoties siquidem hoc temptaverat neque quidquam perficere aliquando potuerat —, excogitato novo pioque consilio, venit ad quemdam virum in vicinio

a. Act. 8, 20

tourneront le dos. Alors tu te repentiras, trop tard ! tu te lamenteras de ne m'avoir pas cru ! Prends donc garde à toi ! Tu ne sais pas quelle famine peut survenir sur terre, quelles guerres et révoltes se produire, quelle maladie te surprendre et combien de temps elle durera. Il vaut mieux que les autres te sollicitent le moment venu, plutôt que le contraire. »

Comme elle tenait ce discours, voici que la libéralité survient tout à coup et, saisissant ce qu'elle disait, s'écrie : « Fuis (D), fuis, peste ! Tais-toi, tais-toi pour de bon, folle ! Ton économie que voilà, ta peur de dangers hypothétiques, *qu'ils aillent se perdre avec toi*[a] ! Les miens seront en effet d'autant plus abondamment pourvus, par le don de Dieu, qu'ils donneront plus largement. Mais s'ils se mettent à épargner et à se montrer regardants, sur-le-champ Dieu retirera lui aussi sa main, et alors ils seront vraiment dans le besoin ! »

A ces mots, l'avarice jugea qu'elle n'arriverait à rien. « Fais ce qui te plaira, dit-elle. Je disais cela pour ton bien (E). Adieu ! » Une fois sortie : « Bougre ! se dit-elle, que j'ai eu peur tandis qu'elle parlait, pauvre de moi ! j'ai failli y rester (F). »

2. Au bout de quelques jours, la libéralité, cherchant où pouvait bien se cacher l'avarice, apprit qu'elle occupait depuis longtemps le cœur d'un homme demeurant non loin de là. Cet individu était très cossu, mais si regardant qu'on lui aurait presque plus facilement arraché un œil qu'une obole ; de fait, c'est à peine si lui-même pouvait s'arracher quelque chose. Il se promenait en loques, l'air méprisable, abattu et chagrin, alors qu'il était vieux et vivait seul, n'ayant ni femme ni enfants. Comme la libéralité sentait son cœur endurci et vieilli, difficile à corriger — elle avait souvent essayé sans jamais rien pouvoir faire —, dans sa bonté, elle imagina un nouveau plan. Elle se rendit chez un habitant du voisi-

habitantem, nobilem utique et ditissimum honestaeque vitae ac bonorum morum sibique familiarem et amicum,
55 et suggessit ei dicens : « Quia ille talis senex — de illo autem avaro dicebat — victus et vestitus sui nimium timidus est et egere ultra modum formidat, accipe, rogo, illum in domum et familiam tuam et *curam illius habe*[b]. Securum quoque eum fac quod, quamdiu vixerit, nullius
60 rei apud te indigebit, ut vel sic hunc vanum et noxium abiiciat timorem quem hostis mea ei pessima immisit avaritia (G). » Quod cum ille animo volenti utpote liberalis homo fecisset, post dies non multos senex ille tractare secum coepit quid de illo tanto censu suo faceret,
65 qui nunc ei omnino superfluus erat. Si eum sic dimitteret, inutilis et periturus esset, sin autem domino et procuratori suo traderet, et ille eum amplius diligeret et pecunia ipsa, in bonos et honestos redacta usus, honori sibimet ipsi cederet. Fecit ergo sic (H), eoque modo avaritiae
70 adeptus largitatis ope salvatus est.

A. Quia tenaces quique et avari odibiles sunt ; liberales vero et largi, amabiles.

B. *Adversarius vester tamquam leo rugit et circuit quaerens quem devoret*[c].

75 C. Talis locutio fit in corde suggestione adversarii. Unde orat propheta : *Domine libera animam meam a labiis iniquis et a lingua dolosa*[d] ; id est animam, inquit, persequuntur non carnem.

D. Sic respondere in corde nostro debemus temptanti nos
80 forte vitio tenacitatis, necnon et ceteris quibusque vitiis.

E. Pavore perterrita, quasi mollem et supplicem reddit ficta mente responsionem.

57-58 illum, rogo, in domum tuam et familiam *C* || 62 volente *C*^{pc} || 70 ademptus *CD*

---

b. Lc 10, 35 || c. I Pierre 5, 8 || d. Ps. 119, 2

nage, homme noble et très riche, de vie honorable et de bonnes mœurs, son intime et son ami, et lui suggéra ce qui suit : « Tel vieillard — elle parlait de l'avare en question — est par trop chiche pour sa nourriture et son vêtement, et redoute le besoin outre mesure. Reçois-le donc, je t'en prie, dans ta maison et ta domesticité et *prends soin de lui*[b]. Donne-lui également l'assurance que tant qu'il vivra il ne manquera de rien chez toi, pour que, du moins ainsi, il abandonne cette crainte vaine et nuisible que ma pernicieuse ennemie, l'avarice, lui a insufflée (G). » En homme généreux, il le fit volontiers. Au bout de quelques jours le vieillard se prit à délibérer en lui-même de l'usage à faire de sa fortune si importante, qui lui était maintenant tout à fait superflue. S'il l'abandonnait sans plus, elle demeurerait inutile et serait vouée à disparaître ; mais s'il la remettait à son seigneur et pourvoyeur, celui-ci l'en aimerait davantage, et l'argent lui-même, ramené à de bons et honnêtes usages, tournerait à son propre honneur. C'est donc ce qu'il fit (H) ; et un adepte de l'avarice fut sauvé ainsi grâce au secours de la libéralité.

A. Les gens lésineurs et avares sont odieux ; les personnes généreuses et libérales, elles, attirent la sympathie.

B. *Votre adversaire, comme un lion, rugit et rôde, cherchant qui dévorer*[c].

C. Pareil discours a lieu dans le cœur à l'instigation de l'adversaire. D'où la prière du prophète : *Seigneur, délivre mon âme des lèvres iniques et de la langue trompeuse*[d], autrement dit : c'est l'âme qu'il persécute, affirme-t-il, non la chair.

D. C'est ainsi que nous devons répondre en notre cœur au vice de la lésinerie si par hasard il nous tente, et aux autres vices également.

E. Glacée d'épouvante, elle fait une réponse en quelque sorte douce et suppliante, en esprit de mensonge.

F. Hostis antiquus cito retunditur si quis ei viriliter resistat.
G. Si vis in his allegoriam quaerere, dives parcus est aliquis
85 sapiens in nullo bono opere quae scit exercens. Hic ad mensam largi divitis tunc accedit[e], cum monitis vel exemplis proficit illius qui bonum quod novit factis adimplet. Et tunc per manus eius divitias suas expendit, quando imitatione vel consilio ipsius bene operari studet. Sane frater religiosus, dives quidam est
90 larga inter fratres munera dividens, dum huic pie consulit, alii bona quae potest quaerit, alii in periculo quolibet subvenit, alii corporaliter etiam servit : omnes vero generaliter diligit cunctisque pariter bonum praebet exemplum. De hoc David : *Dispersit, dedit pauperibus*, et cetera[f].
95 H. Miro pioque ingenio avaris subventum est, quando communis vitae institutio reperta est ubi, dum quisque necessaria omnia accipit, occasionem concupiscendi perdit.

85 quae : quod *C*^{pc}

e. Cf. Sir. 31, 12 || f. Ps. 111, 9

F. L'antique ennemi est vite repoussé si on lui résiste virilement.

G. Si on veut chercher là une allégorie, le riche regardant est un sage qui ne pratique aucune des œuvres bonnes dont il a connaissance. Il accède à la table du riche libéral[e] lorsqu'il progresse grâce aux avis ou aux exemples de qui accomplit en acte le bien dont il est capable. Il dépense son argent par les mains de ce dernier lorsqu'à son imitation ou sur son conseil il s'applique à bien agir. Le frère religieux est vraiment un riche qui distribue des présents généreux aux frères : il en conseille un avec bonté, recherche pour un autre tous les biens qu'il peut, en secourt un autre dans le danger, en sert un autre même au plan matériel ; il les aime tous sans exception et leur présente à tous pareillement un bon exemple. D'où David : *Il a partagé, il a donné aux pauvres,* etc[f].

H. Les avares ont été secourus grâce à un stratagème aussi remarquable que plein de bonté, par l'institution de la vie commune : chacun y reçoit tout le nécessaire et perd ainsi tout prétexte à convoitise.

XXIV

DE VERA RELIGIONE PARABOLA

1. Cum quaedam vitia ad ostium (A) verae religionis pulsassent, illa deintus respondens dixit : « Quae estis ? Aut quid quaeritis ? » Respondent : « Tres sorores sumus : id est turpitudo, stultiloquium, scurrilitas. Coram
5 te ludere et nostris te oblectare iocis quaerimus. Non enim seriis semper intendere vales. Nam et arcus semper tensus segnius sagittam iacit. Quinimmo si ad nostra paululum te remiseris ludicra, ad tua postmodum fortior et recentior recurres exercitia. »

10 His protinus illa subinfert : « Iam ex ipsis nominibus pariter et officiis vestris quam viles et abiectae sitis patet (B). Etenim ludere et iocari parvulorum est. Cum vero omnes turpes res contemptibiles sint, ipsa turpitudo qualis est ? Cum autem stulti et scurrae, a quibus stulti-
15 loquium et scurrilitas derivantur, in populo vilissimi sint, ipsa vos vestra, ut dixi, produnt nomina. Denique quia ipse anhelitus vestri foetor iam ad meas pervenit nares, abite hinc cito, miserae pestes, et recedite, ne taetro spiraminis vestri fumo ipsa ostii mei limina postesque
20 nigrescant (C). »

Tit. parabola *om. D*
1 Cum : dum *D*

24

UNE VIE SPIRITUELLE AUTHENTIQUE : PARABOLE

1. Des vices frappaient à la porte (A) d'une authentique vie spirituelle ; celle-ci répondit de l'intérieur : « Qui êtes-vous ? que cherchez-vous ? » Ils répondent : « Nous sommes trois sœurs, obscénité, sot langage, bouffonnerie. Nous cherchons à jouer devant toi et à te charmer par notre badinage. Tu n'as pas en effet la force de te concentrer toujours sur des choses sérieuses. L'arc toujours tendu lance moins énergiquement sa flèche. Bien plus : si tu te détends un peu avec nos divertissements, tu retourneras ensuite à tes exercices rajeunie et fortifiée. »

A cela l'autre rétorque tout droit : « D'après vos noms, et pareillement d'après vos fonctions, il est déjà évident combien vous êtes viles et basses (B). Jouer et badiner est bon pour les enfants. Et puisque toute chose obscène est méprisable, que sera l'obscénité même ? Par ailleurs, sots et bouffons — d'où dérivent 'sot langage' et 'bouffonnerie' — sont les plus vulgaires des gens. Vos noms même, comme je l'ai dit, vous trahissent donc. Enfin la puanteur de votre haleine est déjà parvenue à mes narines : allez-vous en vite d'ici, misérables pestes, éloignez-vous ! de peur que la vapeur dégoûtante de votre souffle ne noircisse, ne serait-ce que le seuil et les jambages de ma porte (C) ! »

2. His illae auditis, mille maledictiones et convicia in illam iacientes abierunt. Et venientes ad domum vanae gloriae, quae inter caelum et terram habitans — nam neque terram tangere dignatur et ei in caelum ire non 25 datur — sicque in quodam pendulo et inani huius aeris manens, ventorum flabris subvecta attollitur, aiunt ei : « Vade et duo praeclara facinora uno opere perpetra. De religione, quae nos sprevit, quae neque ad nos respicere dignata est, et nos vindica et tuo eam iuri mancipa (D). 30 Quanto magis enim nos despexit, tanto minus te despicere poterit. Noster contemptus tibi viam ad eam parat, ideoque te citius recipiet, quia cito nos repulit. »

Illa volans venit ad eam et plaudens manibus[a] : « Euge, ait, o gloriosa ! Quam felix hora qua nata es[b], quae sic 35 omnium praeconio attolleris ut ne unus quidem a laude tua vel in minimo dissentiat ! Super hoc igitur tanto bono tuo semper gaudere memento. »

Religio talia dicentem torvo respiciens vultu ait : « Quam vana et ventosa et inanis es ! Quid aliud proferas, 40 quam unde plena es[c] ? Qualis arbor, tales fructus eius[d] : qui *comederit ex eis morte morietur*[e]. » Tunc exsufflans eam dixit : « Ventus es et in auras evanesce ! Vanitas es et in nihilum redigere[f] ! Ego enim, quae Dei gloriam requiro, popularis aurae favorem contemno[g]. »

45 **3.** Illa sic repulsa, ad domum tendit superbiae, de accepta iniuria clamorem factura. Quam super thronum sublimem et exaltatum residentem[h] varioque omnigenum ornamentorum cultu fulgentem et auream mirae magnitudinis in capite coronam gestantem[i] a longe affatur —

a. Cf. Ps. 46, 2 || b. Cf. Jér. 20, 14 ; Job 3, 3 ; Éz. 16, 5 || c. Cf. Matth. 12, 34-35 ; Lc 6, 45 || d. Cf. Lc 6, 44 || e. Gen. 2, 17 || f. Cf. Gen. 3, 19 || g. Cf. Jn 5, 44 || h. Cf. Is. 6, 1 || i. Cf. Esther 8, 15

2. A ces paroles ils s'en allèrent, lui lançant mille insultes et malédictions, et ils se rendirent chez la vaine gloire. Elle habite entre ciel et terre — car elle ne daigne pas toucher terre et il ne lui est pas donné d'aller au ciel — et demeure ainsi suspendue dans le vide, en l'air, soulevée et portée par le souffle du vent. Ils lui disent : « Va donc et commets deux crimes brillants d'un seul coup ! Venge-nous d'une vie spirituelle qui nous a repoussés et n'a pas seulement daigné nous regarder, et fais-la tomber par la même occasion en ton pouvoir (D). Plus elle nous a dédaignées et moins elle pourra te dédaigner. Le mépris qu'elle nous a témoigné te prépare la voie vers elle ; elle t'accueillera d'autant plus vite qu'elle nous a vite repoussés. »

L'autre vola jusqu'à elle et, l'applaudissant [a] : « Bravo ! dit-elle, ô glorieuse que tu es ! Heureuse l'heure où tu es née [b], toi que tous portent si bien aux nues à force d'éloges, que pas une voix ne détonne même si peu que ce soit dans le concert de tes louanges ! Souviens-toi donc de toujours te réjouir de ce bonheur si grand qui t'échoit. »

La vie spirituelle, regardant de travers l'auteur de pareils propos : « Que tu es creuse, vide, pleine de vent ! Qu'exprimes-tu, sinon ce dont tu es remplie [c] ? Tel arbre, tels fruits [d] : *qui en mange mourra de mort* [e]. » Alors elle dit en lui soufflant dessus : « Tu es vent, évanouis-toi dans les airs ! Tu es vide, retourne au néant [f] ! Je méprise en effet le vent de la faveur populaire, moi qui cherche la gloire de Dieu [g]. »

3. Repoussée à son tour, l'autre se dirigea vers la demeure de l'orgueil pour se plaindre à grands cris de l'injure reçue. Celui-ci, assis sur un trône haut et élevé [h], resplendissait d'un luxe bigarré d'ornements de toutes sortes et portait sur sa tête une couronne d'or [i] de dimensions étonnantes. Elle lui adresse de loin la parole

50 non enim propius accedere audebat — dicens religionis temeritatem gravissima protinus ultione multandam (E), quae legatos eius non reciperet nec dicionis eius potentiae subdi dignaretur tempusque nunc opportunissimum [j] esse ut eam illico invadere debuisset, quam de sanctitatis suae
55 meritis elatam et *in multitudine virtutis suae* [k] gloriantem inveniret tantoque facilius illam posse superbiae legibus subici, quanto et per se ipsam iam superbire inciperet.

His illa credens verbis, dicto citius adest et solitos tendens temptationum laqueos ait : « Animi tui magni-
60 tudo, etiam si nolis, per opera foras erumpit et, velut quoddam solare iubar, lucis suae radios abscondere nequit. Non enim sine causa esse potest, et magna omnino causa, quod ceteris omnibus sanctior et sapientior es ! Exteriora haec interiorem produnt magnanimitatem.
65 Nam ut bonum tuum plenius sit tibique soli et non alteri ascribatur, non aliunde illud accepisti neque abs quolibet mutuata es, sed a te ipsa habes *tu*que ipsius *initium et finis es* [l]. Nam si Deus haec omnia bona tibi dedisset, quare non similiter ceteris dat, quos similiter creavit ?
70 Ergo quod ceteris omnibus melior es, a te ipsa sine dubio habes. »

4. Non potuit ultra horum horrorem verborum religio vera sustinere, sed exclamans ait : « O vocem diaboli ! Quid, rogo, distat inter haec verba et illa quae olim
75 protulit inquiens : '*Ponam sedem meam* contra *aquilonem : super astra* caeli *exaltabo solium meum,* et *similis ero Altissimo* [m] ?' Numquid enim ego sum alter Deus, ut secundum haec verba tua ipsa mihi possim sanctitatem dare, locum vel sedem Dei mei usurpare et quod solius

j. Cf. II Macc. 14, 5 ; II Cor. 6, 2 || k. Ps. 32, 16 || l. Apoc. 21, 6 || m. Is. 14, 13-14

— elle n'osait pas en effet l'approcher de plus près —, disant que la témérité de cette vie spirituelle devait être punie aussitôt de la plus accablante vengeance (E), car elle n'avait pas reçu ses émissaires, ni daigné se soumettre à son pouvoir dominateur ; que le moment était très propice[j] pour l'attaquer — il la trouverait gonflée des mérites de sa sainteté et se glorifiant *de la grandeur de sa vertu*[k] ; qu'on pourrait d'autant plus facilement la soumettre aux lois de l'orgueil qu'elle commençait déjà d'elle-même à s'enorgueillir.

Croyant à ces paroles, l'orgueil est là en moins de temps qu'il ne faut pour le dire et tend ses habituels pièges de tentation : « Quand tu ne le voudrais pas, tes œuvres font éclater au-dehors la grandeur de ton âme ; telle l'éclat du soleil, elle ne saurait dissimuler les rayons de sa clarté. Or cela ne peut être sans raison, et la raison en est grande : tu es plus sainte et plus sage que tous les autres ! Ces signes extérieurs trahissent ta grandeur intérieure. Et pour que ton bien soit plus complet et te soit attribué à toi seule, non à un autre : tu ne l'as pas reçu d'ailleurs, tu ne l'as pas davantage emprunté à qui que ce soit ; tu le tiens de toi-même, *tu* en *es l'origine et la fin*[l]. Car si Dieu t'a donné tous ces biens, pourquoi ne les donne-t-il pas également aux autres qu'il a créés pareillement ? Tu dois donc à toi-même, sans aucun doute, d'être meilleure que tous les autres. »

4. L'authentique vie spirituelle ne put supporter plus longtemps l'horreur de ces paroles. Elle s'écria : « O voix du démon ! Quelle différence, je te le demande, entre ces paroles et celles qu'il proféra jadis : '*Je siégerai* à la face de l'*Aquilon* ; *j'élèverai mon trône au-dessus des astres* du ciel, et *je serai semblable au Très-Haut*[m].' Suis-je en effet un autre Dieu, pour pouvoir, conformément à tes paroles, me donner à moi-même la sainteté, usurper la place, le siège de mon Dieu, et m'attribuer ce qui appartient à

80 Dei est mihi ascribere ? Iamque hoc esset non contra homines sed adversus Deum superbire ipsique specialiter bellum inferre, si quod eius proprium est mihi ipsi cuperem vindicare. Sed abi hinc in malam rem, teterrimum monstrum — nam et aerem ipsum pestifero flatu corrum-
85 pis et quocumque pergis foeda spurcitiae tuae vestigia relinquis —, quae me ceteris meliorem fingis, cum teste Scriptura *nesciat homo utrum amore an odio dignus sit*[n]. » Sic territa, illa fugam iniit. Quod cum cetera vitia cernerent, ad sanctam illam amplius accedere ausa non sunt.
90 Sicque illa deinceps ad sanctitatis perfectionem facile Deo iuvante pervenit.

A. Ad cor intrare quaerunt per suggestionem.

B. His et similibus respondetur a sanctis viris et resistitur temptantibus vitiis.

95 C. Ipsa suggestio aliquando cordis serenitatem quantulumcumque obscurat.

D. Verum est quod libido et cetera vitia victa inanem gloriam provocant ad temptandum cor victoris.

E. Verum est quod inanis gloria, simul cum ceteris vitiis
100 superata, superbiae incitamentum praebet temptandi illum qui eam superavit.

n. Eccl. 9, 1

Dieu seul ? Si je voulais revendiquer pour moi ce qui lui est propre, ce ne serait plus m'enorgueillir à la face des hommes, mais bien à la face de Dieu, lui faire la guerre, à lui en particulier. Mais va-t-en au diable, monstre hideux entre tous ! tu infectes l'air lui-même de ton haleine pestilentielle, tu laisses partout où tu vas les traces repoussantes de ton ordure, toi qui me prétends meilleure qu'autrui, alors qu'au témoignage de l'Écriture, *l'homme ignore s'il est digne d'amour ou de haine*[n]. » Épouvanté, l'autre prit la fuite. Ce que voyant, les autres vices n'osèrent plus s'approcher de notre sainte. Ainsi parvint-elle facilement par la suite, Dieu aidant, à la perfection de la sainteté.

A. Ils cherchent à pénétrer dans le cœur par la suggestion.

B. C'est par ces paroles et d'autres semblables que les hommes saints répondent aux vices qui les tentent et y résistent.

C. La suggestion suffit parfois à elle seule à voiler un peu la sérénité du cœur.

D. Il est exact que le désir charnel et les autres vices, une fois vaincus, provoquent la vaine gloire à tenter le cœur du vainqueur.

E. Il est exact que la vaine gloire, une fois surmontée ainsi que les autres vices, encourage l'orgueil à tenter la personne qui l'a surmontée.

XXV

DE NUPTIIS CHRISTI ET ECCLESIAE PARABOLA

1. Erant duo principes, magnae quidem fortitudinis et potentiae, sed unus ex his honestus valde et bene morigeratus, alter vero nequam et versutus, unde et implacabiles inter se (A) inimicitias habebant.
5 Volens vero bonus ille (B) ducere uxorem (C), legatos suos seu paranymphos (D) per diversas misit provincias, praecipiens eis ut optimae indolis puellam virginem sibi quaererent. Illi ergo cum diu multumque circuissent, invenerunt tandem puellam valde quidem idoneam, sed
10 in terra et in potestate illius quidem pessimi principis (E) morantem. Qui cum cognovisset quod legati illi sponsam ad dominum suum adducturi essent, volens hoc disturbare coniugium, valido congregato exercitu, in tres illum partes (F) divisit et ex ipsis tribus partibus in viam qua
15 sponsa transitura erat in tribus locis insidias struxit, singulas partes singulis deputans in locis, quatenus, si sponsa cum sociis suis veniens primas forte evaderet

3 unde : ut *C* || 7 virginem puellam *C*

1. Morceau très proche de la *Parabole* 6 de S. BERNARD : *L'Éthiopienne que le fils du roi prit pour femme* (*SBO* 6^2, p. 288) ; de même *Par* 4 (*ibid.*, p. 277-281) ; *Sent* III, 116 et 122 (*ibid.*, p. 210-211 et 230-232). Alors que le texte de Galand exprime l'idée, fort répandue au Moyen Âge, selon laquelle le temps de la paix serait arrivé pour l'Église, la version de S. Bernard s'inscrit en porte à faux contre cette illusion

25

LES NOCES DU CHRIST ET DE L'ÉGLISE : PARABOLE [1]

1. Il était deux princes dont la force et la puissance étaient grandes. Mais l'un était très honorable et de mœurs honnêtes, l'autre mauvais et artificieux. Aussi existait-il entre eux (A) une implacable inimitié.

Or le bon prince (B), voulant prendre femme (C), envoya ses ambassadeurs ou paranymphes (D) à travers différentes provinces, leur prescrivant de lui chercher une jeune fille vierge d'excellent naturel. Eux donc, après avoir longuement voyagé, trouvèrent enfin une jeune fille convenant tout à fait, mais qui demeurait dans le territoire du prince mauvais (E) et était en son pouvoir. Celui-ci, ayant appris que ces ambassadeurs allaient conduire la fiancée à son seigneur et voulant rompre ce mariage, rassembla une armée puissante et la divisa en trois corps (F). Avec ces trois corps, il tendit des guets-apens en trois endroits le long du chemin où devait passer la fiancée, assignant un de ces endroits à chaque corps, afin que si la fiancée, survenant avec ses compagnons, échappait par hasard au premier guet-apens, elle

(voir H. DE LUBAC, *Méditation sur l'Église*, Paris 1953, p. 145-146, n. 95 et 96). Peut-être l'abbé de Clairvaux a-t-il emprunté à Galand le canevas de sa *Parabole* 6, en lui conférant une richesse doctrinale nouvelle.

insidias, a secundis caperetur, sin autem et secundas falleret, in tertiarum manus saltem incideret.

20 **2.** Sed antequam illa veniret, nutu divino contigit eos qui in primis insidiis et qui in secundis constituti erant quibusdam occasionibus inter se litigare litemque ipsam adeo crescere, ut qui primas insidias obtinebant ab his qui secundas observabant bello superarentur et interfi-
25 cerentur vel fugarentur (G). Deinde etiam accidit ut, sponsa cum suis transeunte, illi idem secundi insidiatores, qui primos ut dixi superaverant, supplices et pacifici ad eam accederent seseque illi ultro dederent (H) factaque deditione tertios etiam insidiatores (I) disperderent.
30 Sicque sponsa ad suum incolumis maritum pervenit.

3. Iam vero dici non potest quantae epulae quantusve apparatus in his fuerit nuptiis. Decem millia *taurorum* et triginta millia *altilium occisa sunt*[a] (K). Nectarei potus tanta copia fuit ut omnes inebriarentur. Convenerunt
35 illuc homines *ex omni natione quae sub caelo est*[b]. Reges erant dapiferi et filii regum pincernae ; cubiculariae quoque, filiae regum. Cantorum et cantatricum multitudo maxima voce et tam excelsa canebant, ut *in omnem terram exiret sonus eorum et in fines orbis terrae verba*
40 *eorum*[c]. Denique ipsa uxor innumeros fere cotidie huic principi parit filios, et tamen virgo permanet. Nam et ipse princeps virginis filius est. *Potestas* vero *eius potestas aeterna, quae non auferetur, et regnum eius quod non corrumpetur*[d].

45 **4.** Ut iam breviter haec dilucidemus, hii duo principes Christus sunt et diabolus, sponsa vero Ecclesia. Quae cum ad Christum per apostolos adduceretur, tribus in

39 exiret : exivit *cum Vulg. D*

a. Matth. 22, 4 || b. Act. 2, 5 || c. Ps. 18, 5 || d. Dan. 7, 14

soit faite prisonnière au second. Si elle trompait la vigilance du second corps, elle tomberait à tout le moins entre les mains du troisième.

2. Mais avant qu'elle ne survienne, il arriva de par la volonté divine que les hommes du premier et du second guet-apens se querellèrent entre eux sous divers prétextes. La querelle s'aggrava si bien que ceux du premier guet-apens, vaincus au combat par ceux du second, furent tués ou mis en fuite (G). En outre, il arriva que comme la fiancée passait avec les siens, ces mêmes troupes du second guet-apens — qui avaient vaincu celles du premier, comme je l'ai dit — se présentèrent devant elle tout suppliants, offrant la paix ; de plus, ils lui rendirent hommage (H) et, une fois leur soumission faite, dispersèrent les hommes du troisième guet-apens (I). Et ainsi la fiancée parvint saine et sauve jusque chez son mari.

3. Impossible de dire quels festins, quel faste accompagnèrent ces noces. *On immola* dix mille *taureaux* et trente mille *bêtes grasses*[a] (K). Le nectar coula en si grande abondance que tous s'enivrèrent. Il se rassembla là des hommes *de toutes les nations qui sont sous le ciel*[b]. Des rois étaient écuyers tranchants et des fils de roi échansons ; les femmes de chambre ? des filles de roi. Une foule de chanteurs et de chanteuses chantaient d'une voix puissante, si forte que *leurs accents s'en sont allés par toute la terre et leurs paroles jusqu'aux limites du monde*[c]. Quant à l'épouse, elle enfante tous les jours à ce prince des enfants innombrables, et demeure cependant vierge. Le prince lui-même est en effet fils d'une vierge. *Son pouvoir est un pouvoir éternel, qui ne lui sera pas ôté, et son royaume ne sera pas détruit*[d].

4. Tirons maintenant brièvement tout cela au clair. Ces deux princes sont le Christ et le diable ; l'épouse, c'est l'Église. Tandis que les Apôtres la menaient vers le

locis insidias per diaboli artem passa est. Primo enim a Iudaeis, secundo a gentilibus, tertio ab haereticis impu-
50 gnata est. Sed gentiles Romani Iudaeos destruxerunt ipsique postea ad Ecclesiam conversi deleverunt etiam haereticos. Tauri sunt Veteris Testamenti patres, ab hostibus se defendentes et decalogum legis servantes. Altilia vero nostri temporis sunt sancti, Trinitatis fidem habentes
55 et spiritali pinguedine referti. In utroque siquidem Testamento martyres fuere. Nectarei potus inebriatio, opulenta Sancti Spiritus est infusio [e]. Reges dapiferi, doctores sunt sancti, se et alios spiritaliter regentes et verbi cibos ministrantes. Filii regum pincernae, minoris ordinis prae-
60 dicatores sunt, faciliora praecepta dantes et apertiora Scripturarum tradentes, quae sine labore possunt addisci, sicut potus absque difficultate transglutiri. Filiae regum cubiculariae, sanctae animae sunt interiori pulchritudine et ornatu decentes, quae omissis exterioribus, dum spi-
65 ritalibus intendunt, quasi interiora thalami tenent. Cantores et cantatrices, apostoli et eorum discipuli <sunt>, praedicationis sonum proferentes, de quibus scriptum est : *In omnem terram exivit,* et cetera [f]. Denique Ecclesia parit baptizando et virgo permanet recte credendo.

---

70 A. Inter Christum et diabolum.
B. Id est Christus.
C. Id est Ecclesiam.
D. Id est apostolos.
E. Id est *huius mundi* [g].

58 sunt *om. D* || 65 thalami interiora *D* || 66 <sunt> *supplevi* (*vide* l. 60.63) : *om. CD*

e. Cf. Act. 2, 13.15 || f. Ps. 18, 5 || g. Jn 12, 31

2. Voir *supra, Par.* 5, 3 et 18, 9.

Christ, l'artifice du diable l'exposa à des guets-apens à trois endroits. Elle fut attaquée premièrement par les juifs, deuxièmement par les Gentils, troisièmement par les hérétiques. Mais des Gentils, c'est-à-dire les Romains, abattirent les juifs. S'étant ensuite convertis eux-mêmes à l'Église, ils anéantirent également les hérétiques. Les taureaux sont les pères de l'Ancien Testament, qui se sont défendus contre leurs ennemis et ont gardé le décalogue de la Loi. Quant aux bêtes grasses, ce sont les saints de notre temps, possédant la foi trinitaire et spirituellement engraissés. Effectivement les deux Testaments ont eu leurs martyrs. L'ivresse de nectar, c'est l'infusion abondante de l'Esprit-Saint [e]. Les rois écuyers tranchants sont les saints docteurs, qui gouvernent spirituellement tant eux-mêmes qu'autrui et servent les aliments de la parole. Les échansons fils de roi sont les prédicateurs de moindre grade ; ils dispensent les préceptes plus faciles et enseignent les éléments plus clairs des Écritures qu'on peut apprendre sans peine, comme on avale sans difficulté une boisson. Les filles de roi femmes de chambre sont les âmes saintes, belles d'une beauté et d'une parure tout intérieures : ayant laissé de côté les réalités extérieures, tendues vers les réalités spirituelles, elles habitent en quelque sorte dans la chambre intérieure [2]. Les chanteurs et chanteuses sont les Apôtres et leurs disciples qui font retentir les accents de la prédication, dont il est écrit : *Elle s'en est allée par toute la terre,* etc. [f] Enfin l'Église enfante en baptisant et demeure vierge en gardant une foi droite.

A. Entre le Christ et le diable.
B. C'est-à-dire le Christ.
C. C'est-à-dire l'Église.
D. C'est-à-dire les Apôtres.
E. Sous-entendu *de ce monde* [g].

75 F. In Iudaeos et gentiles et haereticos.
G. Titus et Vespasianus deleverunt Iudaeos.
H. Gentiles crediderunt et haereticos exterminaverunt.
I. Id est haereticos.
K. Martyres designat.

F. En juifs, Gentils et hérétiques.
G. Titus et Vespasien anéantirent les juifs.
H. Les Gentils vinrent à la foi et exterminèrent les hérétiques.
I. C'est-à-dire les hérétiques.
K. Désigne les martyrs.

XXVI

DE FAME SPIRITALI PARABOLA

1. Qui sapientiores videntur inter agricolas quibusdam solent coniecturis futuri anni sterilitatem aestimare atque aliis praedicere. Ideo quidam philosophus nuper a quodam rustico interrogatus quid futurum autumaret (A)
5 respondit : « Tanta fames erit ut mater comedat filiam suam, et filia matrem. Tanta bella erunt ut patres occidant filios, et filii patres. Tanta perturbatio vel transmutatio hominum erit ut servi et rustici fiant reges, reges vero et nobiles serviant[a]. »

10 **2.** Quid haec sibi velint subiiciamus. Mater filiam comedit, quando, verbi Dei fame invalescente[b], carnalis mens in libidinosa cogitatione quam ipsa genuit delectatur et ex ea quodammodo pascitur. Filia comedit matrem, quando timor et suspicio vel futurae famis vel
15 alicuius cladis dilaniat et corrodit mentem quae ipsam concepit. Patres occidunt filios, quando mali praelati prava exempla subiectis dant. Filii occidunt patrem, quando praelatus pro peccato subiectorum punitur, ut Heli sacerdos[c]. Servi et rustici regnant, quando qui vitiis

a. Cf. Eccl. 10, 6-7 || b. Cf. Amos 8, 11 || c. Cf. I Sam. 2-4

1. Cf. *RB* 2, 6-7.26.

26

UNE FAMINE SPIRITUELLE : PARABOLE

1. Parmi les cultivateurs, ceux qui passent pour plus sagaces ont coutume de juger par conjecture si l'année à venir sera stérile et de le prédire aux autres. Aussi l'un de ces « philosophes », interrogé dernièrement par un paysan sur ce qu'il estimait devoir arriver (A), répondit-il : « Il y aura une famine telle que la mère mangera la fille et la fille la mère. Il y aura des guerres telles que les pères tueront les fils et les fils les pères. Il y aura un tel désordre, de tels bouleversements parmi les hommes, que serfs et paysans deviendront rois, tandis que rois et nobles tomberont en servage[a]. »

2. Disons maintenant où tout cela veut en venir. La mère mange la fille quand, avec l'aggravation de cette famine de la parole de Dieu[b], l'âme charnelle prend plaisir à la pensée de débauche qu'elle a elle-même engendrée et s'en repaît en quelque sorte. La fille dévore la mère quand crainte et supposition soit d'une famine à venir, soit d'un désastre quelconque, déchirent et rongent l'âme qui les a conçues. Les pères tuent les fils quand de mauvais supérieurs donnent à leurs subordonnés des exemples dépravés. Les fils tuent le père quand un supérieur est puni pour le péché de ses subordonnés, comme le prêtre Héli[c 1]. Serfs et paysans règnent quand des gens asservis à leurs vices, qui retournent dans

20 serviunt et terrenas in corde cogitationes versant praelati fiunt. Reges vero et nobiles serviunt, quando qui bene se ipsos regunt et filios Dei se moribus ostendunt subiecti sunt.

A. Spiritales agricolae sunt qui cordium suorum agros, 25 timoris Dei vomere scindentes, excolunt, ne vitiorum urticas sed magis virtutum segetem proferant. Hi spiritalem semper incurrere famem timentes, super ea magistros suos saepe consulunt. Doctores quippe Ecclesiae, spiritales sunt philosophi, qui subiectis suis ventura mundo mentium mala denuntiant, ut eo 30 facilius vitari queant quo praescita fuerint.

leur cœur des pensées terrestres, deviennent supérieurs. Rois et nobles, eux, deviennent serfs quand sont subordonnés ceux qui se gouvernent bien eux-mêmes et se montrent fils de Dieu par leur manière de vivre.

A. Sont cultivateurs spirituels ceux qui cultivent les champs de leur cœur, les fendant du soc de la crainte de Dieu, pour qu'ils produisent non les orties des vices mais bien plutôt une moisson de vertus. Craignant toujours d'encourir une famine spirituelle, ils consultent souvent leurs maîtres à ce sujet. Quant aux philosophes spirituels, ce sont les docteurs dans l'Église ; ils annoncent à leurs subordonnés les égarements de l'esprit qui vont venir sur le monde, afin qu'ils puissent d'autant plus facilement les éviter qu'ils les auront connus d'avance.

XXVII

PARABOLA DE MODO VIVENDI

Quidam philosophus (A), a discipulis rogatus ut vivendi eis normulam traderet, ait : « Nocte operamini, die dormite (B). Ad publicum processuri, deteriora vestimenta vestra induite, intus vero melioribus utimini (C).
5 Magis amate in futuro vobis promitti quam comminus dari (D) plusque velitis vinci quam vincere (E), cadere quam surgere (F), mori quam vivere (G). Cui familia fuerit, privatis eam diebus uberius pascat, festivis nihil det (H). Aegris et debilibus vel senibus parcus sit et
10 severus, sanis autem vel fortibus, largus et benevolus (I). »

A. Id est aliquis spiritalis pater. Bona enim et vera philosophia est spiritalibus intendere et se ipsum atque alios bene et sapienter regere.
15 B. Nox est praesens vita, dies vita aeterna. Ergo hic bene operandum est, ut ibi quiescamus.
C. Hoc est plus boni habeas in conscientia quam foris ostendas.
D. Ac si diceret : « Plus amate vitam aeternam quam bona
20 huius mundi. »

Tit. Parabola *om.* *C*

---

1. Cf *RB* 36, 8-9.

27

COMMENT DOIT-ON VIVRE ? PARABOLE

Certain philosophe (A), à qui ses disciples demandaient une petite règle de vie, leur dit : « Travaillez la nuit, dormez le jour (B). Quand vous devez sortir en public, mettez vos moins bons vêtements, mais à l'intérieur faites usage des meilleurs (C). Aimez les promesses pour l'avenir mieux que les dons qu'on vous remet tout de suite (D). Souhaitez davantage être vaincus que vaincre (E), tomber que vous relever (F), mourir que vivre (G). Si quelqu'un est à la tête d'une maisonnée, qu'il la nourrisse très abondamment les jours ordinaires et ne lui donne rien les jours de fête (H). Qu'il se montre regardant et sévère à l'égard des malades, des infirmes et des vieillards, mais libéral et bienveillant envers les gens sains et vigoureux [1] (I). »

A. C'est-à-dire un père spirituel. La bonne et authentique philosophie, la voici : tendre vers les réalités spirituelles ; avec sagesse, bien gouverner tant soi-même qu'autrui.

B. La nuit, c'est la vie présente, le jour la vie éternelle. Il faut donc bien travailler ici-bas afin de se reposer là-haut.

C. C'est-à-dire : aie plus de bien dans ta conscience que tu n'en fais voir au-dehors.

D. Comme s'il disait : « Aimez la vie éternelle plus que les biens de ce monde. »

E. Quando nostra voluntas est contra Dei voluntatem, si eam adimplemus, tunc quasi vincimus ; si vero ab ea desistimus, tunc divina voluntas vincere videtur.

F. Cadere vero est humiliari ; surgere, superbire.

25 G. Mori autem huic mundo est ei abrenuntiare ; vivere vero, eum appetere.

H. Dies futuri saeculi festivi et laeti erunt. Subditi vero hic pane verbi pascendi sunt, nam ibi opus non erit.

I. Religiosis discipulis severitas adhibenda non est, sed 30 carnalibus et mente aegrotantibus vel qui nondum exuerunt *veterem hominem cum actibus suis*[a].

a. Col. 3, 9

E. Quand notre volonté s'oppose à celle de Dieu, si nous l'accomplissons nous vainquons en quelque sorte ; si nous y renonçons, c'est comme si la volonté divine était victorieuse.

F. Tomber c'est s'humilier ; se relever, s'enorgueillir.

G. Mourir à ce monde, c'est y renoncer ; vivre, c'est porter vers lui sa convoitise.

H. Les jours du monde à venir seront de joyeux jours de fête. C'est ici-bas qu'il faut nourrir ses subordonnés du pain de la parole, car là-haut ce ne sera pas nécessaire.

I. La sévérité s'impose, non à l'égard des disciples religieux, mais envers les individus charnels, à l'âme malade, ou qui n'ont pas encore dépouillé *le vieil homme avec ses agissements* [a].

XXVIII

DE CARNE ET SPIRITU

1. Erat quidam iuvenis (A) opibus, genere (B) industriaque (C) satis pollens, sed et mansueta indole animoque simplici (D). Verumtamen in hoc ei non bene accidit quod uxorem (E) male morigeratam ingenioque
5 parvo ac servili natura sortitus est. Quae primis quidem diebus (F) qualis esset non aperuit ; sed postquam virum suum aequanimiter nimis omnia perpeti comperit, paulatim se ei superponere et ordine praepostero magis ipsa praecipere quam praecipienti oboedire coepit. Deinde
10 processu temporis, ferocius agere et quadam potestate tyrannica totam domus familiam (G) vindicare, adeo ut iam nemo eorum domino ipsi (H) sed sibi pareret, sed et ipse dominus iussa eius in nullo praeterire auderet. Unde factum est ut malo dominae regimine, substan-
15 tia (I) eorum per dies singulos depereunte, ad summam brevi devenirent inopiam, donec homo, *reversus in se*[a] acceptoque a quodam sapiente (K) consilio, coepit ineptae uxori resistere eiusque contumaciam non solum minis (L) sed et verberibus (M) pertundere ac sibimet
20 quamvis diu multumque reluctantem subdere. Cumque longo gravique labore eius dominationem tam a seipso

a. Lc 15, 17

28

CHAIR ET ESPRIT

1. Il était un jeune homme (A) bien né (B), passablement riche de moyens et d'activité (C), d'un naturel doux et simple (D). Il lui arriva cependant malheur en ceci : le sort lui donna une épouse (E) douée d'un mauvais caractère, petit esprit et nature servile. Les premiers jours (F) elle ne se montra pas telle qu'elle était ; mais quand elle eut l'assurance que son mari endurait tout avec une excessive indulgence, elle commença peu à peu à prendre sur lui le dessus et, renversant l'ordre des choses, à commander elle-même au lieu d'obéir à ses ordres. Puis, avec le temps, elle se mit à agir plus hardiment et à revendiquer un pouvoir tyrannique sur tous les domestiques de la maison (G), au point que personne n'obéissait plus au maître (H), mais à elle ; le maître lui-même n'osait enfreindre en rien ses ordres. Aussi arriva-t-il, par suite du mauvais gouvernement de la maîtresse, que leurs biens (I) allaient se perdant de jour en jour, et qu'ils tombèrent en peu de temps dans le plus profond dénuement, jusqu'au jour où l'homme, *étant rentré en lui-même* [a] et ayant pris conseil d'un sage (K), se mit à résister à sa sotte épouse, à broyer son esprit d'indépendance non seulement par des menaces (L) mais aussi à coups de bâton (M), et à se la soumettre malgré une longue et dure résistance. Et quand il eût écarté sa domination tant de soi-même que de tous

quam a suis omnibus amovisset, sed et ipsam iniuncto sibi ab eo operi cotidie instare (N) coegisset, factum est ut perdita quaeque citius recuperans, etiam solito ditior
25 fieret. Sed et in regendo domum suam maior ei accessit astutia, quippe quam ei necessitas ipsa et rerum contulit experientia. Qui enim natura simplex erat, industria nunc factus est sollers sicque, alio per aliud contemperato, mediam ita deinceps tenuit viam, ut neque dextrorsum
30 neque sinistrorsum [b] Deo donante diverteret.

2. Nunc succincte pendendum est quid haec innuant. Maritus quippe est spiritus, caro vero uxor. Quae quidem more servi nisi durius reprimatur, cito superbit, atque tam ipsum spiritum quam omnes cogitationes eius
35 sive quinque sensus corporis, velut domus familiam, suae subdit tyrannidi, sicque ex virtutum copia ad veram inopiam animum pertrahit. Sed tamen si ille resumptis viribus eam sibi repugnando denuo substraverit, potest non solum amissa recuperare, sed et perditis plura ac-
40 quirere, dummodo talem teneat mediocritatem ut neque caro nimis attenuata iniunctum sibi officium implere nequeat, neque rursum nimium impinguata iterum insolescere incipiat.

A. Id est spiritus.
45 B. Scriptum est de Deo : *Ipsius enim et genus sumus* [c].
C. Quia rationabilis creatus.
D. Utpote *ad similitudinem Dei factus* [d].

35 domus familiam, suae *scripsi* : familiam domus suae *CD*

b. Cf. Deut. 28, 14 || c. Act. 17, 28 || d. Gen. 5, 1 ; Cf. 9, 6

1. Cf. *RB* 48, 23.
2. Sur le juste milieu à tenir, voir *RB* 64, 12. Cf. *supra, Par.* 2, 1 et 23, 1.

les siens au prix d'un long et pénible labeur, et l'eût contrainte à s'appliquer elle-même sans relâche au travail qu'il lui enjoignait[1] (N), il retrouva très vite ce qu'il avait perdu et il lui arriva même de devenir plus riche que par le passé. Il lui vint en outre une plus grande sagacité dans le gouvernement de sa maison, sagacité dont l'avaient doté tant la nécessité que l'expérience vécue. Lui qui par nature était simple, était maintenant devenu ingénieux à force d'application ; ces qualités se tempérant l'une l'autre, il tint par la suite la voie moyenne sans dévier, par le don de Dieu, ni à droite ni à gauche[b].

2. Il nous faut maintenant découvrir succinctement ce que cela signifie.

Le mari, bien entendu, c'est l'esprit, l'épouse la chair. Si on ne contraint pas cette dernière avec une certaine dureté, à la façon d'une esclave, elle s'enorgueillit vite et soumet à sa tyrannie tant l'esprit lui-même que toutes ses pensées ou les cinq sens du corps, tels les domestiques de la maison ; de l'abondance des vertus elle entraîne ainsi l'âme à un véritable dénuement. Mais si cependant l'esprit, reprenant force, lui résiste et se la soumet de nouveau, il peut recouvrer ses biens perdus, voire même en acquérir de plus nombreux, pourvu qu'il tienne le juste milieu pour éviter, d'une part que la chair par trop affaiblie ne soit hors d'état de remplir la fonction à elle enjointe, d'autre part que, trop bien nourrie, elle ne redevienne insolente[2].

A. C'est-à-dire l'esprit.

B. Il est écrit à propos de Dieu : *Car nous sommes nous aussi de sa race*[c].

C. Parce que créé raisonnable.

D. En tant que *fait à la ressemblance de Dieu*[d].

E. Id est carnem.
F. Id est infantia.
50 G. Id est cogitationes.
H. Id est spiritui.
I. Id est spiritali.
K. Scilicet a Deo.
L. Minae vero vel increpationes fiunt in corde.
55 M. Id est ieiuniis, vigiliis, opere manuum.
N. Secundum illud : *Qui non vult operari, non manducet* [a].

54 *Glosam* L. *om. C*

E. C'est-à-dire la chair.
F. C'est-à-dire au cours de la petite enfance.
G. C'est-à-dire les pensées.
H. C'est-à-dire l'esprit.
I. C'est-à-dire leurs biens spirituels.
K. De Dieu, bien entendu.
L. Menaces ou reproches ont lieu dans le cœur.
M. C'est-à-dire par le jeûne, les veilles et le travail des mains.
N. Selon cette parole : *Qui ne veut pas travailler, qu'il ne mange pas*[e].

e. II Thess. 3, 10

XXIX A

PARABOLA DE NOMINE HUIUS LIBELLI

1. Quidam pauper negotiator frequenter ad nundinas cum ceteris eiusdem officii hominibus tendens, cum alii multas et varias merces secum deferrent et ante se equos vel camelos magnis et pretiosis onustos involucris mina-
5 rent, ipse nuces tantummodo propriis delatas scapulis vendere solebat. Unde et a vicinis suis nucearius vocitari coepit.

2. Ita etiam fratres quidam hunc libellum nostrum nuper revolventes, cum nihil fere in eo nisi parabolas
10 invenissent, *Parabolarium* de cetero illum nominari instituerunt, ut sicut antiphonarium ab antiphonis vel lectionarium a lectionibus, ita etiam *Parabolarium* a parabolis nuncupetur.

Tit. De nomine huius libelli parabola *C*

4 involucris : vel involuculis *variam lect. in marg. add. CD* || 6 nucearius : vel nucarius *variam lect. add.* in *marg. C* *inter lin. D*

29 A

LE TITRE DE CE LIVRET : PARABOLE

1. Un pauvre commerçant allait souvent au marché avec d'autres hommes du même métier ; alors que ceux-ci apportaient des marchandises nombreuses et variées et poussaient devant eux chevaux ou chameaux chargés de gros et précieux ballots, lui ne vendait que des noix qu'il portait sur ses propres épaules. Aussi ses voisins se mirent-ils à le dénommer « l'homme aux noix ».

2. De même certains frères, ayant feuilleté dernièrement notre petit livre et n'y ayant trouvé pratiquement que des paraboles, se sont-ils mis à l'appeler *Parabolaire*. Ainsi, comme « antiphonaire » tire son nom d'« antiennes » et « lectionnaire » de « lectures », *Parabolaire* dérive de « paraboles ».

XXIX B

DE SUPERBIS ET HUMILIBUS LECTORIBUS

1. Supradicti igitur mercatores cum multis et magnis mercibus, ut dicere coeperam, ad forum pervenientes, cum eas ad publicum iam prolatas distrahere coepissent, ad illarum quidam emptionem undique potentum, sa-
5 pientium et militum turba confluebat ; ad illum vero nucearium negotiatorem soli paene parvuli vel mendici veniebant. Parvuli quidem ut nuces emerent, mendici vero ut duas sibi vel tres ex ipsis pro Dei amore dari flagitarent. Sed cum pueri emptarum pretium nucum comminus
10 redderent atque emptionem ipsam sine dolo, utpote simplices et innocentes [a], transigerent, egeni quoque gratias pro acceptis nucibus suppliciter agerent, econtra potentes illi vel nobiles emptores ditia ceterorum negotiatorum ornamenta credi sibi deposcebant, aut potius potentiae
15 suae metu ceu vi quadam cogebant et prolixos ad reddendum pretium constitui sibi terminos postulabant, sese videlicet creditores suos, ubi ad diem redditionis ventum foret, arte qualicumque deludere posse arbitrantes. Atque ita fiebat ut nucum quidem venditor duplex reportaret
20 lucrum, id est et eleemosynae et rei suae bene venditae ; illi vero magni opulentique institores rebus suis non tam

a. Cf. I Pierre 2, 2

29 B

LECTEURS ORGUEILLEUX, LECTEURS HUMBLES

1. Les négociants susdits arrivaient donc à la grand-place avec de nombreuses et importantes marchandises, comme j'avais commencé à le dire ; les étalant aux yeux du public, ils se mettaient à les vendre au détail, et une foule de puissants, de sages et de chevaliers affluait de partout. Quant au marchand de noix, il ne venait à lui pratiquement que des enfants et des mendiants : les enfants pour acheter des noix, les mendiants pour lui demander de leur en donner deux ou trois pour l'amour de Dieu. Mais les enfants réglaient tout de suite le prix des noix qu'ils achetaient et concluaient le marché sans ruse, comme il est naturel de la part d'êtres simples et innocents [a] ; les pauvres eux aussi rendaient grâces humblement pour les noix reçues. Les acheteurs puissants ou nobles, au contraire, exigeaient des autres commerçants qu'ils leur donnent leurs riches parures à crédit — ou plutôt ils les y obligeaient de force, en quelque sorte, vu la crainte qu'inspirait leur puissance — et demandaient de longs délais de paiement. Ils pensaient bien entendu pouvoir abuser leurs créanciers au moyen d'un artifice quelconque, le jour du règlement venu. Et ainsi le vendeur de noix rapportait double bénéfice : il avait fait l'aumône et bien vendu sa marchandise. Quant aux

venditis quam creditis, vel potius forte perditis, nihil quidem pretii in praesenti reciperent, sed et in futuro se recepturos fore securi non essent.

25 **2.** Ut iam breviter parabolae huius clausa reserem, egenus negotiator, ego qui hunc libellum condidi sum, religionis utique et sapientiae opibus pauper. Parabolae vero codicis huius quasi nuces sunt : litterae quidem duritiam exterius praetendentes, sed dulcem intus alle-
30 goriae nucleum retinentes. Has ergo legentibus quodammodo vendo, quia <cum> eas ad legendum illis propono, emendationis eorum pretium exigo. Quas nimirum ipse ad mercatum propriis humeris tuli, quia multo laboris mei conanime eas adinveni. Porro per pretiosarum
35 mercium venditores, equis vel camelis eas deferentes, intelligi tam ecclesiasticorum quam saecularium librorum scriptores possunt. Et quidem scientia saecularis quasi equis vehitur, dum philosophico tumet ac spumat coturno. Ecclesiastica vero praedicatio, quia primum idiotis
40 et simplicibus viris tradita est[b], qui profecto mundo huic quadam sui deformitate vilescebant, velut camelis imposita fuit.

3. Potentes autem vel divites emptores, superbi sunt lectores qui in discendo Scripturas sui ostentationem
45 quaerunt, non aedificationem, et ideo emendationis suae pretium non comminus exsolvere, sed de die in diem procrastinare volunt ac differre. Dilatione vero intercedente, dum mors eos intercipit, creditor eorum delusus nihil prorsus pretii ab eis recipit, quia, dum post obitum

31 <cum> *supplevi : om. CD*

b. Cf. Act. 4, 13

1. Comparer avec ORIGÈNE, *Hom. Gen.* 10, 2.5 (*SC* 7 bis, p. 260-261 ; 272) ; GRÉGOIRE LE GRAND, *Mor.* 35, 16, 38.41 (*PL* 76, 770 B-771B.772 B).

grands et riches marchands, les leurs étaient moins vendues que données à crédit, voire perdues. Ils n'avaient reçu pour le moment aucun paiement, et n'étaient pas sûrs d'en recevoir à l'avenir.

2. Expliquons maintenant brièvement les aspects obscurs de cette parabole. Le commerçant pauvre, c'est moi, le rédacteur de ce livret, pauvre en religion et en sagesse. Les paraboles de ce livre, elles, sont comme des noix : elles présentent au-dehors la dureté de la lettre, mais l'intérieur contient une douce amande d'allégorie. Ces noix, je les vends pour ainsi dire aux lecteurs, car lorsque je les propose à leur lecture, je réclame un prix, leur conversion. Je les ai bel et bien portées au marché sur mes propres épaules, car j'ai mis beaucoup d'effort et de peine à les trouver. Par les trafiquants de marchandises précieuses véhiculées à dos de cheval ou de chameau, on peut entendre les auteurs de livres tant ecclésiastiques que séculiers. Et certes la science séculière va en quelque sorte à cheval, puisqu'elle s'enfle et écume du haut de ses cothurnes philosophiques. La prédication ecclésiastique, elle, d'abord transmise à des hommes simples et incultes[b] que cette disgrâce rendait assurément de peu de valeur aux yeux de ce monde, a été chargée comme sur des chameaux[1].

3. Quant aux acheteurs puissants et riches, ce sont les lecteurs orgueilleux qui cherchent dans l'étude des Écritures de quoi faire étalage d'eux-mêmes, non de quoi s'édifier[2] ; aussi n'acquittent-ils pas tout de suite le prix, leur amendement, mais veulent-ils remettre au lendemain et différer de jour en jour. Ce délai se prolongeant jusqu'au moment où la mort les emporte, leur créancier, abusé, ne reçoit d'eux aucun paiement. Vu qu'après la

2. Cf. le célèbre passage de S. BERNARD, *SCC* 36, 3 (*SBO* 2, p. 5-6).

50 tempus veniae non sequitur, monitor eorum admonitionis suae fructum, id est conversionem illorum, non assequitur. Ex huiusmodi debitoribus vel mutuatoribus, sed non redditoribus, ille erat de quo psalmista dicebat : *Mutuabitur peccator et non solvet*[c]. Mutuabitur quippe sacrilege 55 eius a Deo subtilem scientiam, sed non recompensabit ei sacrilegae vitae suae immutationem ullam, sicut et de talibus item ait : *Viri sanguinum et dolosi non dimidiabunt dies suos*[d], sed eos potius, quasi dicat, in malo continuabunt.

60 At contra parvuli emptores, humiles sunt lectores. Qui quia bene vivendi instituta, quae in Scripturis legunt, festinanter adimplere contendunt, quasi emptae rei pretium comminus reddunt. Nam et pauperes isti duarum vel trium nucum eleemosynam petentes, devoti nihilo-65 minus sunt lectores, geminae caritatis et trinae fidei in Scripturis sanctis documenta quaerentes. Denique nucearius ille mercator duplum referens lucrum, humilis doctor est, tam de sua pariter quam de eorum quos docet gaudens salute.

70 **4.** Sed quid est quod ad pauperem hunc negotiatorem dives quisque venire dedignabatur ac mercimonii eius subire commercia fastidiebat, nisi quod arrogans lector simplicia et moralia contemnens scripta, argumentosa magis ac sophistica expetit dogmata ? Quia enim in Scrip-75 turarum lectione non quaerit aedificari sed eloquens videri, idcirco libentius philosophica quam evangelica rimatur praecepta. Humilis autem frater simplicia non spernit dicta, si modo spiritalia vel moralia fuerint ; sed potius tanto plus amplectitur et diligit, quanto magis

51 conversionem : conversationem *C* vel conversationem *variam lect. inter lin. add. D* || 54 sacrilege *scripsi* : -legi *CD* || 69 salute gaudens *C*

mort le temps du pardon est passé, l'homme qui les avertit n'obtient pas le fruit de ses avertissements, c'est-à-dire leur conversion. C'est d'un débiteur de ce genre, qui emprunte mais ne rend pas, que le psalmiste disait : *Le pécheur empruntera et ne s'acquittera pas*[c]. De fait, il empruntera à Dieu de manière sacrilège sa science pénétrante, mais sans la lui revaloir par aucun changement de son existence impie ; comme le dit encore le psalmiste à propos de ces gens : *Les hommes de sang, les fourbes, ne partageront pas en deux leurs jours*[d] — et il semble ajouter : « mais les poursuivront plutôt dans le mal ».

Les petits acheteurs, par contre, sont les lecteurs humbles. En s'efforçant d'appliquer en hâte les principes de bonne vie qu'ils lisent dans les Écritures, ils paient en quelque sorte tout de suite le prix de l'objet acheté. Ces pauvres qui demandent deux ou trois noix en aumône sont les lecteurs pleins de dévotion cherchant dans les saintes Écritures les témoignages de la double charité et de la foi trinitaire. Enfin ce marchand de noix rapportant double bénéfice est le docteur humble qui se réjouit pareillement tant de son propre salut que du salut de ceux qu'il enseigne.

4. Mais pourquoi les riches dédaignaient-ils de venir trouver ce pauvre négociant et répugnaient-ils à acheter sa marchandise, sinon parce que le lecteur arrogant méprise les écrits simples, à caractère moral, pour rechercher plutôt des théories chicanières et sophistiquées ? Puisqu'il ne cherche pas à s'édifier en lisant les Écritures, mais à paraître éloquent, il fouille plus volontiers les préceptes des philosophes que ceux de l'Évangile. Le frère humble, lui, ne dédaigne pas les paroles simples dès lors qu'elles sont de caractère spirituel ou moral : il les accueille et les aime d'autant plus qu'il n'y sent aucun

c. Ps. 36, 21 || d. Ps. 54, 24

80 nihil arrogans in eis redolere sentit. Tales ad se legendum Scriptura divina repulsis superbis vocat cum dicit : *Si quis parvulus est veniat ad me*[e]. Et alibi monet ut *non inveniat in nobis ullum sapientem*[f] (A). Spiritalis quippe sapientia, quae *diligentes se diligit*[g], constat utique quod
85 *spernentes* se *spernit*[h]. Nam ob quid aliud miseri et caeci eam contemnunt, nisi quia ideo ab ea despecti et derelicti corde non illuminantur ut splendoris eius gloriam videant, videntes cupiant, cupientes appetant, appetentes adipiscantur, adipiscentes salventur ? Sic ea quae vera est
90 perdita, ad falsam pro illa se contulere scientiam, quae, si quid adhuc luminis in eis remanserat, omnino exstingueret eosque ad externas praecipites tenebras[i] ab internis impelleret.

A. In Iob habetur hoc.

81 divina scriptura *C*

e. Prov. 9, 4 || f. Job 17, 10 || g. Prov. 8, 17 || h. Lc 10, 16 ; Cf. I Sam. 2, 30 || i. Cf. Matth. 8, 12

relent d'arrogance. La divine Écriture, repoussant les orgueilleux, appelle de telles personnes à la lire lorsqu'elle dit : *Si quelqu'un est tout petit, qu'il vienne à moi*[e]. Et ailleurs elle nous engage à ce qu'*il ne se trouve parmi nous aucun sage*[f] (A). De fait, si la sagesse spirituelle *aime qui l'aime*[g], il est évident qu'*elle dédaigne* qui la *dédaigne*[h]. Or pourquoi ces misérables aveugles la méprisent-ils sinon parce que, dédaignés et délaissés d'elle, ils ne sont pas illuminés de cœur, de sorte qu'ils ne peuvent voir sa gloire resplendissante, la désirer en la voyant, la rechercher en la désirant, l'atteindre en la recherchant, et être sauvés en l'atteignant ? Ayant perdu la vraie connaissance, ils se sont portés vers une connaissance fausse, propre à éteindre tout à fait ce qu'il resterait encore en eux de lumière pour les pousser la tête la première des ténèbres intérieures aux ténèbres extérieures[i].

A. L'exhortation se trouve dans Job.

XXX

CUR IN HOC LIBELLO PER PARABOLAS LOQUATUR

1. Olim quidam magnus paterfamilias (A) locutus est (B) ad dispensatorem suum (C) dicens : « Quia nolo te familiam meam uno eodemque semper pascere epulo (D), ne forte uniformitate illius vel identitate fas-
5 tidita minus iam libenter eo vescatur, propterea coco (E), qui hoc praeparare solet, dicere te volo ut nova quaedam et exquisita praeparandi genera adinveniens, ex una carnium eodemque cibo multa et varia (F) componere studeat fercula, quatenus diversitas pulmentorum comedendi
10 magis provocet voluptatem (G). »

Cum hoc itaque procurator coco dixisset, ille respondit : « Quia me, domine mi, parere tuis necesse est imperiis, si quid forte, dum ignotis et inusitatis alimenta ministrabo modis, excessero, facilius mihi indulgere debes
15 quam si pristinum praeparandi tenerem usum (H). »

Tit. per parabolas loquatur : parabolas loquor D^{ac}

---

1. Le thème de l'uniformité mère de l'ennui remonte à Cicéron : « En toutes choses la similitude est mère de l'ennui *(satietas)* » (*Inv.* I, 41). La formule de Galand est proche de celle qu'on relève chez Pierre Abélard : « Car comme le rappelle Tullius, en toutes choses l'identité est mère de l'ennui » (*Ep.* 10 [ad Bernardum Clar.] : *PL* 178, 340 C). Cf. aussi *Sic et non,* Prol. (*PL* 178, 1339 B).

30

POURQUOI DANS CE PETIT LIVRE ON PARLE EN PARABOLES

1. Un grand chef de famille (A) parla (B) un jour à son intendant (C) en ces termes : « Je ne veux pas que tu serves toujours à ma maisonnée une seule et même nourriture (D), de peur que dégoûtée de son caractère uniforme et sans cesse identique [1], elle n'en mange moins volontiers. Je veux donc que tu dises au cuisinier (E) qui la prépare de s'appliquer à combiner des plats nombreux et variés (F) à partir d'une seule et même viande, en trouvant des recettes nouvelles et raffinées. En effet, la variété des portions [2] excite davantage le plaisir des convives (G). »

L'intendant ayant dit cela au cuisinier, ce dernier répondit : « Il me faut obéir à tes ordres, maître ; donc, si par hasard je commettais quelque faute en apprêtant les aliments de façon inconnue et inusitée, tu devrais plus facilement te montrer indulgent que si je m'en tenais aux recettes d'avant (H). » L'autre rétorque : « Mets-y du

2. Cf. *RB* 39, 1-2 : « Nous croyons qu'il suffit à toutes les tables pour le repas quotidien, qu'il ait lieu à sexte ou à none, de deux plats cuits, en raison des diverses infirmités, pour que celui qui ne peut manger de l'un, fasse son repas de l'autre. »

Contra ille : « Adhibe, inquit, ut ait quidam, diligentiam [a] et sat ! Scio te in nullo, Deo donante, fallendum. » Ad quod rursum cocus : « Etsi, ait, me in multis falli etiam contingat, quia tu imperas, faciendum mihi est (I), cum 20 multo minoris periculi sit fallaciae quam inoboedientiae casum incurrere. »

2. Ut iam breviter similitudinem hanc ad hoc quod volo applicem, sicut oeconomus iste (K) ad domini sui imperium multiformia fieri fercula iussit, ita etiam dom- 25 nus abbas Iulianus, domus Dei videlicet dispensator spiritalis [b], Domino, ut credi oportet, ei intimante, mihi praecepit ad instructionem fratrum morale aliquid et aedificatorium velut quamdam mentis alimoniam componere ; sed tali nimirum conditione ut, gratia taedium 30 devitandi, non uniforme vel continuum opus facerem, sed diversas potius assumendo materias, per crebras incisiones seu terminationes libellum totum distinguerem, quia et cum escae prandentibus nobis apponuntur, malumus ut multae sint et variae quam qualitatis unius ; 35 nec solito dictandi genere ad cavendum itidem fastidium uterer, sed figurativis quibusdam atque parabolicis locutionibus sententiam quamque adumbrarem, ita tamen ut eam postea vel subsequenti expositione, si opus esset, dilucidarem, vel superposito marginali epigrammate (L) 40 glossarem, sicut et carnibus illis quae simpliciter edi non possunt saporem quempiam vel salsamentum eis competens adhibemus. Quod si etiam unam eamdemque rem forte diversis describere modis vellem vel parabolis, cum ad cocorum artem pertineat et ex una carne varia confi- 45 cere fercula, licenter hoc agere possem, eo quod istud ita

23 equonomus *CD* ‖ 40 carnibus : carnalibus *C*^{ac}*D*

---

a. Cf. II Macc. 11, 23 ‖ b. Cf. Lc 12, 42 ; Tite 1, 7

soin[a] comme on dit, et cela suffit ! Je sais que par le don de Dieu tu ne te tromperas en rien. » A quoi le cuisinier réplique : « Même s'il m'arrivait de me tromper souvent, je dois m'exécuter, puisque tu l'ordonnes (I). Il est beaucoup moins dangereux de tomber dans l'erreur que dans la désobéissance. »

2. Je vais maintenant faire en peu de mots l'application de cette analogie au but que je vise. Comme cet économe (K), sur l'ordre de son maître, a commandé de préparer des plats variés, de même mon abbé, Dom Julien, intendant spirituel[b] de la maison de Dieu[1], m'a prescrit — par une inspiration du Seigneur, comme on doit le croire — de composer pour l'instruction des frères un écrit de caractère moral et édifiant, pareil à une nourriture pour l'esprit, mais préparée de la manière suivante : afin d'éviter l'ennui, je ne ferais pas un ouvrage continu ni uniforme. Je devais plutôt prendre différents sujets et couper mon petit livre par des divisions et des conclusions fréquentes. Lorsqu'on nous sert des aliments, en effet, nous les préférons nombreux et variés, plutôt que d'une seule sorte. De même, pour éviter le dégoût, je ne devais pas parler comme on le fait d'habitude, mais habiller les idées d'expressions figurées, paraboliques, à condition cependant de les tirer ensuite au clair en les faisant suivre d'une explication, si c'était nécessaire, ou de les gloser au moyen d'« épigrammes » (L) marginales, comme on ajoute aux viandes qu'on ne peut manger sans apprêt un assaisonnement ou une sauce appropriée. Que si je voulais en outre exposer une seule et même réalité de diverses façons à l'aide de paraboles différentes, puisqu'il appartient à l'art du cuisinier de confectionner des plats variés à partir d'une même viande, il m'était permis de le faire, étant donné que le premier procédé

1. Cf. *RB* 64, 5 : « ...ils institueront dans la maison de Dieu un administrateur *(dispensatorem)* qui en soit digne ».

lectoribus placeat, sicut illud convivis libet. Cum vero ab hoc opere me excusare rei novitate proposita inciperem, oboedientiae demum auctoritati, sicut et praedictus ille cocus, cessi.

---

50 A. Id est Deus.
B. Id est in corde.
C. Id est ad aliquem praelatum sanctae Ecclesiae.
D. Id est Scripturarum.
E. Id est doctori vel scriptori cuilibet.
55 F. Ita etiam Scripturarum multa sunt genera, sed et in uno versu plures dicuntur sententiae.
G. Ita etiam varietas sententiarum maiorem legendi praebet aviditatem.
H. Ita etiam difficilius est novo dictandi genere uti quam 60 consueto ; unde et si quid exceditur, ignoscendum est.
I. Ita et nos, licet imperiti, parere tamen debemus magistro nobis scribere aliquid imperanti.
K. Id est dispensator.
L. Id est superscriptione.

55 et *om. C* || 60 est *om. C*

plaît autant aux lecteurs que le second aux convives. Ayant commencé par décliner cette tâche en alléguant la nouveauté de la chose, j'ai cédé, comme le cuisinier ci-dessus, devant cette valeur qu'est l'obéissance.

A. C'est-à-dire Dieu.
B. C'est-à-dire dans le cœur.
C. C'est-à-dire à un supérieur dans la sainte Église.
D. C'est-à-dire l'Écriture.
E. C'est-à-dire à un docteur ou à un écrivain.
F. Les Écritures aussi relèvent de genres différents, et j'ajoute qu'un seul verset contient de nombreux sens.
G. La variété des dits suscite une plus grande envie de lire.
H. De même une nouvelle façon de s'exprimer est plus difficile à manier que celle dont on a l'habitude ; si donc l'on commet quelque faute, il faut pardonner.
I. Et nous aussi, bien qu'inexpérimentés, nous devons obéir au maître lorsqu'il nous ordonne d'écrire.
K. C'est-à-dire intendant.
L. C'est-à-dire « surcharges ».

XXXI

QUAESTIO DE SANCTA CRUCE

1. Quidam discipulus interrogavit abbatem suum dicens : « Quare dixit Apostolus : *Mihi autem absit gloriari nisi in cruce Domini nostri Jesu Christi*[a] *?* Nonne cotidie homines in aliis rebus multis gloriantes videmus ? Num-
5 quid non merito quis laetatur si quando amicus eius de peregrinatione longinqua[b] vel transmarinis partibus salvus redierit, vel de gravi aliqua infirmitate convaluerit, vel abs quolibet periculo alio liberatus fuerit ? Sed ut saecularium gloriationes omittam, qui nonnumquam *lae-*
10 *tantur cum male fecerint et exsultant in rebus pessimis*[c], annon bene et recte religiosus quisque gratulatur cum se per Dei gratiam viderit castum, sobrium, humilem, patientem, benevolum, oboedientem, cum diversos fidelium ordines in sancta cognoverit Ecclesia et merito et numero
15 crescere, infideles ad baptismum convolare, peccatores ad paenitentiam currere, de quibus et angeli gaudent in caelo[d] ? »

2. Ad haec senex respondit dicens : « Et haec, fili, quae modo enumerasti et cetera innumerabilia quae nondum
20 dixisti, licet bona sint omnia et iucunda, nisi tamen

16-17 in caelo gaudent *D*

31

QUESTION À PROPOS DE LA SAINTE CROIX

1. Un disciple interrogea son abbé en ces termes : « Pourquoi l'Apôtre a-t-il dit : *Loin de moi de me glorifier sinon dans la croix de notre Seigneur Jésus-Christ*[a] ? Ne voyons-nous pas tous les jours les gens se glorifier de bien d'autres choses ? N'est-ce pas à juste titre qu'un homme se réjouit quand son ami revient sain et sauf d'un long voyage[b] ou d'au-delà des mers, ou se remet d'une grave maladie, ou se voit délivré de n'importe quel autre danger ? Mais omettons les sujets de gloire des séculiers, qui *se réjouissent* parfois *de mal faire et exultent dans ce qu'il y a de pire*[c] ; n'est-il pas bon et juste qu'un religieux se félicite de se voir, par la grâce de Dieu, chaste, sobre, humble, patient, bienveillant, obéissant ? d'apprendre que les différents ordres de fidèles de la sainte Église croissent tant en mérite qu'en nombre, que les infidèles accourent au baptême et les pécheurs à la pénitence, ces pécheurs au sujet desquels les anges dans le ciel se réjouissent[d] eux aussi ? »

2. Le vieillard lui répondit en ces termes : « Fils, ces choses que tu viens d'énumérer et d'autres sans nombre, dont tu n'as pas encore parlé, sont toutes bonnes, elles sont toutes source de joie ; à moins cependant d'être

a. Gal. 6, 14 || b. Cf. Lc 15, 13 || c. Prov. 2, 14 || d. Cf. Lc 15, 7.10

Dominicae crucis beneficio condirentur, ad magnam potius tristitiam quam ad aliquam devenirent laetitiam. Quid enim iucunditatis mihi afferre potest quidquid de inferni voragine me liberare non potest ? Abundet quis
25 universis vel spiritalibus vel corporalibus copiis : nec his tamen nec illis redimi poterit, nisi eum Christi sanguis salvaverit. Numquid non iustus valde erat qui dixit (A) : *In profundissimum infernum descendent omnia mea*[e] *?* Nonne et dives satis idem fuerat et praepotens in sae-
30 culo ?

Ponamus ergo nunc reum quempiam ad mortem duci et aliquem in medio itinere ad eum venientem eique domos, fundos, praedia thesaurosque promittentem, nonne ipse illico respondebit dicens : 'Quare, frater, mihi
35 haec offers ? Cum statim moriturus sim, quid ista mihi facient ? Si ab imminenti quidem nece his redimi potuero, gratum quod das habeo. Sin autem, parvi totum immo nihili pendo. Quinimmo si haec nunc a te accepero, eo amplius in ipsa morte dolebo, quo plura me moriendo
40 perdere cognovero.' Sic et Paulus in sola cruce Domini gloriatur, quia per eam se solam a morte etiam redimi posse intuetur.

3. Denique omnis humilitas nostra, patientia et oboedientia ceteraque quaecumque agimus bona, ita imper-
45 fecta et quodammodo semiplena ac coram Deo indigna sunt, ut nisi mediator noster, Dominus Jesus Christus, per semet ipsum suppleverit quod per nosmet ipsos digne perfici nequit, pro his omnibus profecto salvari non mereamur. Verumtamen quidquid a nobis imperfectum
50 et quasi dimidium relinquitur, per Dominicam utique crucem adimpletur, si tamen nos quod potuerimus facere non negligamus.

35 moriturus : mortuus *D*

---

e. Job 17, 16

assaisonnées de ce bienfait qu'est la croix du Seigneur, elles aboutissent à une grande tristesse plutôt qu'à de l'allégresse. Quel plaisir peut en effet me donner tout ce qui ne peut me délivrer du gouffre de l'enfer ? Quelqu'un regorgerait-il de toutes les richesses soit spirituelles soit matérielles, ni les unes ni les autres ne pourraient le racheter, à moins que le sang du Christ ne le sauve. N'est-ce pas quelqu'un de fort juste qui a dit (A) : *Tous mes biens descendront au plus profond de l'enfer*[e] ? Cet homme n'avait-il pas été bien riche et très puissant en ce monde ?

Supposons maintenant un condamné qu'on conduit à la mort ; qu'à mi-chemin quelqu'un vienne vers lui et lui promette maisons, domaines, propriétés, trésors, ne répondrait-il pas sur-le-champ : 'Frère, pourquoi m'offrir cela ? Qu'est-ce que cela me fait, puisque je dois mourir à l'instant ? Tes dons sont bienvenus s'ils peuvent me racheter de cette mort imminente ; sinon, je fais peu de cas de tout cela, ou plutôt je n'en fais aucun cas. Bien mieux, si j'accepte maintenant tout cela de toi, je m'affligerai d'autant plus de mourir que les biens que j'aurai conscience de perdre par ma mort seront plus nombreux.' Ainsi Paul se glorifie-t-il dans la seule croix du Seigneur parce qu'il voit qu'elle seule peut le racheter même de la mort.

3. Enfin toute notre humilité, notre patience et nos bonnes actions sont si imparfaites — à demi achevées, en quelque sorte — et si indignes devant Dieu que tout cela ne nous mériterait certainement pas le salut si notre médiateur, le Seigneur Jésus-Christ, ne suppléait pas lui-même à ce que nous ne pouvons mener par nous-mêmes à bonne fin. Mais ce que nous laissons inachevé et comme à moitié fait est accompli par la croix du Seigneur, pourvu cependant que nous ne négligions pas de faire notre possible.

Nam quod nostrae deest oboedientiae, supplet ille qui *factus est* pro nobis *oboediens usque ad mortem*. Quod
55 humilitati deest, perficit ille qui pro nobis *humiliavit semetipsum usque ad* improperium *crucis*[f]. Quod patientiae deest, complet ille qui a servis suis se crucifigi sponte pertulit[g]. Quod caritati deest, consummat ille qui *dilexit nos et lavit nos a peccatis nostris in sanguine suo*[h]. Quod
60 misericordiae deest, integrat ille qui crucifixoribus suis veniam orando impetravit[i]. Quod abstinentiae nostrae vel mundi huius contemptui deest, finit ille qui pro deliciis crucem amplexus est[j]. Quod negligentia et torpore peccamus, abolet ille qui ad mortem properans dixit : *Quod*
65 *facis, fac citius*[k] *;* et : *Desiderio desideravi hoc pascha manducare vobiscum antequam patiar*[l]. Quod gula peccamus, ille quadragenario absolvit ieiunio. Quod in oratione minus perficimus, ille perficit qui pro nobis pernoctabat in orationibus[m]. Quod quietem corporalem ni-
70 mis diligimus, expiat ille qui *fatigatus ex itinere* legitur[n]. Quod convicia non sat patienter audimus, expurgat ille qui *daemonium habere, insanire*[o], *homo vorax et potator*[p] esse immotus audivit.

Non autem Christus ab *hora sexta parasceves*[q] solum-
75 modo *usque in nonam horam*[r], sed ab ipsa nativitate sua crucem tulit. Quam enim tota vita sua portaverat, adversa patiendo, hanc tandem pertulit, mortem suscipiendo.

59 nos *om. C* || 74 parasceve *CD* || 76 Quam : vel qui *var. lect. inter lin. add. D*

---

f. Phil. 2, 8 ; Cf. Hébr. 11, 26 || g. Cf. I Pierre 2, 18-24 || h. Apoc. 1, 5 || i. Cf. Lc 23, 34 || j. Cf. Hébr. 12, 2 || k. Jn 13, 27 || l. Lc 22, 15 || m. Cf. Lc 6, 17 || n. Jn 4, 6 || o. Jn 10, 20 || p. Matth. 11, 19 || q. Jn 19, 14 || r. Lc 23, 44 ; Mc 15, 33

Il supplée à notre défaut d'obéissance, lui qui *s'est fait* pour nous *obéissant jusqu'à la mort.* Il achève ce qui manque à notre humilité, lui qui pour nous *s'est humilié jusqu'à* l'outrage de *la croix*[f]. Il complète ce qui manque à notre patience, lui qui a volontairement supporté d'être crucifié par ses serviteurs[g]. Il accomplit ce qui manque à la charité, lui qui *nous a aimés et nous a lavés de nos péchés dans son sang*[h]. Il répare ce qui manque à la miséricorde, lui qui a demandé dans sa prière le pardon pour qui le crucifiait[i]. Il achève ce qui manque à l'abstinence ou au mépris du monde[1], lui qui au lieu de délices a embrassé la croix[j]. Il efface nos péchés de négligence et de paresse, lui qui a dit en se hâtant vers la mort : *Ce que tu fais, fais-le vite*[k], et : *J'ai désiré d'un grand désir manger cette Pâque avec vous avant de souffrir*[l]. Il nous absout de nos péchés de gourmandise par son jeûne de quarante jours. Il comble les insuffisances de notre prière en passant pour nous ses nuits en prière[m]. Il expie notre amour excessif du repos corporel, lui dont on lit qu'*il était fatigué par la route*[n]. Accueillons-nous les reproches sans patience suffisante ? il nous purifie de cela, lui qui s'est entendu traiter, sans s'émouvoir, *de possédé, de fou*[o], *de glouton et d'ivrogne*[p].

D'ailleurs, ce n'est pas seulement de *la sixième heure de la parascève*[q] *jusqu'à la neuvième heure*[r] que le Christ a porté la croix, mais dès sa naissance. Cette croix qu'il avait portée toute sa vie en souffrant l'adversité, il l'a portée enfin jusqu'au bout en accueillant la mort.

1. Sur cette notion complexe, caractéristique de la spiritualité ancienne et médiévale, voir les articles « Fuite du monde » et « Monde » dans *DSp* 5, c. 1596-1605 ; 10, c. 1633-1646, et F. LAZZARI, « Le " mépris du monde " chez saint Bernard », dans *Le mépris du monde,* Paris 1965, p. 59-72.

4. Si quando ergo ab inimico fugaris, Christum respice
80 ab Herode in terram Aegypti pulsum [s]. Si quando ab amico proderis, Christus a discipulo suo traditus est [t]. Si quando tui te non receperint, Christus *in propria venit et sui eum non receperunt* [u]. Si quando a tuis relinqueris, Christum septuaginta duo reliquerunt [v]. Si quid abs quo-
85 libet petieris et non impetraveris, Christus potum petiit et fel accepit [w]. Si in eligendo quippiam ut homo falleris, Christus Iudam inter alios elegit apostolos [x] ; non quod ipse deciperetur, sed ut te, si quando fallaris, consolaretur. Si quis te furto vel fraude deceperit, Iudas Christo
90 furtum fecit [y]. Si ille sciebat, nec accusare eum volebat, nos de eo quod dubitamus multo magis neminem culpare debemus. Sed et si medicina eges, respice *serpentem aeneum* ligno afflixum, et ab omni statim morsu viperino liberaberis [z]. Si ergo odii veneno serpens te infecit, mox
95 ut Christum pro nobis, *cum adhuc inimici essemus* [a], mortuum perspexeris, inimico veniam dabis. Si carnis stimulo agitari coeperis, memento Christum *contristatum* propter te *usque ad mortem* [b], sudore sanguineo madentem [c], clavorum vulnera suscipientem, et mox omnis sopitur libido.
100 Si te ira turbarit, cogita quanta cum mansuetudine Christus vincla, alapas, irrisiones, flagella crucemque sustinuerit, et omnis extemplo quiescet indignatio. Si te magistro oboedire taedeat, pensa quia *Christus* pro nobis *oboediens factus est usque ad mortem,* et laetus illico *eius vestigia*
105 *sequeris* [d]. Quae demum superbia, Christi considerata humilitate, non reprimitur ? Quae ira, Christi patientia co-

s. Cf. Matth. 2, 13-15 || t. Cf. Matth. 10, 4 || u. Jn 1, 11 || v. Cf. Jn 6, 67 ; Lc 10, 1.17 || w. Cf. Jn 19, 28 ; Matth. 27, 34 || x. Cf. Jn 6, 71-72 || y. Cf. Jn 12, 6 || z. Nombr. 21, 9 ||a. Rom. 5, 8.10 || b. Matth. 26, 37-38 || c. Cf. Lc 22, 44 || d. Phil. 2, 8 ; I Pierre 2, 21

---

1. « Regarde le Christ » : le long développement lyrique, qui comprend les § 4 et 5 de cette parabole, est comme une transposition

4. Si donc tu fuis un jour devant un ennemi, regarde le Christ[r] chassé en terre d'Égypte par Hérode[s]. Si un jour un ami te trahit, le Christ a été livré par son disciple[t]. Si un jour les tiens ne te reçoivent pas, le Christ *est venu chez lui et les siens ne l'ont pas reçu*[u]. Si un jour les tiens t'abandonnent, les soixante-douze ont abandonné le Christ[v]. Demandes-tu quelque chose à quelqu'un sans l'obtenir ? le Christ a demandé à boire et a reçu du fiel[w]. Te trompes-tu, en homme que tu es, dans le choix d'une personne ? le Christ a choisi Judas parmi les autres apôtres[x]. Non qu'il se soit laissé abuser, mais pour te consoler si un jour tu te trompes. Quelqu'un te surprend-il par vol ou par fraude ? Judas a volé le Christ[y]. Si lui, le sachant, ne voulait pas l'accuser, à plus forte raison, quand nous doutons, nous ne devons incriminer personne. Mais si tu as également besoin d'un remède, regarde *le serpent d'airain* fixé au bois et tu seras aussitôt délivré de toute morsure de vipère[z]. Le serpent t'infecte-t-il donc du venin de la haine ? dès que tu auras regardé le Christ mort pour nous *alors que nous étions encore ennemis*[a], tu pardonneras à ton ennemi. Si l'aiguillon de la chair se met à te tourmenter, souviens-toi du Christ *attristé* pour toi *jusqu'à la mort*[b], ruisselant d'une sueur de sang[c], subissant les blessures des clous, et tout désir charnel s'assoupira bientôt. Si la colère te trouble, pense avec quelle douceur le Christ a supporté liens, gifles, moqueries, fouets et croix, et toute ton indignation se calmera sur-le-champ. Si tu es dégoûté d'obéir à un maître, songe que *le Christ s'est fait* pour nous *obéissant jusqu'à la mort*, et sur-le-champ *tu suivras ses traces*[d] tout joyeux. Quel orgueil enfin qui ne soit réprimé quand on a considéré l'humilité du Christ ? Quelle colère qui ne s'apaise quand on a connu la

christologique de celui que S. BERNARD a composé sur le thème « regarde l'étoile, appelle Marie » dans *Miss* 2, 17 (*SBO* 4, p. 34-35).

gnita, non sedatur ? Quae cupiditas, Christi paupertate cogitata, non superatur ? Quae versutia, Christi simplicitate intellecta, non abicitur ? Quae ergo bona in hac
110 cruce non reperias ?

5. Denique si quid parentibus debeas vis nosse, crucem respice : ibi Christum videbis matris non oblitum esse [e]. Quae etiam, cum alii servanda traditur, Ioseph plus custos quam maritus fuisse probatur. Si quid pia meretur
115 etiam in ultimis facta confessio vis discere, crucem considera : ibi audies latroni confitenti paradisum promitti [f]. Si dubitas Christum verum hominem fuisse, crucem vide : ibi cognosces illum naturae nostrae ius suum moriendo persolvisse. Si vis credere eumdem verum Deum esse,
120 crucem contemplare : ibi senties elementa Creatorem suum plangere, dum et caelum *obscuratur et terra* concutitur, rupes *scinduntur, monumenta aperiuntur* [g]. Quomodo enim non his signis ad credendum provoceris, cum et *centurio* illis conspectis exclamaverit : *Vere filius Dei hic*
125 *erat* [h] *?* Si vis certus fieri Christum non solum corpus nostrum sed et animam suscepisse, ipsum in cruce aspice *inclinato capite spiritum* emittentem [i]. Si ignoras cur Eva de latere Adae facta sit [j], cerne sanguinem et aquam de Christi latere ad construendam Ecclesiam manare [k]. Si
130 ambigis eum qui pendet in cruce iudicem in die novissimo futurum, vide eum iam et dextero latroni conferre salvationem, cor eius illuminando, et sinistro damnationem, mentem illius indurando [l]. Si putas Christum, dum crucifigitur, aliqua forte ira turbari, cogita quam dulciter
135 latroni respondet [m], quam pie pro inimicis orat [n], quam provide matri consulit [o]. Qui in cruce suspensus tanta

124 illis : vel ille *var. lect. inter lin. add. CD*

e. Cf. Jn 19, 25-27 || f. Cf. Lc 23, 40-43 || g. Matth. 27, 51-52 ; Lc 23, 45 || h. Mc 15, 39 || i. Jn 19, 30 ; Cf. Matth. 27, 50 || j. Cf. Gen. 2, 21-22 || k. Cf. Jn 19, 34 || l. Cf. Lc 23, 39 || m. Cf. Lc 23, 43 || n. Cf. Lc 23, 34 || o. Cf. Jn 19, 25-27

patience du Christ ? Quelle cupidité dont on ne triomphe après avoir songé à la pauvreté du Christ ? Quelle fourberie qu'on ne rejette loin de soi après avoir compris la simplicité du Christ ? Est-il donc un bien que tu ne trouves dans cette croix ?

5. Si tu veux savoir ce que tu dois à tes parents, regarde la croix : tu y verras que le Christ n'a pas oublié sa mère[e]. Et le fait qu'il la confie à la garde d'un autre prouve en outre que Joseph fut un protecteur plus qu'un mari. Veux-tu apprendre ce que mérite une confession, même de dernière heure, considère la croix : tu y entendras promettre le paradis à la confession du larron[f]. Doutes-tu que le Christ ait été vrai homme, vois la croix : tu y reconnaîtras qu'il a acquitté jusqu'au bout en mourant le droit de notre nature. Si tu veux croire qu'il est vrai Dieu, contemple la croix : tu y percevras que les éléments pleurent leur créateur quand le ciel *s'obscurcit et que la terre* tremble, que les rochers *se fendent, que les tombeaux s'ouvrent*[g]. Comment ces signes ne t'entraîneraient-ils pas à croire, puisque *le centurion* s'est écrié à leur vue : *Vraiment celui-ci était fils de Dieu*[h] *?* Si tu veux t'assurer que le Christ a pris non seulement notre corps mais aussi notre âme, regarde-le sur la croix *incliner la tête* et rendre *l'esprit*[i]. Si tu ignores pourquoi Ève a été tirée du côté d'Adam[j], représente-toi le sang et l'eau coulant du côté du Christ[k] pour bâtir l'Église. Si tu n'es pas certain que celui qui pend sur la croix sera juge au dernier jour, vois-le déjà conférer le salut au larron de droite en illuminant son cœur, et la damnation à celui de gauche en lui endurcissant l'esprit[l]. Si d'aventure tu crois que le Christ s'est laissé troubler par quelque colère tandis qu'on le crucifiait, pense avec quelle douceur il répond au larron[m], avec quelle bonté il prie pour ses ennemis[n], avec quelle prévoyance il pourvoit à sa mère[o]. Lui qui suspendu à la croix prodigue de si grands

beneficia impendit, dum *venerit in regnum suum*[p], quanta putas munera praestabit ? Ergo si Christi crucem diligenter attendas, et haec et alia omnia beneficia ibi invenies
140 suspensa.

6. O quam dulces fructus ex hac dependent arbore ! O qualia ornamenta et quanta vitae praemia in tali sistuntur stipite ! *Mille clipei pendent ex ea, omnis armatura fortium*[q] (B). Qui militare vult accedat : assumat
145 hinc arma bellica, militaria inde recipiat stipendia. O quam brevi militia latro ille quam perpetua percepit stipendia ! Ideo quippe ex hoc stipite et scutum pariter sumpsit et praemium. Patientiae siquidem clypeum inde sumebat, cum dicebat : *Et nos quidem iuste, nam digna*
150 *factis recipimus, hic vero nil mali gessit*[r]. Militare vero donativum nihilominus exinde percipiebat, quando audiebat : *Hodie mecum eris in paradiso*[s]. Quod ergo latro incepit credendo, Christus perfecit moriendo. Eo enim mortuo, mortuus est statim et latro, *et perfectus* inventus
155 *est, et erit illi gloria eterna*[t]. Cum igitur et tu obieris, cum ad iudicium raptus fueris, cum de imperfectione reprehenderis, cum cur appareas *in conspectu* Dei *vacuus* argueris[u], exclama et tu atque dic : 'O Domine Iesu, qui, propter me homo factus, et nulla mala commisisti et
160 nulla bona facere praetermisisti, tua, obsecro, oboedientia excuset inoboedientiam meam, tua humilitas superbiam meam, tua patientia iram meam, tua abstinentia superfluitatem meam, tua benignitas malitiam meam, tua denique perfectio imperfectionem meam.'

141 dependent : pendent *C*

---

p. Lc 23, 42 ‖ q. Cant. 4, 4 ‖ r. Lc 23, 41 ‖ s. Lc 23, 43 ‖ t. Sir. 31, 10 ‖ u. Ex. 23, 15

bienfaits, quels dons ne penses-tu pas qu'il fera lorsqu'*il viendra dans son royaume*[p] *?* Si donc tu prêtes une attention fidèle à la croix du Christ, tu y trouveras suspendus tant ces bienfaits que tous les autres.

6. O quels doux fruits pendent à cet arbre ! O quels ornements, quelles grandes récompenses de vie sont placés sur pareil tronc[1] ! *Mille écus y sont suspendus, toutes les armes des vaillants*[q] (B). Qui veut militer, qu'il s'approche, qu'il prenne là ses armes de guerre ; qu'il en reçoive sa solde. Ah, ce larron ! pour un service combien bref, quelle solde éternelle n'a-t-il pas touchée ! Cet homme a pris pareillement sur ce tronc bouclier et récompense. Il y prenait l'écu de la patience lorsqu'il disait : *Et nous, certes, c'est juste, car nous recevons un salaire digne de nos actes ; mais lui n'a rien fait de mal*[r]. Il touchait également de là sa prime de soldat quand il entendait : *Aujourd'hui tu seras avec moi au paradis*[s]. Ce que le larron a donc amorcé en croyant, le Christ l'a achevé en mourant. Lui mort, en effet, le larron aussi mourut sur-le-champ *et fut* trouvé *parfait, et il possédera la gloire éternelle*[t]. Quand donc tu mourras, quand tu seras entraîné au jugement, blâmé de ton imperfection, quand on te reprochera de paraître *en présence de* Dieu *les mains vides*[u], élève toi aussi la voix et dis : 'O Seigneur Jésus, qui t'es fait homme pour moi, qui n'as fait aucun mal et n'as laissé passer aucun bien sans l'accomplir, je t'en prie, que ton obéissance excuse ma désobéissance, ton humilité mon orgueil, ta patience ma colère, ton abstinence mes exigences superflues, ta bonté ma méchanceté, bref, ta perfection mon imperfection.'

1. Reminiscences probables de l'hymne liturgique *Pange lingua* : « Doux le bois, doux les clous, qui portent un doux fardeau ! Fléchis tes branches, arbre élevé, relâche le corps tendu ; assouplis la rigueur reçue de la nature ; aux membres du roi d'en haut offre un appui plus doux » (*PL* 88, 89 A).

165 **7.** Praesume etiam adhuc et dic : 'O Domine Pater, *non* appareo *in conspectu tuo vacuus*[v], quia quod Filius tuus, dum in mundo esset, fecit, pro me fecit. Quidquid ipse operatus est, mihi operatus est. Opera eius tibi, Domine, repraesento, facta illius tibi offero, sanctitatem 170 ipsius irae tuae oppono, mortem illius morti quam mereor obiicio, poenis ipsius poenas mihi debitas a me repello. Ego quidem dignam, fateor, non feci paenitentiam[w] nec plenam egi satisfactionem, sed quo mihi defuit, iste pro me adimplevit. Debui quidem amplius contristari paeni- 175 tendo, sed *anima* huius pro me *tristis* facta *est usque ad mortem*[x]. Debui plus supplicare orando, sed hic pro me *factus in agonia, prolixius orabat et sudore* sanguineo diffluebat[y]. Oportuit me melius satisfacere emendando, sed iste vere satis satisque fecit pro me moriendo. Etsi 180 ergo meritis meis dignus salvari non sum, tamen quia membrum illius, credendo, factus sum, ab eo separari amplius non possum. Capiti meo adhaerere me oportet, a corpore sanctae Ecclesiae disiungi me non licet. Ipse enim dixit : *Pater quos dedisti mihi volo ut ubi ego sum* 185 *et illi sint mecum*[z].' Hac igitur fide, hac pietate servus Dei subnixus, salvari non quidem per se sed per Dominicam confidat crucem. Quia igitur, mi fili, omnia in Christi cruce invenimus bona, mala vero non nisi per eam evadimus, rectissime non solum Paulus sed et omnis 190 exclamat mundus : *Mihi autem absit gloriari nisi in cruce Domini nostri Iesu Christi*[a] *!* »

8. His auditis, stupens discipulus : « Bono modo, ait, hanc de cruce quaestionem tibi, pater, movi, quae tantam

v. Ex. 23, 15 ‖ w. Cf. Matth. 3, 8 ; Act. 26, 20 ‖ x. Matth. 26, 38 ‖ y. Lc 22, 43-44 ‖ z. Jn 17, 24 ‖ a. Gal. 6, 14

1. Perspective identique à celle de S. Bernard : « Oui, il s'est entièrement donné, il s'est entièrement dépensé à mon profit » (*Circ* 3, 4 : *SBO* 4, p. 284).

7. Ose plus encore et dis : 'O Seigneur Père, je *ne* parais *pas en ta présence les mains vides*[v], car ce que ton fils a fait lorsqu'il était dans le monde, c'est pour moi qu'il l'a fait[1]. Tout ce qu'il a réalisé, c'est pour moi qu'il l'a réalisé. Je te mets ses œuvres devant les yeux, Seigneur, je t'offre ses actions, j'oppose sa sainteté à ta colère, je mets sa mort entre moi et la mort que je mérite ; j'ai recours aux peines qu'il a subies pour repousser loin de moi les peines qui me sont dues. Certes, je n'ai pas fait dignement pénitence[w] ni satisfait pleinement : mais ce qui m'a manqué, lui l'a accompli à ma place. J'aurais dû certes me repentir avec plus de tristesse, mais son *âme* est devenue pour moi *triste à en mourir*[x]. J'aurais dû te prier et te supplier davantage, mais lui, *tombé en agonie, priait de façon très instante et* ruisselait d'*une sueur* de sang[y]. Il m'aurait fallu mieux satisfaire en me corrigeant, mais lui a vraiment satisfait assez et encore assez pour moi en mourant. Donc, bien que mes propres mérites ne me rendent pas digne d'être sauvé, je ne puis plus être séparé de lui, dont je suis devenu membre en croyant. Il me faut rester attaché à ma tête ; il n'est pas permis de me séparer du corps de la sainte Église. Lui-même a dit : *Père, ceux que tu m'as donnés, je veux que là où je suis, eux aussi soient avec moi*[z].' Soutenu par cette foi, cette piété-là, le serviteur de Dieu espère fermement être sauvé, non par lui-même, certes, mais par la croix du Seigneur. Donc, mon fils, puisque nous trouvons dans la croix du Christ tous les biens et que nous n'échappons aux maux que par elle, il est souverainement juste que non seulement Paul mais le monde entier s'écrie : *Loin de moi de me glorifier sinon dans la croix de notre Seigneur Jésus-Christ*[a] *!* »

8. A ces mots, le disciple frappé de stupeur dit : « J'ai bien fait, père, de te poser cette question au sujet de la croix, elle qui renfermait une si grande douceur ; *et je ne*

in se dulcedinem continebat *et ego nesciebam*[b] *;* nec
195 umquam, credo, tantum fragrantiae eius odorem percepissem, nisi eam nunc inquirendo concussissem. »

Respondens abbas dixit : « Bonum quidem est, fili, divinas passim Scripturas investigare, sed crucis nosse mysterium peroptimum est. Legis Scripturas ad aedifi-
200 cationem, crucem cogita potius ad imitationem. Quidquid tibi operandum est, ibi non iam scriptum sed quodammodo sculptum est. Quod Scripturae insinuant syllabis vel dictionibus, crux ipsis repraesentat operibus. Liber crucis, ut sciatur, non argumentosa eget expositione, sed
205 pia et simplici devotione. Qui philosophis clausus est, simplicibus et mansuetis patet. Hic liber de manu cordis tui numquam recedat, ut in eo quidquid tibi faciendum est legas. Quam pretiosus liber, *non atramento sed* Christi sanguine *scriptus*[c] *!* Nullis hoc volumen armariis capitur,
210 fidelium tantum corda dignatur. Aperto tali codice, humilium quidem mentes dulciter pascuntur, arrogantes vero ieiuni abeunt[d]. Denique haec tibi sit regula, haec institutio, immo haec via quae ad vitam te Deo donante perducat aeternam. Amen. »

---

215 A. Scilicet Iob.

B. Nonne ibi vides patientiae scutum contra iram, humilitatis contra superbiam et ceterarum virtutum contra reliqua vitia ?

b. Gen. 28, 16 || c. II Cor. 3, 3 || d. Cf. Lc 1, 52-53

le savais pas[b] ! Je crois bien que je n'aurais jamais perçu si puissamment son parfum si je ne l'avais secouée en t'interrogeant. »

L'abbé répondit : « Certes il est bon, fils, de scruter de partout les différentes Écritures ; mais connaître le mystère de la croix, c'est le comble du bien. Tu lis les Écritures en vue de t'édifier ; songe plutôt à la croix en vue de l'imiter. Là tout ce que tu dois faire se trouve, non plus écrit, mais en quelque sorte sculpté. Ce que les Écritures insinuent par des mots ou des discours, la croix le rend présent en œuvre. Le livre de la croix n'a pas besoin pour être connu d'explications chicanières, mais d'une sainte et simple dévotion. Fermé aux philosophes, il s'ouvre pour les simples et les doux. Que ce livre ne s'éloigne jamais de la main de ton cœur, pour que tu y lises tout ce qu'il te faut faire. Combien précieux ce livre *écrit non avec de l'encre, mais avec* le sang du Christ[c] ! Ce volume ne saurait être contenu dans aucune bibliothèque ; il ne daigne l'être que dans le cœur des fidèles. Ce livre une fois ouvert, les esprits des humbles se repaissent avec délices, mais les arrogants s'en vont à jeûn[d]. Enfin que là soit ta règle, ta formation, mieux : le chemin qui, par le don de Dieu, te mène à la vie éternelle ! Amen. »

A. C'est-à-dire Job.

B. N'y vois-tu pas le bouclier de la patience à opposer à la colère, celui de l'humilité à opposer à l'orgueil, ceux des autres vertus à opposer aux autres vices ?

XXXII

PARABOLA DE TIMORE ET AMORE

1. Fuit princeps quidam, vir bonus et honestus, habens familiam multam nimis tam filiorum quam servorum, quam etiam libertorum, id est eorum quos ex propriis servis liberos ipse fecerat. Erant autem servi quidem
5 inferioris ordinis, liberti vero mediocris, filii autem excellentioris, ut quodammodo positivum, comparativum et superlativum inter eos aspiceres gradum. Cum ergo hos tres ordines sibi obsequentium haberet, id semper moris gerebat, ut si quos ex servis suis bonae indolis esse et
10 probitati operam dare perpendisset, libertatis eos munere donans, in libertorum suorum ordine collocaret, ita scilicet ut non ei iam gratis neque coacti ut prius famularentur, sed conventione cum eis facta, ex condignae mercedis retributione honestiora quaeque deinceps servi-
15 tia et maiora seu digniora ipsi adimplerent negotia. Qui etiam si eos in hac libertate positos, morum honestate clarescere et conditionis naturam animi nobilitate transcendere persensisset, tamquam maiori dignos honore, in filiorum sortem numerumque promovebat, heredes suos
20 ac successores aeque ut proprios liberos instituebat.

32

CRAINTE ET AMOUR : PARABOLE

1. Il était un prince, homme honorable et bon, doté d'une très nombreuse maisonnée : elle comprenait tant des fils que des esclaves et aussi des affranchis, c'est-à-dire des esclaves que lui-même avait rendus libres. Les esclaves étaient d'un rang inférieur, les affranchis de rang moyen, les fils de rang supérieur : on pourrait en quelque sorte voir en eux les degrés positif, comparatif et superlatif. Ayant donc en son obéissance ces trois classes de personnes, il agissait toujours de la manière suivante. S'il jugeait que certains de ses esclaves étaient d'un bon naturel et s'appliquaient à vivre dans la droiture, il les mettait au rang de ses affranchis en leur faisant don de la liberté. Aussi ne le serviraient-ils plus pour rien ni par contrainte comme précédemment : en vertu d'un contrat passé avec eux, ils s'acquitteraient désormais de fonctions plus honorables et accompliraient des tâches plus importantes, plus dignes, en échange d'un salaire convenable. Si en outre il remarquait que dans cette situation d'hommes libres ils brillaient par leurs mœurs honnêtes et faisaient preuve d'une noblesse d'âme au-dessus de leur condition, il les faisait avancer en les mettant au rang et au nombre des fils, en tant que dignes d'un plus grand honneur. Il les établissait ses héritiers, leur donnait droit à sa succession à égalité avec ses propres enfants.

E converso quoque si quem filiorum suorum servilibus moribus esse et a paternae strenuitatis nobilitate degenerare cognosceret, stultitiae eius iratus, in libertorum suorum coetu interim illum constituebat ; sed et si post-
25 modum ipsum arreptam semel ignaviae viam velle omnino retinere conspiceret, usque ad servorum mox vilitatem deiectum ab heredum suorum coetu amovebat, ut, si haec cerneres, *scalae* illius reminisci posses *per* quam Iacob *angelos ascendentes et descendentes vidit*[a].

30 **2.** Audi nunc quid haec sibi velint. Paterfamilias iste Deus est. Qui vero sint eius servi, qui liberti vel filii, dicendum per ordinem est. Quia ergo timere et cogi servorum est, qui solo timore et imminentium terrore suppliciorum Deo oboediunt servi sunt, quia non tam
35 spontaneum quam coactum et extortum videntur exhibere famulatum, ita ut si esse queat non esse Orcum, iam nolint agere nisi malum. Liberti vero sunt qui quidem iam servilis timoris iugo non premuntur, verumtamen pro caelestis mercedis retributione obsequuntur, ita si-
40 quidem ut, si forte merces ipsa desit, iam ipsum eis obsequium non placeat, sed potius subtracta aliquo modo, si fieri queat, servitii eorum remuneratione, et ipsi quoque mox se a servitio subtrahant. Filii autem sunt quibus, <cum> caritas ipsa est cordi, ceterae quoque
45 virtutes per se placent, quatenus et odio mali *declinent a malo* et amore ac delectatione boni *faciant bonum*[b] in tantum ut, si etiam fieri possit quod neque damnatio malos neque glorificatio maneat bonos, ipsi tamen num-

22 strennuitatis *CD* || degenerare : degnare *C* || 27 coetu *om. D* || 44 <cum> caritas *scripsi* : castitas *CD*

a. Gen. 28, 12 || b. Ps. 36, 27

1. Comparer S. Bernard, *Dil* XII, 34 — XIV, 38 (*SBO* 3, p. 148-152).

Si par contre il reconnaissait que l'un de ses fils était de mœurs serviles et qu'il dégénérait du noble zèle paternel, alors, irrité de sa folie, il le plaçait pour un temps dans le groupe de ses affranchis ; mais s'il voyait par la suite qu'une fois entré dans cette voie de paresse il tenait absolument à s'y maintenir, il l'abaissait bientôt au rang vil des esclaves et l'écartait du groupe de ses héritiers ; spectacle qui pourrait rappeler cette *échelle par* laquelle Jacob *vit des anges monter et descendre* [a].

2. Apprends maintenant où tout cela veut en venir. Ce maître de maison, c'est Dieu. Quant à savoir qui sont ses esclaves, ses affranchis et ses fils, nous allons l'exposer dans l'ordre [1]. Puisque craindre et agir par contrainte appartient aux esclaves, ceux qui n'obéissent à Dieu que par crainte et effroi des supplices dont ils sont menacés sont esclaves. Ils semblent effectuer un service moins volontaire que forcé, extorqué : s'il pouvait se faire qu'il n'y ait pas d'Orcus ils ne voudraient plus faire que le mal. Quant aux affranchis, le joug de la crainte servile ne les opprime plus, mais ils obéissent cependant en vue d'une récompense céleste : si par hasard cette récompense faisait défaut ils ne trouveraient plus bon d'obéir. Bien plutôt, si le salaire de leur service leur était dérobé — à supposer la chose possible — eux-mêmes aussi se déroberaient bientôt à tout service. Les fils, eux, ont au cœur la charité : ils se plaisent également aux autres vertus, *évitent le mal* parce qu'ils le haïssent et *font le bien* parce qu'ils l'aiment et s'y délectent [b 2] : au point que, même s'il pouvait se faire que la damnation n'attende plus les méchants ni la gloire les bons, eux cependant ne vou-

2. Cf. *RB* 7, 69 : « non plus par crainte de la géhenne, mais par amour du Christ et par l'habitude même du bien et pour le plaisir que procurent les vertus ».

quam velint vel malum facere vel bonum deserere. Ut
50 vero haec omnia brevius comprehendamus, servi obtemperant per timorem, liberti propter remunerationem, filii propter boni ipsius amorem.

3. Audisti iam qui sint servi, liberti et filii ; si item nosse vis quomodo quis ex servo libertus et ex liberto
55 fiat filius, ausculta. Solet multotiens evenire ut qui in principio conversionis suae solo poenarum timore, velut servus, peccatis suis renuntiavit, post peractam longae et diuturnae paenitentiae satisfactionem, de Dei iam misericordia confisus, aeternam illam reproborum damnatio-
60 nem formidare iam desinat et ab illis infernalibus poenis mentis oculos avertens, ad caelestium praemiorum perceptionem pedetentim spem suam erigat eorumque desiderio succensus, semet ipsum ad haec inquirenda viriliter accendat et pro talibus ac tantis stipendiis summo regi
65 tota militare devotione cupiat. Et hic quidem iam servitutis excussit iugum, iam libertatis internae promeruit donum et ex servo iam se gaudet fieri libertum. Sed quoniam adhuc praemii cupiditate bene operatur, nondum ad illorum dignitatem pervenit qui sola bonitatis
70 dilectione bene vivunt et solo iustitiae amore iusti sunt. Studendum ergo est ei ut qui iam ex servo factus est libertus, etiam ex liberto filius fiat. Quod profecto tunc tandem erit, cum Spiritus Sanctus cordi eius illum tam bonum, tam purum affectum infuderit, qualem superius
75 filios habere diximus.

4. Iam quia ab imo ad summa scandentes descripsimus, nunc econtra de descendentibus filiis aliquid dicamus.

54 quomodo *om.* *C* ‖ 66 promeruit : meruit *C*

1. Cf. *RB*, Prol. 1.
2. Cf. *RB* 4, 74 : « Et ne jamais désespérer de la miséricorde de Dieu » ; 68, 5 : « ...par charité, confiant dans le secours de Dieu... ».

draient jamais ni faire le mal ni délaisser le bien. En résumé, les esclaves obéissent par crainte, les affranchis en vue d'une récompense, les fils par amour du bien lui-même.

3. Tu viens d'entendre qui sont les esclaves, les affranchis et les fils ; veux-tu savoir comment d'esclave on devient affranchi et d'affranchi fils ? écoute [1]. Il arrive souvent qu'un homme qui au début de sa conversion a renoncé à ses péchés par la seule crainte des châtiments, comme un esclave, cesse de redouter l'éternelle damnation des réprouvés après avoir satisfait par une bien longue pénitence, confiant qu'il est désormais en la miséricorde de Dieu [2]. Détournant les yeux de son esprit des peines de l'enfer, il élève peu à peu son espérance jusqu'à la connaissance des récompenses célestes dont le désir l'enflamme, et s'excite virilement à les rechercher. Pour une solde de ce genre, et si considérable, il désire militer pour le roi suprême [3] avec un total dévouement. Certes, cet homme a déjà secoué le joug de la servitude ; il a d'ores et déjà mérité le don de la liberté intérieure, il se réjouit désormais d'être passé du rang d'esclave à celui d'affranchi. Mais puisqu'il continue à bien agir par désir d'une récompense, il n'est pas encore parvenu à la dignité de qui ne vit bien que pour l'amour de la vertu et n'est juste que pour l'amour de la justice. Il lui faut donc s'appliquer, lui qui est déjà passé de l'état d'esclave à celui d'affranchi, à passer du rang d'affranchi à celui de fils. Ce sera enfin le cas lorsque l'Esprit-Saint répandra dans son cœur une disposition aussi bonne, aussi pure que celle des fils, celle dont nous avons parlé plus haut.

4. Après avoir mis en scène ceux qui montent des bas-fonds jusqu'au sommet, disons maintenant un mot des fils qui descendent.

3. « Militer pour le roi suprême ». Cf. *RB*, Prol. 3 : « ...afin de militer pour le Seigneur Christ, le roi véritable... ».

Nonnumquam fieri solet ut aliquis qui pro magnae
80 religionis sanctitate Dei filius vocari merebatur, per negligentiae torporem aliquantulum tepefactus — *nemo* enim, ut ait quidam, *repente fuit turpissimus* — ad libertorum gradum per torporem suum paulatim descendat, non iam videlicet solo amore, ut prius, bona operans,
85 sed ne penitus tantae beatitudinis retributionem iam iamque sibi paratam perdere videatur, consuetae modum vitae adhuc qualitercumque retinens et mercedis iam intuitu, non autem aliqua bonitatis ipsius dulcedine bonus exsistens. Qui quoniam semel ingressum negligentiae
90 clivium deserere non vult, dum cotidiano defectu ad inferiora declinat, ab illo ipso mediocri libertorum gradu ad servorum deiectionem properare non cessat, sola videlicet formidine, vel divina vel humana, pristini tamen propositi statum quoquomodo vel specietenus retentans.
95 Iam ergo ex filio factus libertus et ex liberto servus, caveat ne et ex servo fiat inimicus et, pro hereditate fraterna, tenebrosa possideat loca [c].

83 torporem : teporem *D* ‖ 88 dulcedine : vel amore *var. lect. inter lin. add. C* amore (vel dulcedine *var. lect. inter lin. add.*) *D*

c. Cf. Is. 45, 19

Il arrive parfois qu'un homme à qui sa grande sainteté méritait d'être appelé fils de Dieu, laisse la négligence l'engourdir et s'attiédisse quelque peu — comme le dit quelqu'un, *personne n'est jamais devenu très infâme tout d'un coup* [1] — et par son indolence descende insensiblement au rang des affranchis : il ne fait plus le bien uniquement par amour, comme précédemment, mais parce qu'il ne se résigne pas tout à fait à perdre la récompense, cette béatitude si grande déjà préparée pour lui. Conservant encore de quelque manière son mode de vie habituel, il est désormais bon en vue d'une récompense et non plus par attrait pour la vertu elle-même. Une fois sur la pente de la négligence et ne voulant pas la quitter, déclinant vers le bas par une défection de tous les jours, il ne cesse de se hâter de ce rang moyen d'affranchi vers la bassesse des esclaves : c'est-à-dire que seule la crainte, de Dieu ou des hommes, lui fait conserver d'une façon ou d'une autre, ne fût-ce qu'en apparence, l'état correspondant à son propos d'autrefois. De fils le voici donc devenu affranchi, et d'affranchi esclave : qu'il prenne garde de ne pas tomber aussi du rang d'esclave à celui d'ennemi et d'échanger l'héritage de ses frères pour le lieu des ténèbres [c] !

1. Citation de JUVÉNAL (*Sat.* 2, 83).

XXXIII

PARABOLA QUOD MELIOR SIT PAUPER VITA QUAM DIVES

1. Quidam pauper rusticus erat (A), praeter ligonem quo terram versabat, nil habens paene. Cumque aliquotiens negotiatores seu ceteros burgenses multis rerum copiis fultos cerneret, se vero tenuem vitam ducere do-
5 leret, coepit quadam vice secum volvere si quo forte modo et ipse divitias acquirere posset. Cumque esset naturali ingenio satis callidus, abiit et uni institorum adhaesit, tam diu ei pro mercede serviens et interim etiam artem mercatoriam addiscens, donec aliquanto pe-
10 cuniae acquisito, negotiationem per se exerceret. Quid plura ? Post annos aliquot ita dives factus est ut omnium fere generum mercibus, multimodis quoque armentorum atque gregibus abundans pecorum, permaximam clientum, mercatorum, pastorum familiam, qui haec multipli-
15 carent seu custodirent, possideret, cum interim cotidianis fere rerum suarum affligi coepit damnis vel ab ipsis suis vel ab alienis sibi illatis, sive etiam rebus ipsis per se ipsas depereuntibus. In tanta quippe copia, vix dies sine consumptione aliqua transire poterat. Consumptio vero

Tit. Quod melior sit ... quam dives parabola *C*

33

UNE VIE PAUVRE VAUT MIEUX QU'UNE EXISTENCE DE RICHE : PARABOLE

1. Il était un paysan pauvre (A) : à part le hoyau dont il remuait la terre, il n'avait pratiquement rien. Et voyant de temps en temps des commerçants ou des bourgeois pourvus de biens en grande abondance tandis que lui s'affligeait de mener une vie de pauvre, il se mit un jour à se demander s'il ne pourrait pas par hasard s'enrichir lui aussi, d'une façon ou d'une autre. Étant passablement habile par nature, il alla s'attacher à un colporteur et le servit pour un salaire, apprenant du même coup le métier de marchand, jusqu'à ce qu'ayant acquis une assez grosse somme d'argent il pût faire du commerce pour son propre compte. Pourquoi s'étendre ? Au bout de quelques années il devint si riche qu'abondamment pourvu de marchandises de presque toutes les sortes, ainsi que de différents troupeaux de gros et de petit bétail, il avait un personnel extrêmement nombreux — valets, trafiquants, bergers — pour prendre soin de tous ces biens ou les accroître... lorsqu'il se mit à s'affliger des dommages presque quotidiens infligés à ses biens soit par ses propres gens, soit par des étrangers, ou aussi de ce que ces biens se perdaient d'eux-mêmes. Avec une telle fortune, c'est à peine si un jour pouvait se passer sans quelque perte, et celles-ci lui étaient pénibles au point qu'il déplorait bien

20 ipsa tam molesta ei erat, ut multo plus doleret de amissione quam gavisus fuerat de adeptione. Praeterea modo a dominis suis, modo a iudicibus, modo ab his qui tributis praeerant nimis gravabatur. Cumque continuo hoc cruciatu diu maceraretur, coepit semel secum repu-
25 tare quam quietam olim vitam duceret cum nihil praeter ligonem suum haberet, de quo tamen sibi sufficientem victum acquireret. Talia anxius cogitabat, cum ecce diversi venerunt nuntii, gravia quaedam rerum suarum detrimenta nuntiantes [a]. Mox ille, quasi amentia quadam
30 arreptus, nulli prorsus quidquam dicens, foras prorumpit et, solus civitatem egressus, pristinam ruris habitationem cursu repetivit anhelo, datoque cuidam pro ligone pallio, antiquae mediocritatis vitam tamquam dulcissimam alumnam suam cum summa amplexus est laetitia.

35 **2.** Haec igitur parabola probat quod commodior sit pauper vita quam locuples. Et licet quod modo narravi numquam in re fortassis factum sit, quia neque parabola dici posset sed historia, neque similitudo sed res ipsa, tali tamen similitudine simpliciores quique possunt clarius
40 videre quid eis appetendum quidve vitandum sit vel quid cui praeferendum. Potest et hoc exemplum nonnullis prodesse monachis, qui videlicet monasterialis quietis et silentii taedio affecti exteriorum curarum occupationibus quaerunt implicari [b], aut certe prioratus vel etiam abba-
45 tiae magisterio sublimari, nequaquam profecto attendentes quia de tranquillitatis iucunditate ad vexationis dolorem, de pacis dulcedine affectant transire ad sollicitudinis amaritudinem, adeo ut quosdam hodie videamus

a. Cf. Job 1, 13-18 || b. Cf. II Tim. 2, 4

---

1. On a ici un témoignage intéressant sur l'essor du commerce au XIIe siècle et les sentiments mêlés qu'il suscitait chez les contemporains (R. PERNOUD, *Histoire de la bourgeoisie en France*, t. 1, Paris 1960, p. 9-11). La carrière de S. Godric de Finchale, mort en 1170, est fort

plus de perdre une chose qu'il ne s'était réjoui de l'acquérir. En outre, il était pressuré à l'excès tantôt par ses seigneurs, tantôt par les juges, tantôt par les préposés aux impôts. Après s'être laissé longtemps miner par ce tourment continuel, il se mit un jour à songer en lui-même à la vie si paisible qu'il menait autrefois quand il n'avait que son hoyau, avec lequel il se procurait cependant de quoi vivre. Il remuait anxieusement ces pensées, et voici qu'arrivèrent différents messagers, annonçant que ses biens avaient subi de graves dommages [a]. Aussitôt, comme saisi de démence, sans rien dire à personne, il se précipita dehors, sortit seul de la ville et, courant à en perdre le souffle, regagna son ancienne demeure à la campagne. Ayant échangé son manteau pour un hoyau, il embrassa avec une joie souveraine, comme la plus douce des nourrices, son humble vie d'autrefois [1].

2. Cette parabole établit donc qu'une vie pauvre est plus agréable qu'une existence opulente. Et quoique l'histoire que je viens de raconter ne soit peut-être jamais arrivée dans les faits — car cela ne pourrait s'appeler parabole, mais récit ; ni analogie, mais réalité tout court —, une telle analogie permet aux plus simples de voir plus clairement quoi désirer, quoi éviter, ou quoi préférer. Cette leçon peut aussi profiter à un certain nombre de moines qui, dégoûtés de la tranquillité et du silence du monastère, cherchent à s'engager dans les occupations qu'offre l'administration des affaires extérieures [b], ou en tout cas à s'élever par d'importantes charges, priorat ou même abbatiat, sans s'aviser du tout qu'ils ambitionnent de passer de la joie du repos à de douloureux tourments, d'une douce paix à d'amers soucis. Si bien que nous en voyons aujourd'hui quelques-uns retourner avec ardeur

semblable à celle du héros de la *Par.* 34 (voir *Acta Sanctorum* mai, V, p. 68-85 ; *Vitae Patrum Occidentis* II, p. 102).

post expertam praelationis anxietatem ad privatae quie-
50 tem vitae desideranter redire nulloque eos postmodum pacto ut denuo praeesse velint compelli posse. Sed et religiosus quisque, qui iam consuevit Deo vacare quique *gustavit et vidit quoniam suavis est Dominus*[c], si postea eum quovis contigerit casu *saecularibus implicari nego-*
55 *tiis*[d], procul dubio vel ore fateri vel corde sentire, conscientia propria convincente, cogetur, incomparabiliter suavius esse spiritalibus quam corporalibus studere. Unde et sancti viri gravis dispendii detrimentum incurrisse se arbitrantur, si quando eos acciderit a divinorum
60 meditatione vel ad horam aliqua avelli necessitate. Hinc est quod, sicut relatum est mihi, dulcis et piae memoriae domnus Anselmus archiepiscopus, interrogatus quadam vice a quibusdam fratribus an ipse terrenis aliquando intenderet curis : « Non vacat mihi, o, inquit, filii, talibus
65 operam dare. »

3. Si ergo praedictus rusticus quantum ad temporalis quietis recuperationem bene sibi providisse, divitias deferendo, noscitur, quanto magis nos, monachi, spiritalis et salubris gratia otii postponere mundana debemus ?
70 Sane *absque eo quod intrinsecus latet*[e], excepta etiam aeternae gloriae acquisitione, monachus qui quieti, mansuetudini et simplicitati studet, iam in praesenti quoque beatitudinis cuiusdam retributione donatur iamque quasi quadam paradisiaca amoenitate fruitur, dum in corde
75 vitiis Dei dono repressis, pacem habet et exterius nec ipse alteri nec alter ei molestus est. Nam quia placida semper mente respondet, non invenit qui turbulentum contra eum sermonem proferat, aut si forte quemquam

57 esse suavius *C* || 70 latet : adest *add. CD*

c. Ps. 33, 9 || d. II Tim. 2, 4 || e. Cant. 4, 1.3

à la tranquillité d'une existence de simple moine après avoir fait l'expérience des inquiétudes du supériorat ; et rien ne peut plus les forcer à assumer de nouveau le gouvernement. De même un religieux qui a déjà pris l'habitude de vaquer à Dieu et qui *a goûté et vu combien le Seigneur est doux*[c] : si un hasard quelconque lui vaut *d'être engagé* par la suite *dans les affaires du monde*[d], il sera contraint sans aucun doute soit d'avouer des lèvres soit de ressentir en son cœur, convaincu par sa propre conscience, qu'il est incomparablement plus doux de s'appliquer aux réalités spirituelles qu'à des tâches matérielles. Aussi les hommes saints estiment-ils avoir subi une perte ou un dommage grave s'il arrive que la nécessité les arrache ne serait-ce que pour une heure à la méditation des réalités divines. On m'a raconté que le seigneur archevêque Anselme, de douce et pieuse mémoire, dit un jour à des frères qui lui demandaient s'il se laissait parfois absorber par des soucis terrestres : « Je n'ai pas le loisir, mes fils, de m'occuper de ce genre de chose. »

3. Si donc on reconnaît que le paysan ci-dessus a bien pourvu au recouvrement d'une tranquillité toute temporelle en abandonnant ses richesses, combien plus nous, moines, devons-nous sacrifier les affaires mondaines pour l'amour d'un salutaire loisir spirituel ! Assurément, *indépendamment de ce qui est caché au-dedans*[e], à l'exception aussi de la gloire éternelle à acquérir, un moine qui s'applique à la tranquillité, à la douceur et à la simplicité est gratifié dès à présent d'une certaine béatitude, jouit déjà en quelque sorte des charmes du paradis. Une fois ses vices réprimés par le don de Dieu, son cœur est en paix ; au plan extérieur, il n'est pas à charge à autrui et autrui ne lui est pas à charge. Comme c'est toujours l'esprit tranquille qu'il répond, il ne se trouve personne pour proférer contre lui une parole orageuse, ou si par

invenerit, citius alterius commotionem sua sedat lenitate,
80 ita ut in eo etiam secundum impleri videatur litteram quod Dominus dixit : *Beati mites, quoniam ipsi possidebunt terram*[f]. Quis enim super terram melius degit quisve in hac vita iucundius vivit quam cui sufficit quod habet et nemo ei adversatur vel molestiam infert, insuper ae-
85 ternae vitae post mortem percipiendae spem pro bonae conscientiae fiducia retinet ? Nempe reges terrae et principes, si eis quod habent sufficeret, aut nemo eis adversaretur vel molestiam inferret, non tot bella et seditiones moverent quibus hodie totum mundum cernimus confu-
90 sum. Post mortem vero tot se suppliciis tradendos quot hic vitiis possidentur iam nunc sibimet conscii sunt.

4. Soli vere *terram possident* qui caelum quaerunt. Nam ceteri non illam possident, sed ab ipsa possidentur. Soli vere divites sunt qui divitias non cupiunt. Nam
95 cupidi quique, dum semper egent his quae cupiunt, semper egeni sunt. Soli bene praesunt quos praelatio ipsa non delectat. Nam si extolluntur, quomodo alios regent qui se ipsos regere nesciunt ? Da praelationem respuenti, da divitias nolenti, qui haec non admiretur, non magni-
100 pendat. Hic solus ea utiliter dispensabit, solus prudenter diiudicabit ; hic fructum boni operis quaeret in eis, non extollentiam vanitatis. Qui vero talium appetitum in se reprimere nescierit vel horum desiderio illaqueari se senserit, aut exemplo supra nominati rustici fugiat ne ab eis

95 quique : vel quia *add. CD*

f. Matth. 5, 4

hasard cela arrive, sa délicatesse apaise vite l'émotion d'autrui. Aussi ce qu'a dit le Seigneur semble s'accomplir en lui, même selon la lettre : *Bienheureux les doux, car ils posséderont la terre*[f]. Qui donc vit mieux sur terre, qui mène en cette vie une existence plus joyeuse que l'homme qui se contente de ce qu'il a, à qui personne n'est hostile, à qui personne ne cause d'ennuis, et qui garde en outre l'espoir de recevoir la vie éternelle après sa mort, grâce à la confiance née d'une conscience bonne ? Si les rois de la terre et les princes se contentaient de ce qu'ils ont, ou si personne ne leur était hostile ni ne leur causait d'ennuis, ils ne provoqueraient pas toutes ces guerres et discordes que nous voyons aujourd'hui bouleverser le monde entier. Et ils se rendent compte dès maintenant qu'après leur mort ils seront livrés à des supplices aussi nombreux que les vices dont ils sont esclaves ici-bas.

4. Ceux-là seuls *possèdent* vraiment *la terre* qui cherchent le ciel. Car les autres ne la possèdent pas ; ils en sont possédés. Ceux-là seuls sont vraiment riches qui ne convoitent pas les richesses. Car ceux qui les convoitent sont toujours dans le besoin, à force de ressentir toujours le besoin de ce qu'ils convoitent. Seuls font de bons supérieurs ceux qui ne prennent pas plaisir à l'être. Car s'ils s'élèvent, comment gouverneront-ils autrui, eux qui ne savent pas se gouverner eux-mêmes ? Donne le supériorat à qui le repousse ; donne les richesses à qui n'en veut pas, ne les admire pas, n'en fait pas grand cas. Lui seul en disposera valablement, lui seul décidera avec prudence ; il cherchera en elles le fruit d'une œuvre bonne, non une orgueilleuse vanité. Mais quiconque ne sait pas réprimer en soi le désir de pareilles choses, ou bien qu'il se rende compte qu'il est pris au piège de ce désir ; ou bien, de peur d'en devenir prisonnier, qu'il fuie à l'exemple du paysan ci-dessus ; ou bien,

105 capiatur, aut ad instar Democriti demergat ea ne ipse ab illis demergatur ; nisi quod philosophus divitias suas melius demersisset in ventres pauperum quam in maris profundum.

5. O philosophe, thesaurus tuus quid commiserat ut 110 eum disperderes ? Aurum quid peccarat ut illud obrueres ? Cupiditas siquidem est. Avaritia utique mala est. Superfluus appetitus culpabilis est. Appetitus vero tuus errat. Avaritia ipsa ex te prodierat. O sapiens, immo desipiens, res inanimata talium passionum expers est ! 115 Omnis denique creatura Dei bona est. Nempe res, *cui* nec *velle* nec nolle *adiacet*[g], peccare non potest. Tibi Deus rationem dederat, tibi intellectum infuderat, tibi mentis arbitrium concesserat quo bona a malis discernere posses, quo vitia respueres et virtutes appetere debuisses. 120 Alioquin homo liberi arbitrii non exsisteret ; alioquin, inquam, nec pro malo opere damnandus nec pro bono remunerandus quis esset. Nunc vero omnis rationalis creatura, si peccaverit, inexcusabilis est[h] ; et quotiens offendit, ipso *conscientiae suae testimonio*[i] reus est. Tu 125 ergo potius demergendus eras, nam pecunia innocens erat. Tu mentis lumen amiseras, nam aurum more suo fulgebat. Nunc autem tu aurum quidem proiecisti, sed

105 Democriti : vel (id est *C*) philosophi *add. CD* || 107 demersisset : emer- *C* || 124 ipso *scripsi :* ipse *CD*

g. Rom. 7, 18 || h. Cf. Rom. 1, 20 || i. II Cor. 1, 12

1. Le fait est mentionné par CICÉRON, *Tusc.* V, 114-115 ; *Fin.* V, 87 ; SÉNÈQUE, *Prov.* 6, 2 ; *Ep.* 76, 20. Au XIIe siècle, le PS.-HILDEBERT DU MANS le rapporte dans les termes suivants : « Un certain philosophe, en effet, vendit tout son héritage, et ayant reçu l'argent, s'avança dans la mer ; et lorsqu'il fut en eau profonde il lança l'argent, ses richesses, dans la mer en disant : " Allez-vous en au fond, pernicieuses richesses. Je vous engloutis de peur que vous ne m'engloutissiez » (*PL* 171, 896 D). Voir aussi THOMAS LE CISTERCIEN, *In Cant.* II (*PL* 206, 726 C-D).

à l'instar de Démocrite, qu'il noie ses richesses de peur d'être noyé par elles[1] ; si ce n'est que le philosophe aurait mieux fait de les noyer dans les ventres des pauvres, plutôt qu'au fond de la mer[2].

5. O philosophe, qu'avait fait ton trésor pour que tu l'anéantisses ? Quel péché l'or avait-il commis pour que tu l'engloutisses ? Car c'est la cupidité qui est un vice. L'avarice est mauvaise. Le désir du superflu est coupable. Or c'est ton désir qui fait fausse route. L'avarice venait de toi. O sage — bien au contraire, fou ! — un objet inanimé n'éprouve pas de telles passions ! Toute créature de Dieu est bonne. Une chose *à qui il* n'*appartient* ni *de vouloir* ni de ne pas vouloir[g] ne peut pécher. C'est à toi que Dieu avait donné la raison, en toi qu'il avait répandu l'intelligence, à ton esprit qu'il avait accordé le jugement, grâce auquel tu pouvais distinguer les biens des maux, au moyen duquel tu aurais dû rejeter les vices et désirer les vertus. Autrement l'homme ne se montrerait pas doué de libre arbitre ; autrement, dis-je, personne ne devrait être condamné pour une œuvre mauvaise ni récompensé pour une œuvre bonne. Mais en fait toute créature raisonnable est inexcusable[h], si elle pèche ; chaque fois qu'elle commet une faute, le propre *témoignage de sa conscience*[i] la condamne. C'est donc plutôt toi qu'il aurait fallu noyer, car l'argent était innocent. Toi, tu avais perdu la lumière de l'esprit ; l'or, lui, brillait comme d'habitude. Maintenant donc, tu as jeté l'or loin de toi,

2. PHILON (*Contempl.* 14) et CLÉMENT D'ALEXANDRE (*Quis dives* 11, 4) ont pareillement reproché à Démocrite « d'avoir agi par égoïsme, sans songer à utiliser [ses] ...richesses au service de [ses]...parents, de [ses] amis et des indigents » (C. RAMBAUX, *Tertullien face aux morales des trois premiers siècles*, Paris 1979, p. 162). En revanche, S. JÉRÔME évoque cet exemple de renoncement sans le critiquer (*Ep.* 58, 2 ; 66, 8 ; 71, 3 ; *In Matth.* 3, 19, 28).

in infernum demersus ipse. Et aurum siquidem nil mali fecit, tua vero poena aeternalis est.

130 **6.** Melius ergo et sapientius egit rusticus divitias fugiendo quam philosophus eas submergendo. Qui enim fugit, aut victum, aut reum se esse ostendit. Qui vero alium demergit, non se sed illum culpabilem esse demonstrare contendit. Itaque rusticus, quem noxia divitia-
135 rum cupiditas reum fecerat et laboriosa earum sollicitudo vicerat, veritatem fugiendo fatetur ; philosophus vero, dum aurum disperdidit, quasi culpabile esse testatur. Errat ergo philosophus, cum a veritatis tramite non discedat rusticus. Sed ille per gloriae inanis diverticulum
140 a rectitudinis via aberrabat, hunc vero simplicitas sua dirigebat. Ille enim aurum suum marinis dedit procellis, ut popularem ex eo favorem emeret ; hic vero, quia se mundanis dederat tempestatibus, ad quietis portum exire festinabat.

---

145 A. Sic et monachus qui nonnunquam libet vel eremita, dum eum laboris vel paupertatis suae taedet, ad saeculum revertens, mundanis *se implicat negotiis*[j] ; sed eorum amaritudine comperta et in mentis lance pariter cum pristina quiete appensa, dum se videt maiori labore infernum mereri, qui prius caelum acqui-
150 rebat, male relictam avide repetit religionem.

142-143 mundanis se *C* ‖ 144 festinabat : -navit *C*

j. II Tim. 2, 4

1. « Du chemin de la vérité *(a veritatis tramite)* » : métaphore d'origine platonicienne (*Phédon* 66 b) préservée et transmise par la littérature patristique latine depuis S. Ambroise. Sur l'origine et l'évolution sémantique de la formule voir P. COURCELLE, *Connais-toi toi-même. De So-*

mais tu es toi-même plongé en enfer. Et l'or n'a rien fait de mal, mais ton châtiment à toi est éternel.

6. Le paysan a donc mieux agi et avec plus de sagesse en fuyant les richesses que le philosophe en les engloutissant. Car quiconque fuit laisse voir qu'il est soit vaincu, soit coupable. Mais qui en noie un autre s'efforce de démontrer que c'est l'autre et non lui-même qui est coupable. Aussi le paysan que la convoitise criminelle des richesses avait rendu coupable, et qu'avait vaincu leur pénible souci, avoue la vérité en fuyant ; tandis que le philosophe, en anéantissant son or, l'affirme coupable en quelque sorte. Le philosophe est donc dans l'erreur, tandis que le paysan ne s'écarte pas du chemin de la vérité [1]. Le premier s'égarait loin de la voie de droiture par le sentier détourné de la vaine gloire, tandis que le second se laissait guider par sa simplicité. Le premier donna son or aux ouragans marins pour acheter les applaudissements du peuple, tandis que le second, parce qu'il s'était livré aux tempêtes du monde, se hâtait de les quitter pour un havre de tranquillité.

A. Ainsi le moine ou l'ermite qui parfois, dégoûté de son labeur ou de sa pauvreté, retourne au siècle en *s'engageant dans les affaires* mondaines [j]. Mais une fois qu'il en a éprouvé l'amertume et l'a mise en balance dans les plateaux de son esprit, avec sa tranquillité d'auparavant, il se voit, lui qui gagnait précédemment le ciel, en train de mériter l'enfer en se donnant beaucoup plus de peine ; et il reprend avidement la vie religieuse qu'il avait eu le tort d'abandonner.

crate à Saint Bernard, t. 3, Paris 1975, p. 638-645. En particulier, sur l'opposition *trames* (chemin) — *diverticulum* (sentier détourné), cf. p. 645, n. 111.

XXXIV

DE EO QUI STIMULUM CARNIS [a] SUSTINET

1. Erant duo socii non quidem aliqua inter se parentela coniuncti sed foedere magnae amicitiae, adeo ut non solum eis domus una unaque familia, sed et *omnia essent communia* [b]. Verumtamen unus ex eis impiger, ingeniosus 5 et strenuus erat, cum alter esset econtra tardus et hebes ac segnis. Ab illo itaque strenuo tota domus eorum et familia regebatur universaque ipsorum negotia disponebantur ; nam alius nihil fere operis agebat, nisi prius ei alter quidquid facturus erat ostenderet.

10 Contigit vero potiorem illum gravi quodam morbo infirmari diuturnoque languore detineri in tantum ut, quia prae aegritudine rei eorum familiari providere non poterat, vehementer iam pauperescere inciperent et ex magnis facultatibus ad inopiae malum devenire. Cumque 15 die quadam mutuo loquerentur et de infortunio suo quaererentur, coeperunt optando dicere et etiam Deum hoc exorare ut segnis ille socius pro illo meliore aegrotaret et ipse potius loco vel vice eius isto tam longo, vel aliquantum temporis, detineretur languore, antequam 20 substantiola eorum penitus, ut iam coeperat, deperiret. Quod et divina mox dispensatione factum est. Nam qui

5 tardus econtra *D*

34

L'HOMME QUI ENDURE L'AIGUILLON DE LA CHAIR[a]

1. Il était une fois deux compagnons, unis non par la parenté mais par le pacte d'une grande amitié, au point de n'avoir pas seulement une seule maison et une seule domesticité : *tout leur était commun*[b]. Cependant l'un d'eux était actif, intelligent et vif, l'autre au contraire borné, mou et apathique. L'homme actif gouvernait entièrement leur maison et leur domesticité et réglait toutes leurs affaires ; l'autre n'accomplissait à peu près aucun travail sans que le premier lui montre d'abord quoi faire.
Or il arriva au plus capable de tomber gravement malade et d'être arrêté en raison d'une longue faiblesse, si bien qu'il ne pouvait pourvoir à leurs affaires domestiques en raison de son mal. Aussi commençaient-ils à beaucoup s'appauvrir ; d'abord pourvus d'importantes ressources, ils s'acheminaient vers un pénible dénuement. Et comme un jour ils parlaient ensemble et se plaignaient de leur infortune, ils se mirent à souhaiter, et même à implorer de Dieu, que le partenaire apathique tombe malade au lieu de l'autre, le meilleur, et soit plutôt arrêté à sa place par cette longue maladie, au moins pendant un certain temps, avant que leur petit bien ne se perde tout à fait — la chose commençait déjà à se produire. Par une disposition de Dieu, cela arriva aussitôt : le

a. Cf. II Cor. 12, 7 || b. Act. 4, 32

sanus erat paulatim languere coepit ; qui vero infirmabatur, convalescere ; ita tamen ut deinceps uterque eorum non quidem simul sed vicissim seu alternatim aegrotaret, 25 quatenus altero convalescente, alter accumberet illoque infirmante, alter sanus fieret, sic videlicet ut numquam antea alter plene redderetur sanitati, nisi primum alius languere coepisset.

Quae profecto languendi vicissitudo, quia item sapien- 30 tiori illi nonnulli impedimenti erat qui familiam eorum gubernandam susceperat, rursus inter se statuerunt ut, Deo denuo largiente, hebes ille comes iugem et continuam tali pacto sustineret infirmitatem, ut alterius sanitas amplius non interrumperetur, qui utique rebus illorum pro- 35 curandis utilior et necessarior videretur. Cumque et hoc superna eis bonitas indulsisset, factum est ut bona eorum solito copiosiora brevi efficerentur, nec ipsa deinceps pecunia in aliquo minueretur. Cum ergo diu sic permansissent, Deo eos miserante, tandem contigit ut neutrum 40 eorum infirmari necesse esset, sed uterque sanus, uterque incolumis et iucundus cotidianas, immo assiduas redderent tam bono medico suo, omnipotenti Deo, gratias.

2. Dicendum est iam compendiose quid haec significent. Duo hi socii, corpus et anima sunt. Qui cum diversa 45 sint origine, unius tamen societatis nectuntur coniunctione. Et corpus quidem naturaliter pigrescit, anima vero interno pollet vigore. Ipsa familiam cogitationum vel quinque sensuum exteriorum regit, corpus vero nihil nisi per eam operatur. Aliquando vero anima, quae melior 50 sodalis est, tanta luxuriae febre aegrotat ut, spiritali eorum substantia depereunte, interna domum mentis ino-

30 impedimenti *scripsi* : -mento *D* *lacuna mater. C*

---

1. L'image traditionnelle du Christ médecin (voir *DSp* 10, 1980, c. 891-902), par une transposition originale, est ici appliquée au Père, Dieu Tout-Puissant.

partenaire en bonne santé se mit peu à peu à s'affaiblir, le partenaire malade à se remettre. Par la suite cependant tous deux étaient malades, non pas ensemble mais à tour de rôle, alternativement. Du moment que l'un se remettait, l'autre se mettait au lit ; et quand le premier tombait malade, le second guérissait : ainsi l'un ne retrouvait jamais pleinement la santé sans que l'autre ne commence à s'affaiblir.

Étant donné que ces maladies successives constituaient également un certain handicap pour le plus sage des deux, chargé de gouverner leur maisonnée, ils conclurent un nouvel accord : si Dieu dans sa générosité le leur accordait, le partenaire engourdi supporterait désormais d'être continuellement malade pour que la santé de l'autre ne souffre plus d'interruption ; ce dernier semblait en effet plus utile et plus nécessaire pour ce qui était d'administrer leurs biens. La Bonté d'en haut leur ayant concédé également cela, ils eurent sous peu plus de biens que par le passé, et leurs économies n'eurent plus à souffrir. Après qu'ils furent restés longtemps dans cette situation, enfin, par la miséricorde de Dieu, aucun des deux n'eut plus à être malade : sains tous les deux, tous deux joyeux et en bonne forme, ils rendaient grâces quotidiennement, mieux continuellement, à leur si bon médecin, le Dieu tout-puissant [1].

2. Disons maintenant en abrégé ce que cela signifie. Ces deux compagnons sont le corps et l'âme. Ils sont d'origine différente, mais unis par une commune société. Or le corps est naturellement engourdi, tandis que l'âme est riche en vigueur interne. C'est elle qui gouverne la domesticité des pensées, ou des cinq sens extérieurs ; le corps, lui, ne fait rien sinon grâce à elle. Mais l'âme, la meilleure des deux partenaires, souffre parfois d'une telle fièvre de luxure que leur fortune spirituelle va à sa perte et que le dénuement intérieur fond sur la maison de

pia apprehendat. A quo languore nonnumquam aliter nequit sanari nisi corpus pro ea infirmari coeperit et per illius debilitatem haec ad salutem Deo annuente redierit
55 pristinam, ita tamen ut, quamdiu corpus per abstinentiam infirmatum fuerit, tamdiu animae sanitas perduret ; sin vero caro per parsimoniae relaxationem convalescere denuo cœperit, mox spiritus per libidinis impugnationem febricitare iterum incipiat numquamque alter nisi altero
60 aegrotante sanus sit. Sed quia ex hac infirmandi alternatione hi duo socii spiritale sustinent detrimentum, rursus Dei munere intra se statuunt ut caro potius iugiter infirmetur quam animae salus vel ad horam interrumpatur, quia melius est, sicut et scriptum est, ut tempo-
65 raliter potius maceremur, quam poenis deputemur aeternis[c]. Quod postquam quis fecerit, cellarium mentis Deo iuvante divitiis solito amplioribus replebit, nec ulterius spiritalis paupertatis incurret miseriam ; sed et id muneris spiritalis nonnulli caelitus percipiunt ut, naturali carnis
70 incendio per divini roris infusionem paulatim exstincto, iam non necesse sit corpus abstinentiae morbo debilitari, sed potius, utraque hominis substantia vigente et prosperante, utraque congruae sanitatis dono perfruente, servi Dei in semet ipsis iam sentiant unde semper grati, semper
75 devoti mirabili liberatori suo exsistant.

3. Sed et ego his meis qualibuscumque verbis vel quantumcumque puerilibus terminum daturus, quantas

c. Cf. Matth. 5, 29-30

1. S. BERNARD a exprimé une considération analogue : « Et lorsqu'il [l'hôte du corps, c'est-à-dire l'âme] sera parvenu auprès de son Seigneur, il parlera en ta faveur et dira du bien de celui qui l'aura si bien reçu, il plaidera en ces termes : " Du temps où ton serviteur, en punition de sa faute, connaissait l'exil, un pauvre, auprès duquel j'ai trouvé l'hospitalité, a pratiqué la miséricorde à mon égard. Puisse alors mon

l'esprit. Souvent l'âme ne peut guérir de cette affection que si le corps tombe malade à sa place : la faiblesse de ce dernier lui rend sa santé première, si Dieu y consent, mais de telle sorte que cette santé ne dure que tant que le corps est affaibli par l'abstinence. Que l'abstinence se relâche et que la chair se remette, le désir charnel attaque et l'esprit est repris par la fièvre. Aussi l'un n'est jamais sain sans que l'autre soit malade. Mais cette alternance est spirituellement dommageable pour nos deux compagnons ; par le don de Dieu, ils se mettent donc d'accord pour que la chair soit continuellement malade, plutôt que de laisser la santé de l'âme connaître ne serait-ce qu'une heure d'interruption. En effet, comme il est écrit, nous mortifier dans le temps vaut mieux qu'être destinés aux châtiments éternels[c]. Cela fait, on remplit, Dieu aidant, le cellier de son esprit de richesses plus grandes que par le passé, sans plus encourir ce malheur qu'est la pauvreté spirituelle[1]. Mais certains reçoivent également du ciel le don spirituel suivant : une pluie de rosée divine éteint peu à peu l'ardeur naturelle de la chair, de sorte qu'il n'est plus nécessaire d'affaiblir le corps par cette maladie qu'est l'abstinence. Bien plutôt, la double substance de l'homme, heureuse et pleine de vigueur, jouit sans interruption du don d'une égale santé ; et les serviteurs de Dieu éprouvent déjà en eux-mêmes de quoi se montrer toujours reconnaissants, toujours entièrement consacrés à leur admirable libérateur.

3. Or moi aussi, au moment de mettre un terme à mes paroles, quoi qu'elles vaillent, si puériles soient-elles, je

Seigneur le récompenser à ma place ! C'est vrai, il a d'abord offert tout ce qu'il avait, il s'est ensuite exposé lui-même pour me rendre service. Pour moi, il ne s'est pas épargné, il a multiplié ses jeûnes et n'a cessé d'endurer labeurs, veilles démesurées, faim et soif, et même froid et nudité » (*AdvA* 6, 5 : *SBO* 4, p. 194).

umquam queo gratias ago Deo, quia quantum ad meam imperitiam, ad meam parvitatem, ad meam attinet indi-
80 gnitatem, vere magnum et quasi stupendum videri potest si quid umquam, quod quidquid valeat, dico, et tunc re vera sicut asina illa Balaam loqui mihi videor[d].

79 attenet *D*

rends grâces à Dieu tant que je peux. Car vu mon inexpérience, ma petitesse, mon indignité, cela mérite de paraître vraiment grand, stupéfiant en quelque sorte, si je dis jamais mot qui vaille ; et alors je me fais réellement l'effet de parler comme la fameuse ânesse de Balaam [d] !

d. Cf. Nombr. 22, 27-30

XXXV

EXCUSATIO SEU SATISFACTIO AD LECTOREM

1. Libellum hunc finiturus, mirantem forte quempiam et mihi etiam indignantem quod, nullo fere ingenii acumine fretus, hoc scriptitare praesumpserim, tali responsione satisfaciendo placare cupio.

5 Veniens aliquando ad nundinas, vidi negotiatorum turbam multa et varia mercium genera in publicum proferentem. Et alii quidem vestes egregias et pretiosissimas, alii vero mediocres, alii etiam viles et semiveteres pannos emptoribus proponebant ; et puto plures vilia quaeque
10 vel quae mediocris erant pretii quam pretiosa et praeclara emebant.

Ita et ego, qualiscumque venditor, dum has paupertinas merces meas coram fratribus explico, veniat quicumque vult, revolvat, scrutetur : si quid forte aptum sibi
15 et congruum reperirit, comparet. Nec multum est carum quod ei vendo, nec magnum est pretium quod ab eo postulo. Tantummodo favoris sui et benevolentiae pretium attribuat et pura ac simplici intentione haec legat : et confido in Domino quod aedificationis aliquid et spi-
20 ritalis instructionis secum reportabit.

35

AU LECTEUR : EXCUSE OU JUSTIFICATION

1. Sur le point de terminer ce petit livre, je voudrais apaiser quiconque s'étonnerait et s'indignerait même contre moi de ce que j'ai eu la présomption d'écrivailler sans être doué de la moindre finesse intellectuelle, ou peu s'en faut. Je me disculpe donc par la réponse suivante.

Un jour, arrivant au marché, j'ai vu une foule de commerçants qui étalaient aux yeux du public des marchandises nombreuses et variées. Les uns proposaient aux acheteurs des habits de qualité supérieure et de très grand prix, d'autres des vêtements de qualité moyenne, d'autres encore des hardes bon marché et à demi usées ; et je crois bien que les effets bon marché ou d'un prix moyen trouvaient plus d'acheteurs que les vêtements coûteux et excellents.

De même le petit vendeur que je suis. Je déploie mes pauvres marchandises que voici devant les frères, vienne qui voudra : qu'il déroule, qu'il examine. S'il trouve par hasard quelque chose qui lui aille, qui lui convienne, qu'il l'achète. Ce que je lui vends n'est pas bien cher, je ne lui en demande pas un prix élevé. Qu'il me donne seulement pour prix sa sympathie et sa bienveillance, et qu'il lise ceci avec une intention simple et pure : j'ai confiance dans le Seigneur qu'il en rapportera quelque chose en fait d'édification et d'enseignement spirituel.

2. Cui vero displicet quod tot hic parabolas pono, quid aliud respondebo, quam quod ipsius Domini exemplo hoc ago ? Quod vero virtutes cum vitiis altercari facio, Apostolus me docuit cum dixit : *Video aliam legem*
25 *in membris meis repugnantem legi mentis meae*, et cetera [a]. Quod autem virtutes inter se vel etiam vitia colloqui describo et has quidem ad benefaciendum, illa vero ad nocendum mutuo semet provocare designo, hac utique ratione facio, quam et tu in in temet ipso, si bene
30 attendas, experiri potes : quia re vera virtus virtuti et vitium vitio incitamentum quoddam promotionemque ministrat. Unde et scriptum est : *Abyssus abyssum invocat* [b]. Ideo vero non continuum tractatum sed varias et breves edere sententias studui, ne prolixum et uniforme opus
35 taedio esset, quia et cum cibi mihi coenaturo apponuntur, malo ut sint diversi et varii quam unius generis. Eadem etiam causa quaedam in modum fabulae narro et quodam dictorum lepore vel blandimento lectoris fastidium illudo.

a. Rom. 7, 23 || b. Ps. 41, 8

2. Mais que répondrai-je à qui me désapprouverait d'aligner tant de paraboles, sinon que je le fais à l'exemple du Seigneur lui-même ? Je fais se disputer vertus et vices ? L'Apôtre me l'a appris en disant : *Je vois une autre loi dans mes membres qui lutte contre la loi de mon esprit,* etc. [a] Je dépeins vertus ou vices en train de tenir un colloque et les représente en train de se provoquer mutuellement, les unes à faire du bien, les autres à nuire ? je le fais pour la raison suivante — et toi aussi tu peux l'éprouver en toi-même, en faisant bien attention — : la vertu stimule et promeut vraiment la vertu, et le vice en fait autant pour le vice. D'où cette parole : *L'abîme appelle l'abîme* [b]. Je me suis appliqué à produire non un traité continu mais des sentences variées et brèves, de peur qu'une œuvre prolixe et uniforme n'engendre l'ennui : quand on me sert des mets au dîner, j'aime mieux qu'ils soient divers et variés plutôt que d'une seule sorte. C'est pour la même raison que je raconte certaines choses sous forme d'histoires, et trompe le dégoût du lecteur par l'agrément ou le charme des mots.

EPISTOLA DOMNI GALANDI REGNIACENSIS AD SANCTUM BERNARDUM CLARAEVALLIS ABBATEM

Benignissimo patri domno Bernardo, mansuetissimo ac discretissimo abbati religiosissimi coenobii quod in Claris Vallibus non frustra constitutum esse dicitur, sed ideo potius quia vere lucidis et modestis traditionibus insti-
5 tutum noscitur et frumento spiritali abundare [a] (A) et divinarum fontibus gratiarum irrigari [b] (B) ibique egregius ille *flos campi et lilium convallium* redolere [c] (C) probatur, <frater Galandus> : supersincerum et devotae salutationis et debitae subiectionis obsequium.

10 **1.** Postquam *mulier puerum peperit* [d], quamvis ei nutrices deputet etiam numero plures, etiam sollicitudine pervigiles, etiam peritia sagaces, studet tamen et ipsa saepius adesse, crebro circuire, frequenter respicere et quae circa parvulum aguntur anxia et pavida observare.
15 Sed et agricola, postquam iam vites seu arbores ceteras plantaverit, licet eas iam radicasse cognoverit, licet iam vivere viriditate prodente conspexerit, persaepe tamen eodem reversus non cessat vel circa earum stipites fodere,

Inscriptionem posui (vide epistolam in capite libelli) : om. CD
2-24 coenobii — diverticulis *om. lacunae materialis causa C* || 8 <frater Galandus> *supplevi (vide epist. in capite libelli, p.* 46, *l.* 4) : *om. D*

a. Cf. Ps. 64, 14 || b. Cf. Ps. 103, 10 || c. Cant. 2, 1 || d. Jn 16, 21

LETTRE DE DOM GALAND DE REIGNY A SAINT BERNARD, ABBÉ DE CLAIRVAUX

Au Père très bon Dom Bernard, très doux et très prudent abbé d'un si religieux « coenobium » — dont on ne dit pas pour rien qu'il est établi en de Claires Vallées, car il est reconnu qu'il est fondé sur des traditions vraiment lumineuses, qu'il regorge de froment spirituel[a] (A), que les sources des grâces divines l'irriguent[b] (B), et que cette fleur hors pair, *fleur des champs et lis des vallées,* y répand son parfum[c] (C) —, le frère Galand : mes hommages supersincères, avec mes salutations dévouées et la soumission que je vous dois.

1. Quand *une femme a mis un enfant au monde*[d], et quoiqu'elle lui ait donné des nourrices — si nombreuses soient-elles, si vigilantes et attentives, si habiles à force d'expérience —, elle cherche à être bien souvent là en personne ; fréquemment elle fait sa ronde, jette fréquemment un coup d'œil, et surveille, anxieuse et craintive, ce qu'on fait au petit[1]. Le cultivateur, lui aussi, une fois ses vignes ou ses arbres plantés, et même s'il reconnaît qu'ils ont pris racine, même s'il les voit verdoyants, donc vivants, revient cependant très souvent et ne cesse, soit

1. Pour la signification de ce thème chez les auteurs monastiques et particulièrement chez les cisterciens, voir C.W. BYNUM, *Jesus as Mother. Studies in the Spirituality of the High Middle Ages,* Berkeley - Londres 1982.

vel aquarum irrigationibus radices infundere, vel stercorum pinguedine terram incrassare, vel superflua quaeque et nimis luxuriantia flagella amputare, vel teneros adhuc debilesque ramusculos obicibus quibusdam fulcire vimineisque seu corticeis nexibus vincire, vel supervenientes aquarum hiemalium impetus effossis hinc diverticulis abducere, vel etiam saepis aut maceriae ambitu circumdare, cetera quoque debitae culturae exercitia, quae ruricolae melius novere, impendere.

2. Carissime Pater, quaeritisne quo haec spectent ? His nempe similitudinibus beatitudo vestra convenitur, huiuscemodi querimoniis pietas vestra excitatur et ad eam plus cordis devotione quam vocis pronuntiatione a nobis quodammodo clamatur : *Confirma*, Pater, *hoc quod operatus es in nobis*[e]. Quid enim ? Numquid minorem exigit culturam arbor inserta quam plantata ? Arbor quippe plantata, coenobium est in Claris Vallibus opere vestro a fundamentis constructum. Domus vero nostra, arbor alta est, non quidem a vobis radicitus plantata sed, acceptis ab illa priore arbore quibusdam surculis, laboris et culturae vestrae exercitio inserta. Alterius ergo qualitatis et naturae est ista quam illa atque pluribus patet periculis haec quam ea. Timendum quippe hic est ne forte veteres rami qui remanserant, excrescentes et superfluentes, insertos noviter surculos vel importunitatis nimiae pondere comprimant, vel spissitudinis suae opacitate adumbrent, vel inveterati suci amaritudine imbuant. Et quidem quae

37 non quidem : nonquid *D* || 40 atque *scripsi :* que *D* *lectio inintelligibilis C* || 42 remanserant : *hic desinit textus in codice C lacunae materialis causa*

e. Ps. 67, 29

1. S. Bernard a appliqué cette même image aux fondations récentes dans une lettre à Arnold de Morimond datée de 1124 : « Que vont devenir les jeunes pousses plantées par tes mains en divers lieux... ? Qui creusera autour ? Qui y mettra du fumier ? Qui les entourera d'une

de creuser autour des troncs, soit d'amener de l'eau pour irriguer les racines, soit d'engraisser la terre d'un riche fumier, soit de couper les pousses superflues et trop luxuriantes, soit de soutenir les petits rameaux encore frêles et faibles au moyen de tuteurs et de les attacher avec des liens d'osier ou d'écorce, soit de détourner le courant impétueux des eaux d'hiver au moyen de canaux, soit encore d'entourer ses plants de haies ou de murailles, et de leur prodiguer les autres soins de la culture qui leur est due, et que les paysans connaissent fort bien [1].

2. Père très cher, me demandez-vous où je veux en venir avec tout cela ? Ces comparaisons interpellent Votre Béatitude ; ces plaintes excitent votre bonté paternelle ; et nous crions en quelque sorte vers vous, plus par l'attachement de notre cœur qu'en prononçant des mots : *Confirme,* Père, *l'œuvre que tu as accomplie en nous* [e] *!* Quoi donc ? Un arbre greffé exigerait-il moins de soins qu'un arbre planté ? Certes, c'est un arbre planté que le « coenobium » que votre industrie a bâti depuis les fondations en de Claires Vallées. Notre maison aussi est un arbre élevé. Vous ne l'avez cependant pas planté depuis la racine : bien plutôt, greffé par votre soin et votre art d'arboriculteur, il a reçu des surgeons du premier arbre. Il n'a ni même nature, ni même qualité que ce dernier, et court plus de dangers que lui. On doit craindre que les vieilles branches de reste ne poussent et ne prolifèrent au point d'étouffer les surgeons nouvellement greffés sous leur poids par trop insupportable, de les ombrager de leur fourré opaque ou de les imprégner de leur sève

haie ? Qui aura soin de tailler les rejetons qui repousseront ? Ou bien, quand soufflera le vent de la tentation, ces pousses encore si fragiles, hélas ! seront facilement déracinées, ou bien, prises dans les taillis qui ne manqueront pas de croître avec elles, puisqu'il n'y aura personne pour les en débarrasser, elles seront étouffées et ne porteront aucun fruit » (*Ep* 4, 2 : *SBO* 7, p. 26).

dico, gratia Dei, nondum apparent ; et ista quae timeo, orationibus vestris, adhuc non adsunt. Sed quos sic absens protegitis orando, quantum, rogo, praesens protegeretis[f], tam orando quam commonefaciendo, quam et
50 nectarifluae conversationis vestrae exempla monstrando !

3. Ut enim de ipsa communi et vulgari locutione vestra, hoc quod ipse expertus sum, sinceriter fatear, *molliti sunt sermones vestri super oleum, et ipsi sunt iacula*[g]. Quia cum audientis cor intima quadam suavitate
55 demulcent, affectu et desiderio amoris vestri illud penetrant. Amoris vestri inquam, priusquam Dei. Sed dum amor vester mentem subintrat, ipse amori Dei viam parat. Quia quanto plus quis vos amat, tanto libentius quae monetis vel rogatis auscultat ; et quanto libentius
60 vos audit, tanto utique citius exaudit. Sed quia, ut quis spiritaliter vel amet vel ametur, non humanae est virtutis, sed illius solius donum de quo dicitur : *Deus caritas est*[h], et nos et vos altissimo benedicamus Domino cunctique simul debitas Deo reddamus gratias. Amen.

---

65 A. *Et valles abundabunt frumento*[i].
B. *Qui emittis fontes in convallibus*[j].
C. *Ego, flos campi et lilium convallium*[k].

55 penetrant : vel vulnerant *var. lect. in marg. add. D*

f. Cf. II Cor. 13, 2.10 || g. Ps. 54, 22 || h. I Jn 4, 16 || i. Ps. 64, 14 || j. Ps. 103, 10 || k. Cant. 2, 1

vieillie et amère. Et certes, par la grâce de Dieu, ce dont je parle ne se manifeste pas encore ; grâce à vos prières, ce que je crains ne s'est pas encore produit. Mais ceux qu'absent comme vous l'êtes vous protégez par votre prière, combien, je vous le demande, ne les protégerez-vous pas une fois présent [f], tant par votre prière que par vos rappels et par l'exemple de votre manière de vivre « nectariflue » !

3. Quant à votre langage ordinaire et courant, j'avoue sincèrement en avoir fait moi-même l'expérience : *vos paroles sont douces plus que l'huile, et ce sont des javelots* [g]. En caressant le cœur de l'auditeur d'une douceur intime, elles le pénètrent d'un sentiment d'amour pour vous et du désir de cet amour. Je dis bien « d'amour de vous », plutôt que « d'amour de Dieu ». Mais en se faufilant dans l'esprit, cet amour de vous prépare une voie à l'amour de Dieu : car plus on vous aime, plus volontiers on prête l'oreille à vos recommandations et à vos exigences ; et plus volontiers on vous écoute, plus vite assurément on obéit. Et puisque aimer et être aimé spirituellement relève non des forces humaines mais du don de celui-là seul dont il est dit : *Dieu est charité* [h], bénissons le Seigneur Très-Haut, nous de notre côté et vous du vôtre, et rendons à Dieu les actions de grâces qui lui sont dues. Amen.

A. *Et les vallées regorgeront de froment* [i].
B. *Qui fais courir les sources dans les vallées* [j].
C. *Moi, la fleur des champs, le lis des vallées* [k].

PROLOGUS IN SEQUENTI OPERE

1. Cum necesse sit omnes molestias lectione mitigare aut depellere, sicut puero lactenti in remedium clamorum et fletuum nutrix sedula mammam apponit, videndum quid sit legendum et quomodo.

5 Est autem adeo fertilis et copiosa sanctorum librorum refectio, ut in eis tot fastidia nostra habeant lectionum mutatoria quot vivendi momenta, quamlibet longissima hominis vita. Nec in alienam philosophorum saecularium messem cogit inopia sensuum nos transire[a], sive agatur 10 de physica animarum sive etiam corporum, sive de ethica morum bonorum, sive de logica recte, ornate et vivaciter dicendorum. Omnium enim artifex, *Spiritus* qui *habet* omnem *scientiam vocis*[b], et *benignus Spiritus Sapientiae*[c], sic disposuit sermones suos *in scripturis populorum*[d], ut 15 nihil deesset urbanitatis, nihil veritatis, nihil honestatis, nihil utilitatis. Totum quod loquitur, aut creationem, aut reformationem, aut errorum correctionem, aut insipientium instructionem, aut bene proficientium exhortationem, aut damnationem malorum, aut remunerationem 20 bonorum insinuat. Non est in homine corruptio cuius medicinam non exhibeat authentica lectio. Secundum

a. Cf. Ruth 2, 8 || b. Sag. 1, 7 || c. Sag. 1, 6 || d. Ps. 86, 6

---

1. Voir Introduction p. 16-17 ; 43.

2. Cette division tripartite des sciences se trouve chez CICÉRON, *Ac.* I, 5, 19. Voir ISAAC DE L'ÉTOILE, *Serm.* 19, 9 (*SC* 207, p. 28-29, avec la note complémentaire 15, p. 333-335).

APPENDICE [1]

PROLOGUE A L'ŒUVRE QUI VA SUIVRE

1. Il nous faut adoucir ou chasser toutes nos peines au moyen de la lecture, comme la nourrice attentive donne le sein à l'enfant qu'elle allaite pour calmer ses cris et ses pleurs : voyons ce que nous devons lire et comment.

La réfection qu'offrent les livres saints est si riche et copieuse qu'en changeant de lectures on y trouve de quoi adoucir nos dégoûts, aussi nombreux que les instants de notre existence, si interminable que soit la vie humaine. Et aucune pauvreté de sens ne nous oblige à passer aux moissons étrangères des philosophes de ce monde [a], qu'il s'agisse de la physique des âmes ou même des corps, de l'éthique, relative aux bonnes mœurs, ou de la logique grâce à laquelle on s'exprime de manière correcte, élégante et vivante [2]. Car l'artisan de toutes choses, l'*Esprit* qui *connaît* toute *parole* [b], *l'Esprit de sagesse, Esprit plein de bonté* [c], a disposé ses paroles *dans les écrits des peuples* [d] pour que rien n'y manque en fait d'urbanité [3], de vérité, de noblesse morale, d'utilité. Tout ce qu'il dit enseigne soit la création, soit la régénération, soit la correction des erreurs, soit l'instruction des ignorants, soit l'encouragement des progressants, soit la condamnation des méchants, soit la récompense des bons. Rien de corrompu chez l'homme qui ne trouve une médication appropriée dans la lecture de ces sources authentiques. Selon que

3. Cf. *Par.* 15, glose B.

appetitum vero diversarum affectionum, nunc *nova* nunc *vetera* [e], nunc obscura nunc aperta, nunc subtilia nunc simplicia, nunc exempla nunc mandata, nunc seria nunc
25 iocosa legenda sunt, ut anima *circumamicta* tam concordi *varietate* [f] vitet taedium et sumat remedium.

2. Haec nos considerantes et utilitati legentium prospicientes, de multorum libris sapientium bene olentes veluti ad manum collegimus flores, non quasi legentibus
30 demonstraremus incognita, sed potius ut sub uno collecta futurorum ratio mentes legentium eo delectabilius tangeret quo sine labore hic posita perlegissent. Sicut igitur solent quidam, postquam etiam optimum vinum satis biberint, aquas paululum libenter potare ; aut post deli-
35 ciosas epulas, herbarum quarumdam seu fructuum esu delectari ; vel postquam seria quaedam diu tractaverint, iocosum aliquid quasi pro laboris levamine proferre : ita et tu, lector, ad haec tenuia et minima legenda potes, si vis, aliquando descendere, et sic postea velut recentior
40 ad altas doctorum sententias rimandas redire. Tantum favoris et benevolentiae tuae pretium tribue et simplici intentione haec lege : et confido in Domino quod aedificationis aliquid et spiritualis instructionis reportabis.

3. Continuum vero tractatum conscribere renui, sed
45 varias et breves sententias edere studui, ut lectoris fastidium illuderem et accidiosis non parum utilitatis confer-

e. Matth. 13, 52 || f. Ps. 44, 10.15

1. Passage repris de la *Praefatiuncula* du *Parabolaire*.
2. Réemploi d'une phrase de *Par*. 35, 1.

nos diverses tendances nous y inclinent, il faut lire tantôt *du neuf,* tantôt *du vieux*[e], des textes tantôt obscurs et tantôt clairs, tantôt subtils et tantôt simples, tantôt des exemples et tantôt des commandements, des choses tantôt sérieuses et tantôt divertissantes, de façon que l'âme, *enveloppée d'une* si consonante *diversité*[f], puisse éviter le dégoût et trouver un remède.

2. Considérant tout cela et ayant en vue l'utilité des lecteurs, nous avons recueilli, pour les leur mettre en quelque sorte sous la main, des fleurs parfumées dans les livres de nombreux sages : non que nous prétendions exposer à nos lecteurs des choses inconnues, mais plutôt afin que, rassemblé sous un seul chef, l'enseignement relatif aux réalités futures touche de manière d'autant plus délectable les esprits des lecteurs qu'ils auront lu sans labeur ce qui leur est ici présenté. Car même après avoir bu leur content du meilleur vin, d'aucuns prennent volontiers un peu d'eau ; ou bien, après des festins délicieux, ils ont plaisir à manger des légumes verts ou des fruits ; ou, après avoir longtemps discuté de choses sérieuses, ils échangent des propos divertissants comme pour alléger leur labeur. Et toi aussi, lecteur, tu peux, si le cœur t'en dit, t'abaisser de temps en temps à lire ces légers riens et puis, ainsi rajeuni, te remettre à explorer les pensées profondes des docteurs[1]. Donne-moi seulement pour prix ta sympathie et ta bienveillance, et lis ceci avec une intention simple et pure : j'ai confiance dans le Seigneur que tu en rapporteras quelque chose en fait d'édification et d'enseignement spirituel[2].

3. Je me suis refusé à écrire un traité continu ; je me suis appliqué au contraire à énoncer des sentences variées et brèves, afin de tromper le dégoût du lecteur : ce qui n'est pas un mince service à rendre aux individus en proie à l'acédie. Car les mets qu'on présente à des

rem. Nam cibi edentibus appositi plus placent diversi et varii quam unius generis.

Multos etiam accidia diebus istis a salute retrahit. Hi
50 sunt quos verbositas pascit, somnus delectat, corporis vel mentis vagatio iuvat. Rumores audire, novas res videre, beatum putant. Volunt cotidie fieri mutationes dominorum, innovationes legum, translationes institutionum, ut his mutationibus taedii levamen qualecumque capiant.
55 Enimvero odio habent quidquid durat, horrent si quid in eodem perseverat [g]. Praecipue autem eremitas atque solitarios inquietare contendit. Coenobitae vero, quia modo legendo modo manibus operando diem ducunt, non facile in manibus eius incidunt, illis longe dissimiles
60 qui non rationem dictorum sed dignitatem dicentium prava examinatione discutiunt, qui magis quis quam quid dicat attendunt et quod facere aut fieri nolunt, dici quoque sibi fastidiunt, paratiores aliquid doctrinae, etiam quod scire cupiunt, ignorare, quam a persona inferiori
65 cognoscere, cum veritas undecumque claruerit non sit humano ingenio deputanda, sed Deo, nec aliquorum debeat credi sed omnium. Quae per se talis est ac tanta, ut non tunc sit magna si eam magni docuerint, sed potius ipsa magnos faciat eos a quibus doceri vel disci potuerit.

g. Cf. Job. 14, 2

---

1. Reprise dans un ordre différent d'éléments de la finale de la *Par*. 35, 2. L'allusion à l'acédie rappelle *Par*. 21, 1.

2. Réemploi d'un morceau de la *Par*. 16, 7.

3. Cf. *RB* 1, 9 : « ce qu'ils ne veulent pas, ils pensent que c'est interdit ».

convives leur plaisent davantage s'ils sont divers et variés, plutôt que d'une seule sorte [1].

Et de nos jours l'acédie éloigne bien des gens du salut. Le verbiage leur est un festin, le sommeil un délice ; vagabonder ou divaguer, voilà qui leur donne des forces ! Entendre des racontars, voir du nouveau, quel bonheur à leurs yeux ! Ils voudraient qu'il y ait tous les jours changements d'autorité, législation nouvelle, modifications dans les institutions, afin d'obtenir grâce à ces mutations quelque remède à leur ennui. Car ils ont en horreur tout ce qui dure ; ils abhorrent de voir quelque chose rester dans un même état [g]. Ce vice ambitionne surtout de troubler ermites et solitaires. Les cénobites, eux, ne tombent pas facilement entre ses griffes, car ils passent la journée tantôt à lire, tantôt à travailler de leurs mains [2]. Ils sont loin de leur ressembler, ceux qui soumettent à un examen pervers non la validité des dires mais les titres de leurs auteurs ; qui regardent plus à qui dit qu'à ce qui est dit, et répugnent à s'entendre dire ce qu'ils ne veulent pas faire [3] ou voir se produire ; préférant ignorer un point de doctrine, même s'ils voudraient le connaître, plutôt que de l'apprendre d'un inférieur [4] ! alors que la vérité, d'où qu'elle brille, n'est pas à imputer au génie humain mais à Dieu. On ne doit pas croire qu'elle soit la propriété de quelques-uns, mais bien de tous. Étant donné sa qualité et sa stature intrinsèques, ce n'est pas du fait des grands qui l'enseignent qu'elle est grande : c'est elle plutôt qui fait la grandeur de qui peut l'enseigner ou l'apprendre.

4. Écho possible de *RB* 3, 3 ; 63, 6 ; 64, 2. S. BERNARD énonce un principe analogue dans une lettre à Eugène III : « Il faut toujours considérer ce qui est demandé, et non par qui » (*Ep* 245 : *SBO* 8, p. 136).

Abréviations

app.	appendice
epi.	lettre initiale
epi. fin.	lettre finale
praef.	préface
tit.	titre

I. INDEX SCRIPTURAIRE

Les références précédées d'un * concernent des allusions.
Renvoi est fait à la parabole et au paragraphe (ou à la glose).

Proverbes

Jean

Actes

Romains

I Corinthiens

II Corinthiens

I Pierre

II Pierre

I Jean

II Jean

Apocalypse

II. INDEX DES NOMS PROPRES

Renvoi est fait à la parabole et à la ligne.

III. INDEX DES MOTS RARES

L'astérisque signale l'absence du mot dans les dictionnaires et lexiques de Blaise, Forcellini, Gaffiot et Niermeyer

Renvoi est fait à la parabole et à la ligne.

TABLE DES MATIÈRES

SOURCES CHRÉTIENNES

Dans la liste qui suit, dite « liste alphabétique », tous les ouvrages sont rangés par nom d'auteur ancien, les numéros précisant pour chacun l'ordre de parution depuis le début de la collection. Pour une information plus complète, on peut se procurer deux autres listes au secrétariat de « Sources Chrétiennes » – 29, rue du Plat, 69002 Lyon (France) – Tél. : 78.37.27.08 :

1. la « liste numérique », qui présente les volumes et leurs auteurs actuels d'après les dates de publication ; elle indique les réimpressions et les ouvrages momentanément épuisés ou dont la réédition est préparée.
2. la « liste thématique », qui présente les volumes d'après les centres d'intérêt et les genres littéraires : exégèse, dogme, histoire, correspondance, apologétique, etc.

LISTE ALPHABÉTIQUE (1-378)

SOUS PRESSE

Les Apophtegmes des Pères, tome I, J.C. Guy (†).
ATHÉNAGORE : **Supplique au sujet des chrétiens et Traité de la Résurrection.** B. Pouderon.
BERNARD DE CLAIRVAUX : **Introduction aux Œuvres complètes.**
GRÉGOIRE DE NAZIANZE : **Discours 42-43.** J. Bernardi.
JEAN DAMASCÈNE : **Écrits sur l'Islam.** R. Le Coz.
ORIGÈNE : **Commentaire sur saint Jean.** Tome V. C. Blanc.

PROCHAINES PUBLICATIONS

BERNARD DE CLAIRVAUX : **A la gloire de la Vierge Mère.** I. Huille. J. Regnard.
CÉSAIRE D'ARLES : **Œuvres monastiques,** tome II : **Œuvres pour les moines.** A. de Vogüé, J. Courreau.
Livre d'heures ancien du Sinaï. M. Ajjoub.
GRÉGOIRE LE GRAND : **Pastoral.** B. Judic, C. Morel.
HERMIAS : **Diatribe contre les philosophes païens.** R.C.P. Hanson (†).
JEAN CHRYSOSTOME : **Sur l'égalité du Père et du Fils.** Hom. VIII-XII. A.-M. Malingrey.
ORIGÈNE : **Homélies sur les Juges.** P. Messié, L. Neyrand, M. Borret.

Également aux Éditions du Cerf

LES ŒUVRES DE PHILON D'ALEXANDRIE
publiées sous la direction de
R. ARNALDEZ, C. MONDÉSERT, J. POUILLOUX.
Texte original et traduction française.

1. **Introduction générale. De opificio mundi,** R. Arnaldez.
2. **Legum allegoriae,** C. Mondésert.
3. **De cherubim.** J. Gorez.
4. **De sacrificiis Abelis et Caini.** A. Méasson.
5. **Quod deterius potiori insidiari soleat.** I. Feuer.
6. **De posteritate Caini.** R. Arnaldez.
7-8. **De gigantibus. Quod Deus sit immutabilis.** A. Mosès.
9. **De agricultura.** J. Pouilloux.
10. **De plantatione.** J. Pouilloux.
11-12. **De ebrietate. De sobrietate.** J. Gorez.
13. **De confusione linguarum.** J.-G. Kahn.
14. **De migratione Abrahami.** J. Cazeaux.
15. **Quis rerum divinarum heres sit.** M. Harl.
16. **De congressu eruditionis gratia.** M. Alexandre.
17. **De fuga et inventione.** E. Starobinski-Safran.
18. **De mutatione nominum.** R. Arnaldez.
19. **De somniis.** P. Savinel.
20. **De Abrahamo.** J. Gorez.
21. **De Iosepho.** J. Laporte.
22. **De vita Mosis.** R. Arnaldez, C. Mondésert, J. Pouilloux, P. Savinel.
23. **De Decalogo.** V. Nikiprowetzky.
24. **De specialibus legibus.** Livres I-II. S. Daniel.
25. **De specialibus legibus.** Livres III-IV. A. Mosès.
26. **De virtutibus.** R. Arnaldez, A.-M. Vérilhac, M.-R. Servel et P. Delobre.
27. **De praemiis et poenis. De exsecrationibus.** A. Beckaert.
28. **Quod omnis probus libert sit.** M. Petit.
29. **De vita contemplativa.** F. Daumas et P. Miquel.
30. **De aeternitate mundi.** R. Arnaldez et J. Pouilloux.
31. **In Flaccum.** A. Pelletier.
32. **Legatio ad Caium.** A. Pelletier.
33. **Quaestiones in Genesim et in Exodum. Fragmenta graeca.** F. Petit.
34 A. **Quaestiones in Genesim,** I-II (e vers. armen). Ch. Mercier.
34 B. **Quaestiones in Genesim,** III-VI (e vers. armen). Ch. Mercier et F. Petit.
34 C. **Quaestiones in Exodum,** I-II (e vers. armen.).
35. **De providentia,** I-II. M. Hadas-Lebel.
36. **Alexander (De animalibus).** A. Terian et J. Laporte.

ACHEVÉ D'IMPRIMER
SUR LES PRESSES DE
L'IMPRIMERIE CHIRAT
42540 ST-JUST-LA-PENDUE
EN AVRIL 1992
DÉPÔT LÉGAL 1992 N° 6331
N° D'ÉDITEUR 9441

IMPRIMÉ EN FRANCE